afgeschreven

Bibliotheek Slotermeer
Plein '40 - '45 nr. 1
1064 SW Amsterdam
Tel.: 020 - 613.10.67

Jouw hart is van mij

Bibliotheek Slotermeer
Plein '40 - '45 nr. 1
1064 SW Amsterdam
Tel.: 020 - 613.10.67

Van Dean Koontz zijn verschenen:

Het Franciscus komplot*
Motel van de angst*
Weerlicht*
Middernacht*
Het kwade licht*
De stem van de nacht*
Het koude vuur*
Fantomen*
Dienaren van de schemering*
Onderaards*
Het masker*
Monsterklok*
Ogen der duisternis*
Mr. Murder*
Wintermaan*
Duistere stromen*
In de val
Het Visioen*
IJskerker*
Eeuwig vuur*
Tiktak*
De sadist*
De overlevende*
Duivelszaad*
Vrees niets*
Grijp de nacht*
Verbrijzeld*
Het Huis van de Donder*
Gezicht van de angst*
Geheugenfout*
De deur naar december*
Gefluister*
Schemerogen*
Schaduwvuur*
Schemerzone*
Verblind*
Huiveringen*
Verlossing*
Bij het licht van de maan*
Spiegel van de ziel*
De gave*
Gegrepen*
Tijd van leven
De nachtmerrie
De vriendschap
De echtgenoot
De broeder
Wie goed doet
De donkerste nacht
De ziener
Jouw hart is van mij

Dean Koontz' Frankenstein:
Boek 1 De verloren zoon
(met Kevin J. Anderson)*
Boek 2 Stad van de nacht
(met Ed Gorman)*

Over Dean Koontz is verschenen:
De biografie* *(door Harrie Kemps)*

* In Poema pocket verschenen

DEAN KOONTZ

Jouw hart is van mij

UITGEVERIJ LUITINGH

© 2008 Dean Koontz
All rights reserved
Published by arrangement with Lennart Sane Agency AB
© 2009 Nederlandse vertaling
Uitgeverij Luitingh ~ Sijthoff B.V., Amsterdam
Alle rechten voorbehouden
Oorspronkelijke titel: *Your Heart Belongs to Me*
Vertaling: Jan Mellema
Omslagontwerp: Karel van Laar
Omslagfotografie: Reporters BV

ISBN 978 90 245 2872 1
NUR 330

www.boekenwereld.com
www.luitingh.nl

Dit boek is opgedragen aan Tim en Serena Powers.
Ieder die hen kent, zal begrijpen waarom.

Things fall apart; the centre cannot hold;
Mere anarchy is loosed upon the world,
The blood-dimmed tide is loosed, and everywhere
The ceremony of innocence is drowned...
W.B. YEATS, 'The Second Coming'

DEEL EEN

The houses are all gone under the sea.
The dancers are all gone under the hill.
T.S. ELIOT, 'East Coker'

1

Ryan Perry wist niet dat er iets vanbinnen bij hem was kapotgegaan.

Met z'n vierendertig jaar zag hij er fitter uit dan op zijn vierentwintigste. Thuis had hij tal van fitnessapparaten staan, en drie keer per week kwam er een personal trainer bij hem langs.

Op die woensdagochtend in september, toen hij de gordijnen van zijn slaapkamer opendeed en de strakblauwe lucht in het blauw van de zee weerspiegeld zag, trokken de golven en het strand hem zo, dat hij besloot zijn ontbijt over te slaan.

Hij deed zijn computer aan, ging naar een surfsite en belde Samantha op.

Waarschijnlijk zag ze op het display van haar telefoon wie er belde, want toen ze opnam, zei ze: 'Goedemorgen, Lonkie.'

Soms noemde ze hem Lonkie, want toen ze elkaar voor het eerst ontmoetten, dertien maanden geleden, op een middag, had hij last gehad van een tamelijk ernstige vorm van myokymie en had hij ongecontroleerd met een ooglid zitten knipperen.

Het kwam wel eens voor dat Ryan zo opging in het programmeren van software dat hij zesendertig uur achter elkaar door werkte, tot zijn rechterooglid ineens aan één stuk door begon te trillen en hij gedwongen werd rust te nemen. Hij knipoogde dan zo heftig dat het net was of hij als een razende een noodsignaal in morse zat door te seinen.

Net toen hij die aanval van myokymie had, kwam Samantha op zijn kantoor langs om hem voor *Vanity Fair* te interviewen. Even kreeg ze de indruk dat hij met haar zat te flirten, en wel op een tamelijk klungelige manier.

Aan het eind van het gesprek had Ryan haar mee uit willen vragen, maar omdat hij vermoedde dat ze werk en privé strikt gescheiden hield en nooit op zijn voorstel zou ingaan zolang ze nog over hem aan het schrijven was, belde hij haar pas later op, toen hij wist dat het artikel af was.

'Stel nu dat *Vanity Fair* uitkomt en het blijkt dat ik je de grond in heb geschreven,' had ze gezegd.

'Dat lijkt me sterk.'

'Waarom denk je dat?'

'Ik verdien het niet om de grond in te worden geschreven, en jij lijkt me er het type niet naar om zoiets dan toch te doen.'

'Je kent me niet goed genoeg om dat te kunnen zeggen.'

'Tijdens het interview,' zei hij, 'merkte ik dat je slim bent, dat je een scherpe kijk op de dingen hebt, dat je niet in een politiek kader gevangenzit, en dat je niet snel jaloers zult worden. Als ik me bij jou niet veilig kan voelen, kan ik dat nergens, behalve misschien als ik mezelf in een kamer opsluit.'

Het was niet zijn bedoeling geweest haar te vleien. Hij had alleen maar gezegd hoe hij haar zag.

Samantha voelde meestal goed aan of mensen oprecht waren of niet, en wist dat hij haar niet zomaar wat op de mouw wilde spelden.

Wat een intelligente vrouw in een man zoekt, is oprechtheid, vriendelijkheid, durf en een gevoel voor humor. Ze was op zijn uitnodiging ingegaan, en vanaf dat moment was hij gelukkiger dan ooit.

Nu, op deze woensdagochtend, zei hij: 'Fantastische golven, anderhalve meter hoog, die strak en majestueus aan komen rollen, met een zonnetje dat je tot in je binnenste zal verwarmen.'

'Ik zit met een deadline.'

'Je bent veel te jong om je met de dood bezig te hoeven houden.'

'Ben je weer manisch? Heb je last van slapeloosheid?'

'Heb als een roos geslapen, als een os, als een marmot.'

'Als je slecht geslapen hebt, kan het gevaarlijk zijn om te gaan surfen.'

'Ik mag in sommige dingen dan wat extreem zijn, maar gevaarlijk kun je me niet noemen.'

'Compleet gestoord, zoals toen met die haai.'

'Och, dat. Dat stelde niks voor.'

'Ach, het was maar een witte haai.'

'Nou ja, dat stomme beest had een hap uit mijn surfplank genomen.'

'En toen? Wilde je hem daarop aanspreken?'

'Ik moest toch wat?' zei Ryan. 'Ik was kopje-onder gegaan, kon geen hand voor ogen zien, stikte zowat, en dan ineens denk ik met mijn hand de scheg te pakken te hebben.'

De scheg is een vin die aan de onderkant van de surfplank vastzit, waardoor de achterkant stabieler in het water ligt en de surfer kan sturen.

Maar wat Ryan te pakken kreeg, was de rugvin van een haai.

Samantha zei: 'Welke zelfmoordpiloot kiest nou een haai om mee in zee te gaan?'

'Ik had niks te kiezen. Ik werd gekozen.'

'Dat beest zwom naar de oppervlakte en probeerde je van zich af te schudden, maar jij hield je steeds vast, ook toen hij weer onder water dook.'

'Omdat ik niet los durfde te laten. Maar goed, het duurde maar twintig seconden.'

'De meeste mensen worden sloom als ze te weinig slaap krijgen. Maar jij wordt dan hyper.'

'Ik heb vannacht zowat een winterslaap gehouden. Ik voel me zo fris als een beer in de lente.'

Ze zei: 'In het circus heb ik eens een beer op een driewieler gezien.'

'Wat heeft dat er nou mee te maken?'

'Dat was grappiger om te zien dan een idioot op de rug van een haai.'

'Ik ben Poeh-beer. Ik voel me zo fit als een hoentje en ben erg knuffelbaar. Als er op dit moment een haai bij me zou aankloppen om te vragen of ik zin had op zijn rug mee te gaan, dan zou ik beleefd weigeren.'

'Ik heb nachtmerries gehad, waarin ik jou met die haai zag worstelen.'

'Niet worstelen. Het was meer een soort van ballet wat we deden. Onze plek?'

'Dan krijg ik dit boek nooit af.'

'Je moet je computer 's nachts gewoon aan laten staan. Dan maken de kaboutertjes het boek wel voor je af. Onze plek?'

Ze gaf zich gewonnen en zuchtte gelukzalig. 'Over een halfuur.'

'Doe die rooie maar aan,' zei hij, en hing op.

Het water zou al warm zijn, en met dit mooie weer had hij geen wetsuit nodig.

Hij trok een ruimzittende broek met een palmmotief aan.

In zijn kleerkast lag ook een broek met een haaienprint. Als hij die aantrok, zou ze geen spaan van hem heel laten. Bij wijze van spreken dan.

Voor na afloop nam hij een setje reservekleren en een paar schoenen mee.

Van de vijf auto's die in zijn garage stonden, leek de *customized* Ford Woodie Wagon uit 1951 – antraciet met portieren van gespikkeld esdoornhout – de beste keuze voor de gelegenheid. Zijn surfplank lag al achterin en stak uit de opengedraaide ramen, met de scheg omhoog.

Voordat hij aan het eind van de met keitjes geplaveide oprijlaan links afsloeg, remde hij even en keek hij achterom naar het huis: het sierlijk glooiende dak met rode dakpannen, de kalkstenen muren, de bronskleurige kozijnen met ramen van gegraveerd glas, die de zon als juwelen weerspiegelden.

Op de tweede verdieping zette een dienstmeisje in een smetteloos wit uniform de dubbele balkondeuren open om zijn slaapkamer te luchten.

Een van de hoveniers was de jasmijnstruiken aan het snoeien die langs de muren omhooggroeiden, tot aan de sierlijsten rond de ingang, die uit de kalkstenen muren waren gehouwen.

In minder dan tien jaar had Ryan zich opgewerkt van een krap appartementje in Anaheim naar de heuvels van Newport Coast, met uitzicht op zee.

Samantha kon zomaar een dag vrij nemen, omdat ze schrijver was, en ook als ze met een taaie klus bezig was, kon ze haar eigen uren bepalen. Ryan kon vrij nemen omdat hij rijk was.

Ryan was met niets begonnen, maar doordat hij goed bij zijn verstand was en keihard had gewerkt, had hij de absolute top bereikt. Soms begon het hem te duizelen als hij goed tot zich door liet dringen welke vlucht zijn carrière had genomen.

Terwijl hij het bewaakte, ommuurde terrein verliet en door de heuvels naar Newport Harbor reed, waar duizenden plezierjachten in het flonkerende water lagen te dobberen, pleegde hij een paar zakelijke telefoontjes.

Een jaar geleden had hij zich teruggetrokken als algemeen directeur van Be2Do, het bedrijf dat hij eigenhandig had opgebouwd en dat zich had ontwikkeld tot de belangrijkste sociale-netwerksite op internet. Als grootste aandeelhouder bleef hij lid van de raad van bestuur, maar bedankte voor de functie van voorzitter.

Tegenwoordig hield hij zich voornamelijk bezig met *creative development*: hij bedacht en ontwikkelde diensten die door het bedrijf konden worden aangeboden. Ondertussen probeerde hij Samantha ertoe over te halen met hem te trouwen. Hij wist dat ze van hem hield, maar ze liet zich niet tot een huwelijk verleiden. Hij vermoedde dat ze zich door haar trots liet weerhouden.

Hij was steenrijk, en ze wilde niet in zijn schaduw staan. Hoewel ze het er nooit over had gehad, wist hij dat ze liever wachtte tot ze als romanschrijver op haar eigen benen kon staan, zodat ze in elk geval op het creatieve vlak als zijn gelijke in het huwelijksbootje kon stappen.

Ryan had geduld. En hij gaf niet snel op.

Hij had zijn telefoontjes afgerond, toen hij de Pacific Coast Highway verliet en over de brug naar Balboa Peninsula ging, het schiereiland dat de haven van de zee afschermde. Hij reed door tot aan de punt en luisterde ondertussen naar ouderwetse *doowop*, een muziekstijl die jonger was dan de Woodie Wagon, maar die een kwarteeuw ouder was dan hij.

Hij parkeerde de auto in een straatje met mooie huizen, vlak bij het strand, in de schaduw van wat bomen, en nam zijn plank mee.

Met ritmisch, donderend geraas bestormde de zee de kust.

Ze stond al te wachten, op 'hun plek', waar ze voor het eerst samen hadden gesurft, halverwege de havenmond en de pier.

Ze woonde in een appartement boven een garage, op drie minuten loopafstand, en ze had haar plank bij zich, een badlaken en een kleine koeltas.

Hoewel hij haar had gevraagd de rode bikini aan te doen, droeg ze een gele. Daar had hij eigenlijk op gehoopt, maar als hij erom gevraagd had, zou ze juist haar rode of blauwe of groene hebben aangetrokken.

Ze was net een fata morgana, met blond haar en een gebronsd lijf, trillend in het licht, een verleidelijke oase op het brede, zonovergoten strand.

'Wat zijn dat voor sandalen?' vroeg ze.

'Chic, hè?'
'Het lijkt wel of ze gemaakt zijn van oude autobanden.'
'Dat is ook zo. Maar wel van hele goeie.'
'Hoort daar geen petje bij dat gemaakt is van een wieldop?'
'Vind je ze niet leuk?'
'Als je een lekke band krijgt, komt de wegenwacht dan met een nieuwe schoen aanzetten?'
Hij schopte zijn sandalen uit en zei: 'Nou, ik vind ze in elk geval wél leuk.'
'Moet je vaak naar een autobedrijf om ze te laten uitlijnen?'
Het zand onder zijn voeten voelde zacht en heet aan, maar was hard en koel op het gedeelte waar het door de ruisende golven als met een plamuurmes werd gladgestreken.
Toen ze de zee in liepen, zei hij: 'Ik zal die sandalen weggooien, als jij de volgende keer je rode bikini aandoet.'
'Maar je wilde juist dat ik deze gele aantrok.'
Het verbaasde hem dat ze hem doorhad, maar hij liet niets merken. 'Waarom zou ik dan om die rooie gevraagd hebben?'
'Omdat je alleen maar dénkt dat je me doorhebt.'
'En voor jou ben ik een open boek?'
'Lonkie, vergeleken met jou is het eenvoudigste verhaaltje van Dr. Seuss net zo complex als Dostojevski.'
Ze legden hun surfplank op het water, gingen erop liggen en crawlden in de richting van de branding.
Met stemverheffing, om boven het geraas van de golven uit te komen, riep hij: 'Was die opmerking over Seuss beledigend bedoeld?'
Haar klaterende schaterlach wekte bij Ryan associaties met mysterieuze sprookjes over zeemeerminnen die diep in de zee leefden.
Ze zei: 'Niet beledigend, liefje. Het was bedoeld als een zoen van zestien woorden.'

Ryan deed geen moeite om zich het aantal woorden tussen *Lonkie* en *Dostojevski* te herinneren. Samantha ontging niets, ze had een fabelachtig geheugen en kon hele gesprekken terughalen die maanden geleden hadden plaatsgevonden.

Meestal vond hij haar zeer aantrekkelijk, maar soms kon ze dingen zeggen waar hij van schrok. Op zich vond hij dat niet slecht. Zo zou het nooit voorspelbaar of saai tussen hen worden.

De golven kwamen met regelmatige tussenpozen aanrollen, als goederenwagons, vier of vijf tegelijk. Tussendoor bleef de branding steeds betrekkelijk rustig.

Toen er net een serie golven geweest was, crawlden Ryan en Samantha naar de *line-up* en wachtten daar, schrijlings op hun board gezeten, tot zich weer een golf zou aandienen.

Vanuit deze positie bekeken vormde het water niet zo'n gladde, blauwe spiegel zoals het vanuit zijn huis in de heuvels had geleken, maar was het donker als jade en vormde het een uitdaging. De naderende golf leek op de krommende rug van een of ander geschubd zeemonster, groter dan duizend haaien bij elkaar, dat aan de diepte ontsproten was en nu naar de oppervlakte was gekomen om zich aan de zonovergoten wereld te goed te doen.

Sam grijnsde naar Ryan. Haar ogen vingen de zon, weerkaatsten het blauw van de lucht en het groen van de zee, en glansden van intens genot om in evenwicht te zijn met miljoenen tonnen water die naar de kust gedrukt werden door stormen die vijfduizend kilometer verderop woedden, en door de maan, die zich nu aan de donkere kant van de aarde bevond.

Sam pakte de tweede golf: eerst op twee knieën, dan een knie optrekken, daarna snel en soepel overeind en weg. Ze surfte naar de top van de golf en maakte toen een *floater* langs de omkrullende rand.

Terwijl ze achter de golf uit het zicht verdween, dacht

Ryan dat de breker – de grootste tot nu toe – zo hoog en krachtig was dat het water haar als een tunnel zou omsluiten. Sam zou er soepel doorheen glijden, als olie door een pijplijn.

Ryan tuurde over het water, om te zien of hij de volgende golf kon pakken, en wachtte geconcentreerd tot hij zich kon oprichten om met zijn board over het water te scheren.

Toen gebeurde er iets met zijn hart, dat al sneller was gaan kloppen in afwachting van het moment waarop hij in actie kon komen. Zijn hart begon in een alarmerend hoog tempo te bonzen, alsof hij niet met een opwindende sport bezig was maar in een enorm beangstigende situatie was terechtgekomen.

Zijn enkels, polsen, keel en slapen bonkten op het ritme van zijn hart. Het bloed dat door zijn lijf stroomde, leek in eenzelfde versnelling te komen als de opkomende golven voor en onder hem.

Het geruis van het water drong zich op sinistere wijze aan hem op.

Ryan zag ervan af de volgende golf te pakken, klemde zich aan zijn board vast en merkte dat het daglicht aan de rand van zijn blikveld vervaagde. Aan de horizon bleef de lucht helder, al was het blauw in grijs veranderd.

Donkere wolken kolkten door de grijsgroene zee, alsof de Stille Oceaan binnen afzienbare tijd pikzwart zou worden.

Zijn ademhaling was oppervlakkig en gejaagd. De lucht zelf leek te veranderen, alsof er de helft minder zuurstof in zat, wat misschien verklaarde waarom de lucht er zo grauw uitzag.

De zee had hem nooit angst ingeboezemd. Maar nu wel.

Het water kwam omhoog, ogenschijnlijk doelbewust en dreigend. Ryan hield zich krampachtig aan zijn surfplank vast en gleed over de omhoogkomende kop van de breker in de brede geul tussen twee golven.

Hij was bang dat de geul zich zou verdiepen, dat er uiteindelijk een draaikolk zou ontstaan en dat hij weerloos de diepte in zou worden getrokken.

De surfplank begon te wiebelen en te schommelen, en Ryan rolde er bijna af. Hij had totaal geen kracht meer. Zijn greep op zijn board was verslapt, en hij trilde als een oude man.

Hij schrok toen hij iets in het water voelde.

Toen hij besefte dat die stekelachtige vormen geen haaienvinnen waren, en ook geen tentakels die hem probeerden mee te sleuren, maar slechts in elkaar gedraaide slierten zeewier, was hij toch niet opgelucht. Als er nu een haai aankwam, zou Ryan geheel aan het dier zijn overgeleverd, omdat hij zich niet in staat achtte weg te zwemmen of weerstand te bieden.

2

De aanval verdween net zo plotseling als hij opkwam. Ryans bonkende hart bedaarde. Het grijs in de lucht maakte plaats voor blauw. De voortwoekerende duisternis in het water trok weg. Hij kreeg zijn kracht weer terug.

Hij besefte pas hoe lang het had geduurd toen hij zag dat Samantha inmiddels naar het strand was gesurft en over de aanstormende golven naar hem toe crawlde.

Toen ze vlakbij was, was de bezorgdheid die op haar gezicht af te lezen was, ook in haar stem te horen: 'Ryan?'

'Ik was even lekker aan het genieten,' loog hij, liggend op zijn board. 'Ik pak zo meteen wel een golf.'

'Sinds wanneer ben jij een dobbereend?' vroeg ze. Ze gebruikte de term voor schijtebroeken die de godganse dag bij de line-up rondhingen, net achter het breakpoint, en dat dan surfen noemden.

'De laatste twee golven waren het hoogst,' zei hij. 'Ik heb zo'n idee dat de volgende serie nog hoger wordt. Dat is wel even de moeite van het wachten waard.'

Sam ging schrijlings op haar surfplank zitten en tuurde over het water, om te zien of er al een nieuwe serie golven in zicht was.

Ryan vermoedde dat ze aanvoelde dat hij iets te verbergen had en dat ze dat probeerde te plaatsen.

Nu zijn hart het normale ritme had hervonden en hij weer op krachten was gekomen, liet hij zijn plank los, ging er schrijlings op zitten en bereidde zich voor om echt te gaan surfen.

Terwijl hij op de volgende serie golven wachtte, maakte hij zichzelf wijs dat er lichamelijk niets aan de hand was maar dat het alleen psychisch was geweest. Net als iedereen vond hij het moeilijk om de waarheid onder ogen te zien.

Hij had geen enkele reden om zich zorgen te maken. Hij leidde een lekker leventje, waarin alles van een leien dakje ging.

Samantha keek naar de golven in de verte en zei: 'Lonkie.'

'Ik zie het.'

De zonovergoten zee kwam omhoog, zilveren koppen op een donkergroene achtergrond, als een rijzende heuvel van water die traag naar de branding rolde.

Ryan rook de geur van de zee, van het jodium van gebarsten zeewier, en proefde zout op zijn lippen.

'Indrukwekkend,' riep Sam, haar blik op de golf gericht.

'Monsterlijk,' zei hij instemmend.

Ze maakte geen aanstalten zich in een gunstige positie te manoeuvreren maar liet de golf aan hem over en bleef schrijlings op haar board zitten, met haar voeten in het water, voer voor haaien.

Een grote groep meeuwen vloog terug naar de kust, krijsend, alsof ze de mensen op het strand wilden waarschuwen dat er een waterkolos aankwam die zandkastelen zou verzwelgen en picknickmandjes zou overspoelen.

Toen het moment suprême naderde, kreeg Ryan een angstig voorgevoel en was hij bang dat hij door de opwinding van het surfen misschien weer zo'n... aanval zou krijgen.

Hij crawlde naar de breker toe, ging op zijn board staan toen de golf zich oprichtte, spreidde zijn armen, met de handpalmen naar beneden gericht, en kwam precies goed uit, een perfecte *peeler* die niet kapotsloeg maar hem een solide, spiegelgladde ondergrond bood. De voortrollende golf verplaatste heel wat lucht, waardoor er een koel briesje langs de gekromde muur van water omhoogwaaide en tegen zijn vlakke handpalmen drukte. Hij bevond zich in een tunnel van glas, achter het gordijn van de schuimende golf, en scheerde moeiteloos over het water. Al zijn angsten spatten als een luchtbel uit elkaar en losten in het niets op.

Hij haalde al zijn trucs uit de kast om zo veel mogelijk vaart te krijgen en verliet de tunnel van water voordat de golf in elkaar zakte. De zon schitterde op het schuimende water. Het voelde allemaal zo werkelijk, zo goed. Hij nam zich voor zich in het vervolg niet meer door zijn angsten te laten leiden. *Onverschrokken*, dat was de enige manier om werkelijk te leven.

De golven waren tot in de middag gigantisch hoog. De aflandige wind trok aan en blies een nevel van waterspetters als rookslierten van de toppen van de golven.

Het badlaken was niet bedoeld om op te zonnebaden, maar om bij te komen van alle inspanning, zodat de trillerige, overbelaste spieren gemasseerd konden worden, het overtollige zeewater kon verdampen, alle zeewier en zout uit je haar gekamd konden worden, en ze elkaar letterlijk en figuurlijk warm konden maken voor de volgende surfsessie.

Meestal bleef Ryan tot laat in de middag, wanneer de wind ging liggen en de golven er niet meer door werden uitgehold, wanneer de hang naar de eeuwigheid – waar de zee voor stond – veranderde in een hang naar burrito's en taco's.

Maar tegen halfdrie, tijdens een rustpauze, nam een aangename vermoeidheid bezit van hem, alsof hij hard gewerkt had. Hij voelde zich heerlijk loom, en het liefst zou hij zijn ogen dichtdoen om lekker in de zon een dutje te doen...

Hij gleed moeiteloos door het water, een peilloze diepte in, met oplichtende zwermen plankton om zich heen, toen hij een stem hoorde, ergens in de verte: 'Ryan?'

'Hmmmm?'

'Was je in slaap gevallen?'

Hij had het gevoel nog steeds te slapen toen hij zijn ogen opendeed en haar gezicht zag: van een haast mythische schoonheid, met stralende ogen die exact dezelfde mengtint hadden als een groene zee waarin een strakblauwe lucht zich spiegelt. Om haar gouden lokken hing een krans van de zon, als een godin die van de Olympus was neergedaald en even op vakantie was.

'Je was écht in slaap gevallen,' zei Samantha.

'Te veel gesurft. Ik ben doodop.'

'Jij? Sinds wanneer ben jij ooit doodop?'

Hij kwam overeind en zei: 'Er moet altijd een eerste keer zijn.'

'Wil je echt opbreken?'

'Ik heb mijn ontbijt overgeslagen, en we hebben niet geluncht.'

'Er zitten een paar mueslirepen in de koeltas.'

'Het enige wat me nog kan redden, is een lekkere grote biefstuk.'

Ze pakten de koeltas, het badlaken en hun surfplanken, liepen ermee naar zijn stationcar en legden alle spullen achterin.

Door de warmte voelde Ryan zich nog steeds loom, en hij was zo moe van alle inspanningen dat hij het liefst had dat Samantha reed. Maar ze had hem meer dan eens onderzoekend aangekeken, alsof ze wel aanvoelde dat zijn dutje op het strand iets te maken had met het voorval eerder op de dag, toen hij op zijn board in de golven ronddobberde en zijn hart bijna uit elkaar was gesprongen. Hij wilde niet dat ze zich zorgen ging maken.

Bovendien was daar ook geen enkele reden voor.

Zijn klachten waren van strikt psychische aard geweest en waren veroorzaakt doordat hij bang was geworden. Waarschijnlijk hadden de meeste mensen daar tegenwoordig regelmatig last van, als ze 's avonds naar de treurige beelden op het journaal keken.

Ryan gaf de autosleuteltjes niet aan Samantha maar reed zelf, twee straatjes naar haar appartement.

Samantha ging als eerste onder de douche. Ryan maakte een kan ijsthee en sneed twee citroenen in partjes, voor de smaak.

In haar gezellige keuken zat maar één groot raam, waar een reusachtige Californische peperboom voor stond, met sierlijke takken en hangende varenachtige bladeren, die op zich weer bestonden uit talloze glanzende blaadjes. Omdat de takken alle uitzicht op de rest van de wereld ontnamen, kreeg Ryan hier altijd de indruk dat hij in een boomhut zat.

De aangename loomheid die op het strand bezit van Ryan had genomen, zakte weg, en hij merkte dat er weer nieuwe levenskracht in hem opwelde.

Hij had zin om met Samantha te vrijen, en toen hij daarover fantaseerde, merkte hij dat zijn verlangen alleen maar groeide.

Toen ze terugkwam, was haar haar nog nat van het douchen. Ze droeg een turkooizen broek, een smetteloos wit shirt en witte tennisschoenen.

Als ze zin had gehad om te vrijen, zou ze niet de moeite hebben genomen schoenen aan te doen en zou ze alleen in een zijden badjas naar hem toe zijn gekomen.

Soms hield haar libido wekenlang gelijke tred met dat van

hem en had ze vaak zin om te vrijen. Hij had gemerkt dat haar verlangen groter was wanneer ze veel schreef. Ze was dan geneigd weinig over zijn huwelijksaanzoek na te denken.

Wanneer ze ineens een aanval van deugdzaamheid kreeg, was dat meestal een teken dat ze overwoog zich met hem te verloven, alsof seks voor het huwelijk een verwerpelijke zaak was, te geheiligd misschien om je zomaar aan over te geven.

Ryan schikte zich gewillig in die periodes van afstandelijkheid en troostte zich dan met de gedachte dat ze overwoog met hem in het huwelijksbootje te stappen. Ze was achtentwintig, zes jaar jonger dan hij, en ze hadden nog een heel leven voor zich om te vrijen.

Hij schonk haar een glas ijsthee in en liep naar de badkamer. Hij begon met een koude douche, bijna net zo koud als de ijsthee die hij gemaakt had.

In het licht van de ondergaande zon wierpen de aardbeibomen langgerekte schaduwen op de flagstones van het terras van het restaurant.

Ryan en Samantha deelden een *insalata caprese*, zaten achter hun eerste glas wijn en hadden totaal geen haast om een hoofdgerecht te bestellen.

De gladde, omkrullende schors van de bomen werd extra rood gekleurd door de gloed van de ondergaande zon.

'Teresa was dol op de bloesem,' zei Sam. Teresa was haar zus.

'Wat voor bloesem?'

'Van die bomen. Aan het eind van het voorjaar komen er van die kelkachtige bloempjes aan.'

'Witte en roze,' wist Ryan zich te herinneren.

'Teresa zei dat ze het net watervallen van belletjes vond lijken, klokjes waar de wind mee speelde, opgehangen door elfjes.'

Zes jaar geleden had Teresa een ernstig auto-ongeluk gehad, waarbij ze zo zwaar aan haar hoofd gewond raakte dat ze uiteindelijk was overleden.

Samantha had het zelden over haar zus. Wanneer ze dat al deed, raakte ze vaak in zichzelf gekeerd, nog voor er veel gezegd was, en koesterde haar herinneringen in langgerekte stiltes.

Nu ze naar de neerbuigende boomtakken keek, lag er in haar ogen net zo'n verlangende blik als toen ze op haar surfplank zat en de zee afspeurde naar de eerste tekenen van een nieuwe serie golven.

Ryan voelde zich niet opgelaten wanneer Sam een zwijgzame bui had, omdat hij er dan van uitging dat ze aan haar zus dacht, ook wanneer ze het niet over Teresa hadden gehad.

Ze waren een eeneiige tweeling geweest.

Om Sam beter te kunnen begrijpen, was Ryan boeken gaan lezen over tweelingen waarvan de een door tragische omstandigheden om het leven was gekomen. Degene die achterbleef, kreeg dan vaak last van schuldgevoelens.

Er werd wel gezegd dat de innige band tussen eeneiige tweelingen, vooral bij zussen, zelfs door de dood niet verbroken kon worden. Sommige tweelingen beweerden dat ze de aanwezigheid van de ander nog steeds konden voelen, vergelijkbaar met de fantoompijn bij mensen die een beenamputatie hebben ondergaan.

Nu Samantha in zo'n zwijgzame, introverte stemming was, kon Ryan ongegeneerd naar haar kijken, iets wat niet goed mogelijk was wanneer ze zich van zijn blikken bewust was.

Hij ging helemaal op in zijn bewondering voor haar, was niet in staat zich te verroeren of zijn glas naar zijn lippen te brengen, of in elk geval had hij nu geen aandacht voor dat soort dingen. Hij liet zijn blik over haar gezicht en de sierlijke lijn van haar hals glijden, waarbij alleen zijn ogen bewogen.

Zijn leven stond in het teken van het najagen van perfectie, iets wat in deze wereld misschien helemaal niet bestond.

Soms kreeg hij het gevoel dat hij er heel dichtbij kwam wanneer hij software aan het programmeren was. Maar een complexe digitale schepping bezat net zo weinig warmte als een wiskundige vergelijking. Zelfs de ingewikkeldste software was niet meer dan een toonbeeld van precisie, niet van perfectie, omdat het geen enkele intense emotionele reactie opriep.

In Samantha Reach ontwaarde hij schoonheid die zo dicht bij de ultieme perfectie kwam dat hij eigenlijk moest concluderen dat zijn zoektocht volbracht was.

Sam staarde naar de boom maar was met haar gedachten heel ergens anders. Ze zei: 'Na het ongeluk heeft ze een maand in coma gelegen. Toen ze daaruit ontwaakte... was ze totaal veranderd.'

Ryan zweeg omdat hij helemaal opging in haar gladde huid. Het was voor het eerst dat hij hoorde dat Teresa in coma had gelegen. Maar Sams gezicht, dat door de zon beschenen werd, straalde zoiets prachtigs uit dat hij niet in staat was iets te zeggen.

'Ze werd gevoed via een slangetje dat naar haar maag liep.'

De schaduw van de boom viel alleen op haar haar en haar voorhoofd, zodat het leek of ze door de natuur met een krans was getooid.

'De dokters zeiden dat ze een kasplantje was.'

Ze sloeg haar blik neer en keek naar de kruisvormige gloed op tafel, veroorzaakt door het zonlicht dat door haar wijnglas viel.

'Ik heb daar nooit in willen geloven,' zei ze. 'Teresa had haar lichaam nog niet verlaten. Ze zat vast in haar lijf, maar ze was nog steeds Teresa. Ik wilde niet dat de voeding werd stopgezet.'

Toen ze haar blik naar hem opsloeg, voelde hij zich verplicht iets te zeggen.

'Maar dat hebben ze desondanks gedaan?' vroeg hij.

'Ze hebben haar laten doodhongeren. Ze zeiden dat ze toch niks zou voelen. Omdat ze een hersenbeschadiging had opgelopen, was het uitgesloten dat ze pijn kon lijden, zeiden ze.'

'Maar jij denkt dat ze wel pijn had?'

'Ik weet zeker van wel. Ik heb het laatste etmaal bij haar gewaakt, heb haar hand vastgehouden, en ik voelde dat ze naar me keek, ook al kon ze haar ogen niet opendoen.'

Hij wist niet goed wat hij daarop moest zeggen.

Samantha pakte haar glas, waardoor het kruis van licht in een pijl veranderde die kortstondig trilde en in de richting van Ryans ogen wees, alsof daar het noorden lag.

'Ik heb mijn moeder heel wat dingen vergeven, maar ik zal haar nooit vergeven wat ze Teresa heeft aangedaan.'

Terwijl Samantha een slokje van haar wijn nam, zei Ryan: 'Maar ik dacht... dat je moeder ook bij dat ongeluk was betrokken.'

'Dat klopt.'

'Ze is toen toch ook om het leven gekomen? Rebecca. Heette ze zo?'

'Ze leeft niet meer. Voor mij niet, althans. Rebecca heeft zichzelf begraven in een appartement in Las Vegas. Ze kan praten en lopen en ademen, maar voor mij leeft ze niet meer.'

De vader van Samantha had het gezin in de steek gelaten toen de tweeling nog geen twee jaar oud was. Ze had geen enkele herinnering aan hem overgehouden.

Omdat Sam toch al zo weinig familie had, vond Ryan dat ze daar zuinig op moest zijn en dat ze haar moeder een kans moest geven om het goed te maken. Toch hield hij zijn mond erover, omdat hij met Sam meevoelde en haar begreep.

Zijn en haar grootouders, die allang niet meer leefden, behoorden tot een generatie die Hitler verslagen had en de Koude Oorlog had gewonnen. Hun vastberadenheid en rechtschapenheid waren hooguit in een verwaterde vorm op de volgende generatie overgegaan.

Ryans ouders behoorden net als die van Sam tot de naoorlogse generatie, schopten tegen de traditionele waarden aan en vonden vooral dat ze recht hadden op van alles. Soms had hij het gevoel dat hij in de ouderrol terecht was gekomen en dat zijn vader en moeder zich als kinderen opstelden. Ze vonden niet dat ze iets goed te maken hadden en voelden zich niet verantwoordelijk voor de gevolgen van hun gedrag en beslissingen. Het idee alleen al zouden ze als beledigend ervaren. De moeder van Sam dacht er waarschijnlijk net zo over.

Samantha zette haar glas neer, maar deze keer wierp de zon niet zo'n mooie schittering op het tafeltje als eerst.

Ryan schonk hen beiden bij en zei met enige aarzeling: 'Grappig dat zoiets moois als een bloeiende aardbeiboom zo'n vervelende herinnering naar boven kan halen.'

'Sorry.'

'Daar hoef je geen sorry voor te zeggen.'

'Zo'n heerlijke dag. Het was niet mijn bedoeling het erover te hebben. Heb je net zo'n gigantische trek als ik?'

'Ik kan wel een paard op,' zei hij.

Ze hadden geen paardenbiefstuk maar filet mignon besteld.

De ondergaande zon zette de westelijke hemel in vuur en vlam, en de kleine witte lampjes die in de aardbeibomen hingen, gingen aan. Op alle tafels stonden kaarsen in oranjerode glaasjes van geslepen glas, die door de obers werden aangestoken.

Wat even tevoren nog een doodeenvoudig terras was geweest, was nu omgetoverd tot een magisch oord, waarvan Samantha het middelpunt vormde.

Tegen de tijd dat het hoofdgerecht geserveerd werd, verkeerde Sam weer in net zo'n opgewekte stemming als eerst, en dat deed Ryan goed. Nadat ze een hapje van het vlees had genomen, hief ze haar glas om een toost uit te brengen. 'Nou, Dotcom, op je gezondheid.'

Dotcom was een van de troetelnaampjes waarmee ze hem regelmatig aansprak, vooral wanneer ze zijn image als succesvol zakenman en computerfreak op de hak wilde nemen.

'Waarom op mijn gezondheid?' vroeg hij.

'Omdat je vandaag van de Olympus bent afgedaald en hebt laten zien dat je hooguit een halfgod bent.'

Met gespeelde verontwaardiging zei hij: 'Dat is absoluut niet waar. Ik draai nog steeds aan het rad en zorg ervoor dat de zon en de maan opkomen.'

'Vroeger wierp je je op de golven tot ze totaal murw waren gebeukt en zich overgaven, maar vandaag lag je om halfdrie al uitgeteld op het strand.'

'Is het niet bij je opgekomen dat ik dat misschien uit verveling deed, omdat de zee me te weinig uitdaging bood?'

'Die gedachte is heel even bij me opgekomen, maar je snurkte als een os, alsof je meer dan genoeg uitdaging had gehad.'

'Ik sliep helemaal niet. Ik mediteerde.'

'Dan was je zeker snurkend aan het mediteren.' Nadat ze de attente ober hadden verzekerd dat het vlees heerlijk was, zei Samantha: 'Maar nu even serieus: ging het vandaag wel goed met je?'

'Ik ben vierendertig, Sam. Ik kan nu eenmaal niet meer als een jonge knul de golven bestormen.'

'Ik zeg het alleen maar omdat... Je zag zo witjes.'

'Dat moet de zonnebrandcrème geweest zijn.'

'Je mooie kop was helemaal bleek.'

Hij keek haar grijnzend aan. 'Vind je dat ik een mooie kop heb?'

'Als je zesendertig uur lang achter de computer hebt gezeten, kun je daarna niet meteen het strand op om de grote surfgod uit te hangen.'

'Ik ga niet dood, Sam. Ik word alleen maar ouder en wijzer.'

Het was aardedonker toen hij wakker werd en de zee onder zich voelde golven. Hij was gedesoriënteerd en dacht eerst dat hij op zijn rug op een surfplank dreef, in de branding, en dat er geen enkele ster aan de hemel te zien was.

Hij schrok toen hij merkte hoe hard en snel zijn hart bonsde, en hij besefte dat hij op bed lag. Toch was hij duizelig en draaierig.

'Sam,' zei hij, maar toen schoot hem te binnen dat ze er niet was, dat hij thuis was, alleen in zijn slaapkamer.

Hij wilde de lamp naast het bed aandoen... maar hij kon zijn arm niet bewegen.

Toen hij overeind wilde komen, schoot er een pijnscheut door zijn borst.

3

Ryan had het gevoel alsof er blokken beton op zijn borstkas drukten.

Hoewel de pijn meeviel, was hij bang. Zijn hart ging zo tekeer dat hij de slagen niet kon tellen.

Hij maande zichzelf tot rust en wist dat hij het beste kon blijven liggen tot de aanval voorbij was, want toen hij op zijn surfplank in de branding dobberde, was het ook vanzelf weer overgegaan.

Het verschil tussen toen en nu was de pijn. Zijn op hol geslagen hartslag, de drastische afname van lichamelijke kracht en de duizeligheid waren symptomen die hem net als toen beangstigden, maar omdat hij nu ook pijn had, kon hij zichzelf niet langer wijsmaken dat zijn klachten alleen maar psychisch waren.

Zelfs als klein kind was Ryan nooit bang geweest in het

donker, maar nu leek de duisternis zelf als een steen op zijn borst te drukken. De zwarte oneindigheid van het heelal, het verstikkende donker van de aardse nacht, de onmiskenbare wanhoop die bezit van hem had genomen, leken elkaar te verdringen en drukten zijn borstbeen genadeloos in, tot zijn hart ertegenaan bonkte, alsof het smeekte vrijgelaten te worden om hem en het tijdelijke voor het eeuwige te verwisselen.

Hij verlangde met heel zijn wezen naar licht.

Toen hij omhoog wilde komen, merkte hij dat dat niet lukte, omdat de druk op zijn borst te groot was.

Hij kwam erachter dat hij zich kon verplaatsen door zijn hakken en ellebogen in het matras te drukken. Met zijn hoofd en schouders schoof hij over de drie donzen kussens omhoog tot zijn kruin tegen het hoofdeinde aan kwam.

Door de druk op zijn borst werd hij gedwongen oppervlakkig te ademen. Bij elke uitademing produceerde hij een zacht, jammerend geluidje, wat net zo irritant was als wanneer iemand met zijn nagels over een schoolbord kraste.

Nadat hij zich met veel moeite in een half zittende positie had gemanoeuvreerd, voelde hij iets van zijn kracht terugkomen. Hij merkte dat hij zijn armen kon bewegen.

Op de tast bracht hij zijn linkerhand naar de lamp naast zijn bed. Hij voelde de bronzen voet en gleed met zijn vingers omhoog langs de bronzen stander met het bamboemotief.

Voordat hij de schakelaar had gevonden, werd de pijn erger en straalde uit naar zijn keel, alsof de pijn een inktvlek was en zijn lichaam een stuk vloeipapier.

Het was of hij de pijn had doorgeslikt en dat die halverwege in zijn keel was blijven steken. Hij had het gevoel dat er iets in zijn luchtpijp zat, want hij kreeg bijna geen lucht, en zijn kreet van ontzetting was niet meer dan een piepje, gevolgd door gesis.

Hij tuimelde uit bed, zonder te weten hoe dat kwam. Het

bed werd de vloer, zonder dat hij zich de val kon herinneren. Hij wist alleen dat het matras vervangen was door het vloerkleed.

Hij was niet de enige in huis, al had hij daar praktisch gezien niets aan. De slaapkamer van Lee en Kay Ting, het echtpaar dat het huishouden runde, bevond zich twee verdiepingen lager, op de begane grond, aan de andere kant van het huis.

Zoals hij ineens had gemerkt dat hij uit bed gevallen was, besefte hij nu plotseling dat hij zich over het kleed voorttrok, op zijn onderarmen, met schuin opgericht bovenlijf. Hij sleepte zijn benen achter zich aan, als de pootjes van een kever waar iemand op is gaan staan.

De pijn was erger geworden en was van zijn keel uitgestraald naar zijn kaak. Het was of hij zo hard op een spijker had gebeten dat die met de punt tussen twee tanden in zijn onderkaak vast was komen te zitten.

Ineens schoot hem te binnen dat de intercom op het telefoonnet was aangesloten. Hij kon Lee en Kay oppiepen door 1-1-1 in te toetsen. Dan waren ze er binnen een paar minuten.

Omdat hij geheel gedesoriënteerd was geraakt, had hij geen idee waar het bed en het nachtkastje en de telefoon zich bevonden.

De kamer was niet klein, maar ook niet onmetelijk groot. In het donker kon hij de weg vast wel vinden.

Maar de pijn werd heviger, de duizelingen namen toe, alle kracht verdween uit hem, en zijn gedachten werden zo door angst overvleugeld dat hij niet helder kon denken. Hoewel hij niet meer dan een meter naar beneden kon zijn getuimeld, kwam het hem voor dat hij van grote hoogte omlaag was gesmakt en dat daarmee alle genade en hoop verdwenen was.

Hete tranen prikten in zijn ogen, en hij voelde het maagzuur in zijn keel branden. Het vlammende vuur in zijn kaak zou het bot ongetwijfeld verteren en zijn hele gezicht aantasten.

De duisternis draaide en kantelde. Hij wilde verder kruipen, maar kon niets anders dan zich aan het kleed vasthouden, alsof hij bang was dat de zwaartekracht ophield te bestaan en hij weggeschoten zou worden, gewichtloos, het niets in.

Zijn hart sloeg weer op hol en bonkte waarschijnlijk met meer dan tweehonderd slagen per minuut.

De pijn vlamde van zijn keel naar zijn linkerarm en straalde uit naar zijn schouder en langs zijn rug omlaag.

De internetbaron, rijker dan de meeste vorsten, lag nu machteloos op de grond, als een onderdaan die door zijn koning onderuit is gehaald, geheel afhankelijk van zijn willoze lichaam, dat uit leem leek te bestaan.

De zwarte zee onder hem kwam omhoog, en er was niets waaraan hij zich kon vastklampen, geen surfplank en geen haaienvin. De oceaan was oneindig groot, en hij was zo nietig als een schuimvlok op de golven. Een watermassa verhief zich, en hij gleed op zijn rug omlaag, de diepte in, die een draaikolk werd en hem verzwolg.

4

De wekkerfunctie van de tv was ingeschakeld op zeven uur. Het geluid stond zacht, en Ryan werd wakker bij het geluid van mompelende stemmen en dramatische filmmuziek.

Het schijnsel van de tv verlichtte de kamer maar ten dele. Steeds als er een nieuwe scène begon of er beweging op het scherm viel waar te nemen, was het of er flakkerende schimmen door de slaapkamer liepen.

Ryan lag op de grond, in foetushouding, met zijn gezicht naar de televisie. William Holden, die jaren geleden in *Sunset Boulevard* had gespeeld, was in een diep gesprek gewikkeld met een charmante jongedame.

Ryan had in zijn leven slechts twee keer een kater gehad, maar nu leek de derde zich aan te dienen. Hoofdpijn. Toen hij zijn aan elkaar plakkende oogleden had geopend, zag hij alles vaag. Een droge, zurige mond.

Hij kon zich niet herinneren wat er de vorige avond was gebeurd, noch waarom hij op de grond was gaan slapen.

Vreemd genoeg werd hij minder in beslag genomen door de mysterieuze omstandigheden waarin hij wakker was geworden dan door de scènes op de tv: de man op leeftijd en de jongedame, die zorgelijk over de oorlog praatten...

Zijn eens zo scherpe geest was afgestompt, zijn gedachten waren een vormeloze kwikmassa. Zelfs toen zijn blik helderder werd, was hij niet in staat de film te volgen of te snappen wat de twee personen in de film met elkaar te maken hadden.

Toch hield hij zijn blik op het scherm gericht, omdat hij het gevoel had dat het niet toevallig was dat hij juist in deze film beland was, maar dat het lot hier iets mee te maken had. In de beelden lag een boodschap verborgen, een waarschuwing, een bericht dat hij moest zien te ontcijferen, omdat hij het anders niet zou redden.

Hij raakte hier steeds meer van overtuigd, tot hij zich geroepen voelde overeind te komen, eerst op zijn knieën, daarna helemaal, en naar het grote televisiescherm toe liep.

De haartjes in zijn nek gingen recht overeind staan, en zijn hartslag versnelde. Door het gebons in zijn borst moest hij denken aan het moment waarop hij die nacht met een op hol geslagen hart wakker was geworden, en ineens kwamen alle details van die verschrikkelijke aanval weer bij hem boven.

Hij wendde zijn blik van de tv af en deed een lamp aan.

Ontzet keek hij naar zijn trillende handen, balde ze tot vuisten, deed ze weer open. Hij was bang dat hij in zekere mate verlamd zou zijn, maar dat bleek niet het geval.

In zijn badkamer weerspiegelde een woud van spiegels het zwarte graniet, het goudkleurige onyx en het roestvrij staal. Een oneindige rij Ryan Perry's keek hem aan, elk met een grauw gezicht en een verwilderde, angstige blik in de ogen.

Als nooit tevoren was hij zich bewust van de schedel onder zijn hoofdhuid, van elke holte en welving van de botten, de eeuwige grijns van de doodskop die achter elke grimas lag die hij trok.

Toen Ryan zich geschoren, gedoucht en aangekleed had, trof hij Lee Ting, het hoofd van de huishoudelijke staf, in de garage aan. De ondergrondse garage had achttien parkeerplaatsen. Het plafond was drie meter hoog, om ook plaats te bieden aan bestelbusjes, en eventueel een camper, mocht hij die ooit nog eens willen aanschaffen.

Op de grond lagen goudkleurige keramische tegels, van het type dat je ook wel in autoshowrooms zag, en de muren waren glanzend wit betegeld. De Woodie en andere oldtimers stonden te glimmen in het licht van talloze spotjes.

Ryan had zijn garage altijd prachtig gevonden, smaakvol zelfs. Nu deden de kille tegels hem aan een mausoleum denken.

Lee Ting stond bij de werkbank in de hoek en was bezig een handgemaakte nummerplaat van een van de auto's te politoeren.

Lee was klein van stuk, maar heel sterk. Het leek of hij uit brons was vervaardigd maar nog niet gepatineerd was. De aderen op zijn handen waren opgezwollen.

Hij was vijftig en ging gebukt onder het feit dat hij en zijn vrouw geen kinderen hadden. Kay Ting was twee keer zwanger geraakt, maar door een infectie in de baarmoeder was ze daarna onvruchtbaar geworden.

Hun eerste kind, een meisje, was op tweejarige leeftijd aan griep overleden. Hun tweede kind, een jongen, leefde ook niet meer.

Als ze jonge kinderen zagen, moesten ze altijd liefdevol glimlachen, ook al glinsterden hun ogen dan vaak bij de herinnering aan hun verlies.

Toen Lee de politoermachine uitzette, zei Ryan: 'Lee, heb je vanmorgen een bespreking met het personeel of andere afspraken?'

Verrast draaide Lee zich om. Zijn gezicht klaarde op, hij stak zijn kin omhoog en keek zijn werkgever opgewekt en verwachtingsvol aan, alsof niets hem meer plezier deed dan de kans om anderen van dienst te zijn.

Ryan vermoedde dat dit ook werkelijk het geval was. Alle energie en liefde die hij aan zijn kinderen had willen geven, stopte hij in zijn werk.

Lee legde het nummerbord weg en zei: 'Goedemorgen, meneer Perry. Ik heb geen afspraken die Kay niet van me zou kunnen overnemen. Waarmee kan ik u van dienst zijn?'

'Ik heb een afspraak bij de dokter. Ik zou het fijn vinden als je me kon brengen.'

Lee's glimlach verdween, en er verscheen een bezorgde blik in zijn ogen. 'Is er iets aan de hand, meneer?'

'Dat valt wel mee, hoor. Ik voel me niet helemaal honderd procent en ben een beetje misselijk. Daarom ga ik liever niet zelf achter het stuur zitten.'

De meeste mensen die zo rijk waren als Ryan hadden een vaste chauffeur in dienst. Ryan hield veel te veel van autorijden om dat permanent aan een ander over te laten.

Lee Ting begreep dat er meer aan de hand moest zijn dan een lichte misselijkheid. Hij pakte een van de sleutels uit het sleutelkastje en liep met Ryan naar de Mercedes s600.

De zachtmoedigheid waarmee Lee hem tegemoet trad, en de lijdende blik in zijn ogen, deden vermoeden dat hij Ryan niet slechts als zijn baas zag. Per slot van rekening scheelden ze zoveel in leeftijd dat Lee Ryans vader had kunnen zijn.

Het was of de Mercedes met z'n twaalfcilindermotor op een luchtkussen reed, en de auto maakte weinig lawaai. Hoewel ze soepel over de weg gleden, als in een droom, wist Ryan dat hij een nachtmerrie tegemoet ging.

5

Ryans internist had een privépraktijk van niet meer dan driehonderd patiënten. Hij bood elke patiënt de garantie binnen een dag geholpen te worden, maar hij ontving Ryan al binnen drie uur na diens telefoontje in zijn spreekkamer.

Vanuit de onderzoekkamer op de veertiende etage zag Ryan Newport Harbor liggen, met daarachter de Stille Oceaan. In de verte voeren schepen naar onbekende kusten.

Zijn dokter, Forest Stafford, had hem onderzocht, en een van diens assistenten had een elektrocardiogram gemaakt. Daarna was Ryan naar de derde etage gegaan om een echo van zijn hart te laten maken.

Nu stond hij voor het raam op de veertiende verdieping te wachten tot dr. Stafford met de uitslag van het onderzoek terug zou komen.

Grote witte wolken gleden langzaam naar het noorden en wierpen inktzwarte schaduwen over de golven, die daardoor vlak gestreken leken te worden.

Achter hem ging de deur open. Hij voelde zich zo licht als een veertje, gewichtloos; hij verwachtte bijna dat hij geen schaduw meer zou hebben en draaide zich van het raam weg.

Het gespierde, forse lijf van Forest Stafford leek niet te passen bij zijn lange, smalle gezicht, dat eruitzag alsof het extreem onder de zwaartekracht te lijden had gehad. Kennelijk was de man gevoelig van aard en vormden de rimpels in zijn gezicht de weerslag van het lijden van zijn patiënten.

De arts leunde tegen de wastafel en zei: 'Waarschijnlijk heb je het liefst dat ik meteen zeg waar het op staat.'

Ryan maakte geen aanstalten om te gaan zitten maar bleef met zijn rug naar het raam staan, afgewend van het uitzicht op zee, waar hij zo dol op was. 'Je kent me, Forry.'

'Het was geen hartaanval.'

'Dat zou vast te eenvoudig zijn,' gokte Ryan.

'Er is sprake van hypertrofie van het hart. Je hebt een vergroot hart.'

Ryan wilde zich onmiddellijk verdedigen, alsof Forry een rechter was die hem gezond kon verklaren, als de juiste argumenten maar naar voren werden gebracht. 'Maar... ik heb altijd aan mijn conditie gewerkt en gezond gegeten.'

'Soms kan het iets te maken hebben met een gebrek aan vitamine B1, maar ik betwijfel of er in jouw geval een verband bestaat met je eetpatroon of de mate waarin je beweegt.'

'Wat dan?'

'Het zou een aangeboren afwijking kunnen zijn die zich nu pas openbaart. Of het kan door bovenmatig alcoholgebruik zijn gekomen, maar daar lijk je me de persoon niet naar.'

De temperatuur in het vertrek was niet plotseling gedaald, noch was het buiten kouder geworden. Toch merkte Ryan dat er een rilling over zijn rug liep, die in zijn nek begon en langs zijn ruggengraat naar beneden liep.

De arts somde de mogelijke oorzaken op: 'Littekenvorming op het endocard, amyloïdose, vergiftiging, een verstoord celmetabolisme...'

'Vergiftiging? Wie zou mij nou willen vergiftigen?'

'Niemand. Het komt niet door vergiftiging. Maar om een nadere diagnose te kunnen stellen, wil ik graag een myocardiale biopsie uitvoeren.'

'Dat klinkt niet erg gezellig.'

'Het is geen prettig onderzoek, maar het doet niet veel pijn. Ik heb met Samar Gupta overlegd, een uitstekende cardioloog. Hij zou je vanmiddag nog kunnen onderzoeken en morgen een biopsie kunnen doen.'

'Dan heb ik niet veel tijd om erover na te denken,' zei Ryan.

'Waar zou je dan nog over na moeten denken?'

'Het leven... de dood... ik weet het niet.'

'We kunnen je pas adequaat behandelen als we een duidelijke diagnose hebben gesteld.'

Ryan aarzelde. Toen: 'Is het wel te behandelen?'

'Misschien,' zei Forry.

'Ik had liever gehad dat je gewoon ja had gezegd.'

'Als ik dat had kunnen doen, Dotcom, had ik dat zeker niet nagelaten.'

Ryan kende Forest Stafford al voordat hij zich als patiënt aanmeldde. De twee hadden elkaar ontmoet bij een tocht voor oldtimers, waar hun vriendschap was begonnen. Jane Stafford, de vrouw van Forry, beschouwde Samantha als een soort dochter, en sinds die tijd noemden ze hem regelmatig *Dotcom*.

'Samantha,' fluisterde Ryan.

Nu hij haar naam uitsprak, besefte hij dat hij bij de voorlopige diagnose alleen maar had gedacht aan zijn eigen lot, aan zijn eigen sterfelijkheid. Maar nu raakte zijn geest op drift en tolden er talloze gedachten door zijn hoofd.

Het vooruitzicht van een naderende dood was eerst een abstractie die een kille bezorgdheid bij hem had opgeroepen. Maar toen hij besefte dat hij bij zijn dood niet alleen zijn leven kwijt zou raken, maar veel meer dan dat – Samantha, de zee, de roze zonsopgang, het karmozijnen einde van de dag – sloeg de bezorgdheid om in pure angst.

Ryan zei: 'Zeg maar niks tegen Sam.'

'Oké.'

'En ook niet tegen Jane. Ik weet best dat Jane zoiets nooit

zou doorvertellen. Maar Sam zou aanvoelen dat er iets aan de hand was en daar vragen over gaan stellen.'

De droeve gelaatstrekken van Forry Stafford plooiden zich in een meelevende uitdrukking, als was dat bij vuur smelt. 'Wanneer ga je het haar vertellen?'

'Na de biopsie. Wanneer alle feiten bekend zijn.'

Met een zucht zei Forry: 'Soms zou ik willen dat ik tandarts was geworden.'

'Tandbederf lijdt zelden tot de dood.'

'Ontstoken tandvlees ook niet.'

Forry nam op een verrijdbaar krukje plaats, de plek waar hij meestal zat om patiënten aan te horen en aantekeningen te maken.

Ryan ging zitten in de enige stoel die in het vertrek stond. Na een tijdje zei hij: 'Heb je al een beslissing genomen over die Mercury cabriolet uit 1940?'

'Ja. Heb ik net gedaan. Ik koop hem.'

'Die met die dubbele Edelbrock-carburateur? Meen je dat?'

'Ja. Je moet dat ding eens horen rijden.'

'Wat zit eronder?' vroeg Ryan.

'Imperials uit 1960. Vijftien inch.'

'Verlaagd?'

'Tien centimeter.'

'Dan zal die voorruit er wel cool uitzien.'

'Supercool,' zei Forry.

'Ga je er zelf nog aan sleutelen?'

'Ik heb wel wat ideetjes, ja.'

'Ik denk dat ik een Deuce Coupé uit tweeëndertig neem,' zei Ryan.

'Een Five Window Coupé?'

'Misschien een Three Window Highboy.'

'Ik wil je wel helpen zoeken. Misschien kunnen we samen wat autoshows aflopen.'

'Lijkt me leuk.'

'Mij ook.'

Er viel een stilte.

De onderzoekkamer had een wit systeemplafond, lichtblauwe muren, en op de grond grijze vinyltegels.

Er hing een reproductie van een schilderij van Childe Hassam, *The White Dory, Gloucester*, geschilderd in 1895. Een jonge vrouw zat in een witte boot op een helderblauw meer. Ze droeg een lange witte jurk, een geplooide roze blouse met ruches, en een strohoed.

Met haar tengere, aantrekkelijke figuurtje zou ze een gewilde partij zijn geweest, in een tijd toen huwelijken nog een leven lang meegingen. Ryan werd overvallen door een merkwaardig verlangen. Hij had haar graag willen kennen, had haar stem willen horen, had haar zoenen willen proeven, maar ze was in de tijd verloren gegaan, een lot dat hem binnenkort ook zou treffen.

'Kut,' zei hij.

Forry zei: 'Insgelijks.'

6

Dr. Samar Gupta had een rond, bruingetint gezicht en donkerbruine ogen. Hij sprak op zangerige toon, koos zijn woorden zorgvuldig en had slanke, keurig gemanicuurde handen.

Nadat hij de hartecho had bekeken en Ryan had onderzocht, legde hij uit hoe een myocardiale biopsie in zijn werk ging. Hij maakte daarbij gebruik van een grote poster, waarop het hart en de bloedvaten stonden afgebeeld.

Toen Ryan naar de kleurrijke tekening van het menselijk hart keek, dwaalden zijn gedachten onwillekeurig af naar het schilderij van de vrouw in het witte bootje, dat hij in de onderzoekkamer van Forry Stafford had zien hangen.

Dr. Gupta kwam onwaarschijnlijk kalm over. Elke beweging die hij maakte, was overwogen, en elk gebaar had een doel. Zijn normale pols lag waarschijnlijk rond de vijftig slagen per minuut. Ryan was jaloers op de rust die de man uitstraalde, en op diens gezondheid.

'Het is de bedoeling dat u zich morgenochtend om zes uur bij de receptie van het ziekenhuis meldt,' zei de cardioloog. 'Na middernacht mag u niets meer eten of drinken.'

Ryan zei: 'Ik heb moeite met het idee dat ik onder de medicijnen kom te zitten en alle greep op mijn situatie verlies.'

'U krijgt een pilletje zodat u zich beter kunt ontspannen, maar u blijft steeds bij kennis, zodat u de hele procedure kunt volgen.'

'De risico's...'

'... zijn zoals ik al heb uitgelegd. Maar bij geen van mijn biopsies zijn ooit... complicaties opgetreden.'

Tot zijn eigen verbazing hoorde Ryan zichzelf zeggen: 'Ik heb alle vertrouwen in u, dr. Gupta, maar toch ben ik bang.'

Als zakenman had Ryan nooit blijk gegeven van onzekerheid, laat staan van angst, omdat hij zijn zwakke momenten voor de wereld verborgen wilde houden.

'Vanaf het moment dat we ter wereld komen, meneer Perry, hebben we alle reden om bang te zijn, maar niet voor de dood.'

Op de terugweg, toen Ryan op de pluchen achterbank van de Mercedes s600 zat, besefte hij dat hij de laatste opmerking van de cardioloog niet goed begreep.

Vanaf het moment dat we ter wereld komen, meneer Perry, hebben we alle reden om bang te zijn, maar niet voor de dood.

Op het moment dat de specialist dat zei, leek het een rake, wijze opmerking. Maar omdat Ryan doodsbang was geweest, had hij alles aangegrepen om zijn angst te bezweren en had hij de woorden van de cardioloog als een geruststellende mededeling opgevat, terwijl dat eigenlijk niet zo was.

Nu kregen de woorden iets mysterieus, zelfs iets cryptisch en verontrustends.

Lee Ting keek herhaaldelijk in het achteruitkijkspiegeltje. Ryan deed net of hij de bezorgde blikken van de man niet zag.

Lee kon niet weten bij welke specialisten Ryan was geweest, en hij was te discreet om het te vragen. Lee was een buitengewoon fijngevoelige man die goed aanvoelde dat zijn werkgever in een enigszins bedrukte stemming verkeerde.

In het westen baadden de dadelpalmen en de daken in een gouden gloed. De lange schaduwen van die bomen en gebouwen, lantaarnpalen en mensen op straat reikten naar het oosten, alsof alles en iedereen verlangde naar het vallen van de nacht.

Bij voorgaande gelegenheden waarbij Lee als privéchauffeur fungeerde, had hij zeer rustig gereden, als een stokoude man die in een koninklijke stoet meereed. Deze keer negeerde hij net als iedereen de maximumsnelheid en reed door oranje.

Hij leek aan te voelen dat zijn werkgever zo snel mogelijk naar huis wilde.

7

Onderweg belde Ryan met Kay Ting om zijn wensen voor het eten door te geven, wat erop neerkwam dat er een maaltijd bij zijn favoriete restaurant opgehaald zou worden.

Later zetten de Tings het eten op een trolley en brachten dat met de lift naar Ryans suite. De uitgeklapte zijbladen vormden een tafeltje, waar ze een wit tafellaken overheen hadden gelegd.

Speciaal op Ryans verzoek hadden de Tings er drie soorten zelfgemaakt ijs bij gedaan, in de smaken pure chocola, *amarene* en *limoncello*. Elke bak met ijs werd in een grotere kom met ijsblokjes op temperatuur gehouden. Ook was er glutenvrije chocoladecake, citroentaart, pindakaastaart, aardbeien met zure room (met daarbij een pot bruine suiker), een keur aan exotische koekjes, en flesjes frisdrank, die in een ijsemmer koel werden gehouden.

Omdat Ryan hooguit een of twee keer per week een toetje nam, keken de Tings op van dit ongebruikelijke culinaire uitstapje.

Hij deed het voorkomen of hij een buitengewoon lucratieve zakendeal had afgesloten en dat wilde vieren, maar hij wist dat ze hem niet geloofden. Eerder leek de overdaad aan zoete heerlijkheden op het galgenmaal van een veroordeelde, die weliswaar vierendertig was maar nooit volwassen was geworden.

Hij at in z'n eentje, zat aan het verrijdbare tafeltje en zapte langs een serie oude films, maar van geen van de lachfilms die op zijn grote plasmascherm verschenen, werd hij vrolijk.

Hij hoefde niet meer op calorieën of cholesterol te letten, en eerst was deze schranspartij zonder enig schuldgevoel zo nieuw dat hij er intens van genoot. Maar al snel begon deze overdaad aan zoet en vet hem tegen te staan.

Om een lange neus naar de dood te trekken, at hij meer dan hij wilde. De frisdrank smaakte op het laatst naar siroop.

Hij reed de trolley de gang op en gaf via de intercom aan Kay door dat hij klaar was met eten.

Eerder op de dag hadden de Tings het bed verschoond en de kussens opgeklopt.

Toen Ryan zijn pyjama had aangedaan en tussen de lakens lag, kon hij niet slapen. Deze keer was het niet alleen de gedachte aan de dood die hem uit zijn slaap hield, maar ook het hoge suikergehalte in zijn bloed. Hij werd er rusteloos van.

Op blote voeten begon hij door het huis te dolen, in de hoop dat de onrust zou afzakken.

De grote ramen boden uitzicht op het vlakke land van Orange County. De steden lagen te flonkeren in de nacht. Door het licht dat naar binnen viel, kon hij genoeg zien en hoefde hij geen lampen aan te doen om zich in zijn huis te kunnen oriënteren.

Vlak voor middernacht zag hij dat er in de hal achter in het huis licht brandde, en toen hij poolshoogte ging nemen en in de grote kamer kwam waar de kasten met het porselein en het glaswerk stonden, hoorde hij stemmen uit de aangrenzende keuken komen.

Overdag liepen er allerlei huishoudelijke krachten in huis rond, maar de Tings waren de enige interne werknemers. Toch dacht Ryan dat het niet de stemmen van Lee en Kay waren die hij hoorde. Er werd op gedempte toon gepraat, bijna fluisterend.

Meestal sliepen de Tings rond dit tijdstip al. Hun werkdag begon 's ochtends om acht uur.

Hoewel Ryan nooit bijgelovig was geweest, begon hij dit nu toch griezelig te vinden. Ineens had hij het gevoel dat zijn eigen huis geheimen herbergde, dat er in de diverse vertrekken onbekende werelden verscholen lagen, en dat het voor hem van levensbelang was om erachter te komen wat er zoal voor hem verborgen werd gehouden.

Hij legde zijn linkeroor tegen de spleet tussen de deurpost en de klapdeur en luisterde geconcentreerd of hij iets van het gesprek kon opvangen.

De ruime keuken was dusdanig gebouwd dat cateringbedrijven er alle ruimte hadden om uitgebreide buffetten klaar te maken, voor wanneer hij een groot feest gaf. De zachte stemmen galmden in de ruimte met de grote granieten aanrechten en de roestvrijstalen keukenapparatuur.

Hij besloot het erop te wagen en duwde de deur op een kiertje. Nog steeds kon hij de stemmen niet goed thuisbrengen, en uit het gemompel en gefluister kon hij geen herkenbare woorden destilleren. Wel hoorde hij zo nu en dan het zachte getinkel van vaatwerk, wat hem vreemd voorkwam. Lee en Kay zouden de afwas al uren geleden gedaan hebben, en als ze laat op de avond nog trek kregen, zouden ze naar het keukentje gaan dat bij hun eigen woongedeelte hoorde.

Ook klonk er een vreemd malend geluid, zacht en ritmisch, geen geluid dat hij kon thuisbrengen, al kwam het hem vaag bekend voor. Het had iets sinisters, al wist hij niet goed waarom.

Langzaamaan begon hij dit hele afluistergedoe belachelijk te vinden. Het enige sinistere in dit huis was zijn eigen fantasie, die door het schrikbeeld van zijn eigen sterfelijkheid langs duistere paden op hol was geslagen.

Toch durfde hij de klapdeur niet verder open te duwen om te kijken wie er in de keuken stonden. Zijn hart begon ineens keihard te slaan, als hoeven op steen, en ontzettend snel, alsof de vier ruiters van de Apocalyps in aantocht waren.

Hij deed de deur voorzichtig dicht en deed een stap achteruit.

Met zijn rechterhand op zijn hart en zijn linkerhand tegen de servieskast, om niet om te vallen, verwachtte hij elk moment door een nieuwe hartaanval onderuit te gaan en hulpeloos op de vloer te belanden.

De lichten in de servieskamer gingen uit.

Ryan kon bijna niets meer zien, alleen de lampen in de hal, achter de geopende deur waardoor hij de ruimte had betreden.

Achter de gesloten klapdeur in de keuken scheen nu geen licht meer. Met een muurschakelaar in de keuken kon het licht in de servieskamer worden bediend.

Nu ging ook het licht in de hal uit.

Het werd zo donker in de raamloze kamer dat hij het gevoel kreeg in een grote bronzen schelp opgesloten te zitten.

Het enige wat hij hoorde, was het gejaagde gebons van zijn onbetrouwbare hart. Ryan kreeg de stellige indruk dat er iemand aankwam, iemand die net als een kat in het donker kon zien. Hij verwachtte elk moment een hand op zijn schouder, of kille vingers die voor zijn mond geslagen werden.

De druk op zijn borst werd zo groot dat hij niet meer kon blijven staan. Zijn knieën klapten dubbel, en hij gleed langs een kast omlaag, waarbij de handgrepen van de laatjes in zijn rug drukten.

Minuten verstreken. Het wilde gebons in zijn borst sloeg niet om in totale anarchie. Na verloop van tijd kwam zijn normale hartslag weer terug, een beheerst ritme.

Langzamerhand hervond hij zijn kracht, en zijn angst verzuurde tot een gevoel van ontluistering.

Door zich aan de handgrepen van de ladekast op te trekken, slaagde hij erin overeind te komen. Op de tast liep hij door het aardedonker naar de klapdeur.

Daar bleef hij staan om te luisteren. Geen gemompel, geen gefluister, geen getingel van vaatwerk, geen zacht doch onheilspellend malend geluid.

Hij betrad de keuken, deed de klapdeur voorzichtig achter zich dicht en keek om zich heen.

Rechts van hem, boven de wasbakken en de aanrechtbladen, bevonden zich ramen die op het westen uitkeken. De kozijnen werden beschenen door de maan, die boven de zee stond, en door de gloed die de bebouwing van Newport Beach uitstraalde.

Hij schraapte al zijn moed bijeen en deed het licht aan. Er was verder niemand in de keuken.

De keuken kon niet alleen via de servieskamer betreden en verlaten worden, maar had nog drie andere in- en uitgangen. Eén deur liep naar de veranda, een tweede naar de ontbijtkamer, en de derde naar de hal achter in het huis. Via de ontbijtkamer had men toegang tot de veranda en de gang.

Het kon niet anders of hij had Lee en Kay gehoord. Ze waren natuurlijk met een doodnormaal klusje bezig geweest en hadden niet in de gaten gehad dat hij in de servieskamer stond.

Maar als de Tings ervan uit waren gegaan dat Ryan aan de andere kant van het huis in diepe slaap verzonken was, waarom hadden ze dan zo staan fluisteren?

Aan weerszijden van de keuken bevond zich een Crestron touchscreen, net als op sommige andere plekken in het huis. Ryan drukte op het ingebouwde scherm, waarna het oplichtte. Vanaf dit punt kon hij de verlichting, de geluidsapparatuur, de verwarming, de airco en diverse andere systemen in huis regelen. Hij selecteerde de knop van de beveiliging en zag dat de Tings het alarm rond het huis hadden ingeschakeld, zoals de normale gang van zaken was. Als iemand had geprobeerd binnen te dringen, zou er een sirene zijn gaan loeien en zou een computerstem hebben gemeld op welke plek een poging tot inbraak was gedaan.

Met twintig buitencamera's werd het terrein rond het huis in de gaten gehouden. Hij bekeek ze een voor een. Hoewel het beeld dat op het scherm verscheen, verschilde van camera tot camera, afhankelijk van de hoeveelheid buitenlicht, zag hij niemand rond zijn huis sluipen. Nergens viel enige beweging waar te nemen, afgezien van een enkele rondfladderende mot.

Hij liep terug naar zijn suite maar ging niet naar bed. In een alkoof van de zitkamer waar hij had gegeten, stond een art-decobureau van amboinahout uit ongeveer 1928. Hij ging aan het bureau zitten, maar niet om te werken.

Lee en Kay Ting waren nu twee jaar bij hem in dienst. Het waren capabele, toegewijde en betrouwbare werknemers.

Hun achtergrond was grondig nagetrokken door Wilson Mott, een beveiligingsconsultant, die eerst als politierechercheur op de afdeling moordzaken had gewerkt. Ryan wendde zich tot Mott voor alle zaken die niet rechtstreeks met zijn bedrijf Be2Do te maken hadden.

Hij moest steeds denken aan wat Forry Stafford had gezegd: *Littekenvorming op het endocard, amyloïdose, vergiftiging…*

Naarmate die woorden steeds vaker door zijn hoofd spookten, leek het woord *vergiftiging* steeds meer nadruk te krijgen, hoewel de man had gezegd dat daar in Ryans geval geen sprake van was.

Omdat Ryan zijn hele leven kerngezond was geweest en altijd bruiste van energie, zocht hij naar een verklaring voor zijn acute hartkwaal, omdat het er bij hem niet inging dat er sprake zou zijn van een erfelijke factor, of dat zijn lichaam hem zomaar in de steek liet. Hij had tijdens zijn leven altijd moeten knokken om de concurrentie op afstand te houden, wist dat er op deze wereld genoeg lieden met onzuivere bedoelingen en zonder scrupules rondliepen.

Vergif.

Hij keek op toen hij bij het raam aan de westkant een zacht geroffel hoorde, maar op het moment dat hij dat deed, verstomde het geluid.

In het kille licht van de sikkelvormige maan kon hij niet zien wat de bron van het geluid kon zijn geweest. Waarschijnlijk was er een mot of zoiets tegen het raam gevlogen.

Hij keek naar zijn handen, die gebald op het bureau lagen. In de servieskamer had hij het gevoel gehad dat zijn hart door een meedogenloze vuist werd samengeknepen.

Weer hoorde hij iets bij het raam, niet zozeer een geluid alsof er op het raam werd geklopt, maar meer het zachte, aanhoudende getik van knokkels die in een zachte leren handschoen zijn gestoken.

Hij bevond zich op de tweede verdieping. Er lag geen balkon achter dit raam; de buitenmuur liep recht omlaag tot aan het gazon. Niemand kon buiten op dit door de maan beschenen raam staan te kloppen.

Zijn haperende hart had zijn geestelijke vermogens en ook zijn gebruikelijke zelfvertrouwen aangetast. Zelfs zoiets onschuldigs als een mot kon hem rillingen van angst bezorgen.

Hij nam zich voor niet naar het raam te kijken, omdat zijn angst daar alleen maar door aangewakkerd leek te worden. Dat leek te werken, want het getik klonk steeds zachter, tot er niets dan stilte overbleef.

Vergif.

Zijn gedachten gleden van ingebeelde naar werkelijke gevaren. Hij dacht aan de mensen die hij kende uit het zakenleven, die zo inhalig en afgunstig en streberig waren dat ze er immorele praktijken op na hielden. Ryan had zich daar bij het vergaren van zijn fortuin altijd afzijdig van gehouden en had nooit vuile handen gemaakt. Toch had hij mensen tegen zich in het harnas gejaagd. Sommige mensen konden nu eenmaal niet tegen hun verlies, ook al hadden ze verkeerde inschattingen gemaakt en hadden ze hun nederlaag alleen aan zichzelf te wijten.

Na diep gepeins kwam hij tot een lijst met vijf namen.

Een van de telefoonnummers waaronder hij Wilson Mott kon bereiken, was een speciaal, mobiel nummer. Als hij dat draaide, kreeg hij de man persoonlijk aan de lijn, ongeacht welke dag of hoe laat het was. Alleen een paar van Motts meest vermogende klanten hadden dat nummer. Ryan had er nooit misbruik van gemaakt.

Hij aarzelde of hij de man zou bellen. Maar intuïtief voelde hij dat hij in een complex web van bedrog gevangenzat en dat hij hulp nodig had, hulp die dokters hem niet konden bieden. Hij toetste het zevencijferige nummer in.

Mott nam met een wakkere stem op, alsof het niet diep in de nacht was. Ryan bracht het lijstje van de vijf namen niet ter sprake, en vroeg de man ook niet om de Tings nog eens na te trekken, al had hij zich dat wel voorgenomen. In plaats daarvan zei hij iets wat hem zelf zodanig verbaasde dat hij daarna met stomheid was geslagen.

'Ik wil dat je een vrouw voor me opspoort. Ene Rebecca Reach.'

8

Rebecca Reach. De moeder van Samantha.

Pas de vorige avond, toen hij met Sam had gegeten, was Ryan erachter gekomen dat haar moeder nog leefde. Een jaar lang had ze hem in de waan gelaten dat Rebecca overleden was.

Nee, dat was niet eerlijk van hem. Samantha had hem geen zand in de ogen gestrooid. Hij was zelf tot de conclusie gekomen dat Rebecca niet meer leefde, uit het weinige wat Samantha over haar had verteld.

Kennelijk waren moeder en dochter zo van elkaar vervreemd geraakt dat ze geen contact meer met elkaar zochten. De kans was klein dat daar ooit nog verandering in zou komen. *Ze leeft niet meer. Voor mij niet, althans*, had Samantha gezegd.

Hij kon er wel begrip voor opbrengen waarom Samantha geen herinneringen wilde ophalen aan haar overleden tweelingzus en haar moeder. Per slot van rekening had haar moeder in zekere zin verraad gepleegd door de in coma geraakte Teresa niet langer in leven te willen houden.

'Hebt u alleen maar een naam waar ik op af kan gaan?' vroeg Wilson Mott.

'Las Vegas,' zei Ryan. 'Rebecca Reach schijnt in een flatje in Las Vegas te wonen.'

'Hoe spel je dat? R-E-A-C-H?'
'Ja.'
'Wat is de context, meneer Perry?'
'Dat zeg ik liever niet.'
'Wat hoopt u dat er ontdekt wordt?'
'Ik hoop nergens op. Alleen de achtergrond van die vrouw. En een adres. Een telefoonnummer.'
'Ik neem aan dat u liever niet hebt dat we rechtstreeks contact met haar opnemen?'
'Dat is helemaal correct. Discreet, graag.'
'Misschien morgen om vijf uur,' zei Mott.
'Vijf uur is prima. Ik moet overdag toch nog allerlei dingen regelen.'
Toen Ryan had opgehangen, wist hij niet goed of zijn actie nu briljant of buitengewoon stom was geweest. Eigenlijk had hij geen idee wat hij er nu mee dacht te bereiken.
Het enige wat hij wist, was dat hij zich net als in het zakenleven had laten leiden door zijn intuïtie. Dat had hem altijd veel geld opgeleverd.
Als Samantha hierachter kwam, zou ze het misschien achterbaks en onacceptabel van hem vinden en het zelfs als een vorm van verraad beschouwen. Maar met een beetje geluk zou ze er nooit achter komen.
Ryan ging in bed liggen, stemde de tv af op een klassieke film, *Roman Holiday*, met Audrey Hepburn en Gregory Peck, en deed het lampje naast zijn bed uit.
Met een paar donzen kussens in zijn rug keek hij naar de film zonder echt iets te zien.
Hij had Samantha nooit door Wilson Mott laten natrekken. Meestal gaf hij daar alleen bij nieuwe werknemers de opdracht toe.
Bovendien was ze met hem in contact gekomen omdat ze een artikel voor een groot tijdschrift moest schrijven en had ze als journalist een goede reputatie opgebouwd. Hij had geen reden gehad om een onderzoek naar haar in te stellen,

aangezien ze te goeder trouw leek te zijn en ze in eerste instantie niet meer dan een paar uur in zijn gezelschap zou vertoeven.

In de loop der jaren had hij met talloze mensen van de media contact gehad. De meesten waren tamelijk onschuldig, maar af en toe waren er journalisten die hem bevooroordeeld tegemoet traden en er genoegen in schepten hem onjuist te citeren.

Als er iets verdachts over Rebecca Reach boven tafel kwam, zou Mott de achtergrond van Samantha misschien ook moeten natrekken.

Ryan was teleurgesteld, niet in Sam, omdat ze daar nog geen enkele aanleiding toe gegeven had, maar in zichzelf. Hij vond het heerlijk om bij haar te zijn. Hij hield van haar. Hij wilde niet geloven dat zijn mensenkennis in dit geval tekort was geschoten, dat hij niet door had gehad dat ze iemand anders was dan ze zich voordeed.

En wat erger was: hij vond het bedroevend hoe snel hij uit angst haar goede bedoelingen in twijfel had getrokken. Tot nu toe had hij zich alleen maar met crisissen op het zakelijke vlak beziggehouden: financiële tekorten, vertragingen bij het lanceren van een nieuw product, een vijandig overnamebod. Nu werd hij geconfronteerd met een existentiële bedreiging, en zijn overigens zeer begrijpelijke angst voor lichamelijke aftakeling en de dood was omgeslagen in een verraderlijke paranoïde kijk op anderen. Hij richtte zich niet op zijn eigen lichamelijke verval, maar op mogelijke vijanden met verborgen agenda's.

Hij besefte dat hij geheel in de greep van de angst was geraakt. Dat inzicht verontrustte hem, en hij voelde zich hoogst opgelaten. Even overwoog hij Wilson Mott op te bellen om het onderzoek naar Rebecca Reach in te trekken.

Maar Forry Stafford had duidelijk gezegd dat zijn hartproblemen door vergiftiging veroorzaakt konden worden, en het kon geen kwaad om met die mogelijkheid rekening te houden.

Hij raakte de telefoon niet aan.

Na een tijdje zette hij de tv uit.

Hij kon niet slapen. Over een paar uur zou de cardioloog, Samar Gupta, drie kleine weefselmonsters van Ryans hart nemen. Zijn leven hing van dat onderzoek af. Als de diagnose niet goed was, zou hij alle tijd van de wereld hebben om te slapen. Oneindig veel tijd.

In het donker werd de sombere stilte doorbroken door een zacht geklop aan een van de ramen, gedempt door de dichtgetrokken gordijnen.

Toen hij zijn hoofd oprichtte om beter te kunnen horen, hield de mot of de kever, of de hand in de zachte leren handschoen, op.

Steeds wanneer hij zijn hoofd in het kussen liet zakken, werd de stilte op den duur doorbroken door een *klop* en weer *klop* en *klop-klop-klop*: gedempt, toonloos, dof, doods en vlak.

Hij overwoog naar de ramen toe te gaan en de gordijnen een voor een open te doen, om de lawaaischopper op heterdaad te betrappen. Maar omdat hij vermoedde dat hij het zich allemaal maar verbeeldde, weigerde hij enige actie te ondernemen en richtte hij zich op het verontrustende ritme van zijn hart.

Hij merkte dat hij zich in zekere zin schuldig maakte aan laf gedrag. Ergens in zijn onderbewuste wist hij wie er op het raam klopte om zijn aandacht te trekken. Hij was bang dat hij het niet zou overleven als hij de gordijnen opendeed om te zien wie de nachtelijke bezoeker was.

9

De maan liet zich niet zien, en het was nog donker toen Ryan die vrijdagmorgen in alle vroegte naar het ziekenhuis ging. Doordat de stad zoveel licht uitstraalde, waren lang niet alle sterren zichtbaar, maar in het westen vormden de zee en de kust één groot, zwart en oneindig geheel.

Hij reed zelf en nam het risico op de koop toe dat hij achter het stuur een hartaanval kreeg. Hij wilde niet dat Lee Ting erachter kwam dat hij een myocardiale biopsie moest ondergaan.

Hij hield zich voor dat hij niet wilde dat mensen die bij hem in dienst waren of hem op andere wijze dierbaar waren, zich zorgen gingen maken. Maar eigenlijk gunde hij de vijand, als die al bestond, niet de voldoening – en het voordeel – om te weten dat hij verzwakt en kwetsbaar was.

Toen hij door de parkeergarage van het ziekenhuis liep, waar de auto's in het schrale gele licht op kevers met glimmende dekschilden leken, kreeg hij het unheimische gevoel dat hij thuis was en lag te slapen, dat deze plek en het onderzoek dat hem te wachten stond, deel uitmaakten van een droom in een droom.

Bij de receptie bracht een verpleegkundige hem naar de onderzoekkamer van de afdeling cardiologie.

De hoofdzuster, Kyra Whipset, was zo dun dat het leek of ze alleen bleekselderij at en elke dag een halve marathon liep. Ze had zo weinig vet aan haar lijf dat ze niet bang hoefde te zijn ooit te verdrinken, omdat ze altijd zou blijven drijven.

Nadat zuster Whipset had gecontroleerd of Ryan na middernacht inderdaad niets meer gegeten had, gaf ze hem een pilletje en een kartonnen bekertje met water.

'Hier raakt u niet van onder zeil,' zei ze, 'maar u zult zich wat beter kunnen ontspannen.'

Een collega van haar, Ismay Clemm – een oudere, mollige, gezellige zwarte vrouw – had groene ogen, waarvan de irissen leken op de afgeschuinde vlakken van een kunstig geslepen smaragd. Die ogen vielen des temeer op door het contrast met haar gladde donkere huid.

Terwijl zuster Whipset aan een bureau plaatsnam om Ryans dossier bij te werken, wachtte Ismay tot hij zijn pil had ingenomen. 'Gaat het een beetje, jongen?'

'Niet echt,' zei hij. Hij verfrommelde het lege bekertje in zijn vuist.

'Het stelt niks voor,' verzekerde ze hem. Hij gooide het bekertje in een prullenbak. 'Ik blijf bij je. Ik zal over je waken. Alles komt goed.'

In tegenstelling tot zuster Whipset, die zich correct maar enigszins afstandelijk gedroeg, straalde de mollige Ismay warmte en zorgzaamheid uit, eigenschappen die hij ook in haar zangerige stem meende te herkennen. Het beurde hem op.

'Nou, jullie gaan wel drie stukjes bij mijn hart weghalen,' zei hij.

'Het zijn maar heel kleine stukjes, hoor, schat. Je hebt in je leven vast heel wat harten gestolen. En die meisjes hebben het er allemaal levend van afgebracht, toch?'

In een aangrenzend kleedkamertje trok hij zijn kleren uit, behalve zijn onderbroek, deed wegwerpslippers aan zijn voeten en trok een dun, lichtgroen, kraagloos hemd met korte mouwen aan.

Toen hij de onderzoekkamer betrad, was dr. Gupta er al, samen met de radioloog.

De onderzoektafel lag lekkerder dan Ryan had verwacht. Gupta legde uit dat comfort belangrijk was omdat de patiënt bij deze procedure heel stil moest blijven liggen, minstens een uur lang, en soms zelfs twee uur of langer.

Boven de tafel hing een fluorescoop, een apparaat dat de röntgenbeelden rechtstreeks op een fluorescerend scherm projecteerde.

De cardioloog trof voorbereidingen voor de procedure, daarbij geholpen door zuster Whipset. Ismay Clemm zette Ryan aan de hartmonitor. 'Het gaat allemaal prima, jongen.'

Het pilletje begon te werken. Ryan voelde zich rustiger worden, hoewel hij klaarwakker bleef.

Kyra Whipset maakte de hals van Ryan schoon en markeerde een plek met jodium.

Nadat dr. Gupta hem plaatselijk verdoofd had, zodat hij de prik van de naald niet zou voelen, injecteerde de specialist hem op die plek met een ander verdovend middel.

Ryan voelde er niets van toen de arts de halsreflexen testte.

Hij deed zijn ogen dicht toen hij een scherpe geur rook en er met een watje over zijn gevoelloze huid werd gewreven.

Gupta zei van tevoren steeds wat hij ging doen. Hij maakte een sneetje in de halsslagader en bracht een dunne, uiterst buigzame katheter in.

Ryan deed zijn ogen open en keek naar de fluorescoop. De cardioloog duwde het slangetje voorzichtig naar Ryans hart en liet zich daarbij leiden door de beelden op het scherm.

Ryan vroeg zich af wat er zou gebeuren als zijn hart ineens weer als een razende tekeer zou gaan en in een tempo van twee- of driehonderd slagen per minuut op hol zou slaan. Hij besloot er niets over te zeggen.

'Hoe gaat het?' vroeg Gupta.

'Prima. Ik voel er niks van.'

'Probeert u zich maar zo veel mogelijk te ontspannen. Het verloopt allemaal uitstekend.'

Ryan merkte dat Ismay Clemm zachtjes een opmerking over zijn hartritme maakte. Blijkbaar was er een lichte verandering opgetreden nadat de katheter was ingebracht.

Misschien was het normaal, misschien ook niet. Zijn hartslag werd weer gewoon.

Alles klopt nog.

Toen de eerste katheter op z'n plaats zat, bracht Gupta een tweede in, een bioptoom, met kleine grijpertjes aan het uiteinde.

Ryan was alle gevoel voor tijd verloren. Misschien lag hij nog maar een paar minuten op de tafel, misschien al een uur.

Hij begon last van zijn benen te krijgen. Ondanks het pilletje dat hij genomen had, kon hij zijn kuitspieren niet ontspannen. Hij had zijn rechterhand tot een vuist gebald. Hij deed zijn hand open, alsof hij hoopte op iemands hand, op een cadeautje.

Zo bleef hij liggen, vol onzekere, angstige gedachten.

De grijpertjes van de bioptoom hapten.

Sissend zoog Ryan de lucht tussen zijn opeengeklemde kaken door. Het was of hij heel kort een pijnlijk kneepje voelde, maar misschien reageerde hij alleen maar op het kortstondige samentrekken van zijn hart, dat op het fluorescerende scherm te zien was.

Gupta haalde het eerste weefselmonster uit Ryans hartspier.

Zuster Clemm zei: 'Hou je adem maar niet in, schat.'

Ryan ademde uit en verwachtte niet dat hij de ingreep zou overleven.

10

Binnen een uur en tien minuten was de biopsie achter de rug en was het sneetje gehecht.

Het kalmeringspilletje werkte nu volop, en omdat Ryan de voorgaande nacht geen oog had dichtgedaan, raakte hij er meer van onder de invloed dan hij had verwacht. Van dr. Gupta kreeg hij het advies even op het smalle bed in de onderzoekkamer te gaan liggen, tot hij zich helemaal verkwikt voelde en zichzelf in staat achtte achter het stuur plaats te nemen.

Er zaten geen ramen in het vertrek. De fluorescerende schermen waren uitgezet, en het enige licht kwam van een lampje boven de kleine wastafel.

Doordat het plafond en de muren onverlicht waren, kreeg hij last van claustrofobie en werd hij geplaagd door gedachten aan lijkkisten en maden, maar dat duurde niet lang.

Hij was uitgeput, maar ook opgelucht dat de biopsie goed verlopen was. Tegen zijn verwachting in viel hij in slaap.

Op de achtergrond hoorde hij een dissonante melodie. Hij liep door een dal naar een paleis dat hoog op een heuvel lag. Achter de rood verlichte ramen zag hij grote gestalten die op wonderbaarlijke wijze bewogen. Zijn hart begon wilder te slaan, te bonzen, tot het visioen verdween en er een ander beeld verscheen.

Een woest meer, omgeven door zwarte rotspartijen en hoge naaldbossen, prachtig in al zijn eenzaamheid. Het inktzwarte water begon te rimpelen, en kleine golven likten aan de oever, bij de plek waar hij stond. Hij wist dat het meer vol gif zat. De golven zouden zijn dood worden.

Steeds wanneer hij tussen deze en andere korte dromen half ontwaakte, zag hij Ismay Clemm in het schemerdonker naast zijn bed zitten. Een keer nam ze zijn pols op, en een keer legde ze haar hand op zijn voorhoofd. Soms zat ze gewoon naar hem te kijken, en omdat haar gezicht in het donker verborgen bleef, leek het of haar merkwaardig oplichtende groene ogen zweefden.

Zo nu en dan richtte ze het woord tot hem, en de eerste keer mompelde ze: 'Je hoort hem, hè, jongen?'

Ryan was te verzwakt om te vragen over wie ze het had.

De verpleegster gaf zelf antwoord op haar vraag: 'Ja, je hoort hem wel.'

Later, tussen de dromen door, zei ze: 'Luister er niet naar, jongen.'

En nog later: 'Als je de ijzeren klokken hoort luiden, moet je maar bij me komen.'

Toen hij na meer dan een uur wakker werd, was hij alleen. Het lampje, de schaduwen en het schemerige vertrek kwamen hem minder werkelijk voor dan het paleis met de rood verlichte ramen of het zwarte meer, of de andere plekken die hij in zijn dromen had bezocht.

Om er zeker van te zijn dat hij inderdaad niet sliep en dat de biopsie echt had plaatsgevonden, bracht hij zijn hand naar het gaasje waarmee de hechting in zijn hals was afgedekt.

Hij kwam overeind, trok het ziekenhuishemd uit en deed zijn eigen kleren aan.

Toen Ryan de ernaast gelegen laboratoriumruimte betrad, was Ismay Clemm nergens te bekennen, en ook dr. Gupta en de radioloog waren verdwenen.

Zuster Whipset vroeg hoe het met hem ging.

Hij had een onwerkelijk gevoel, alsof hij gewichtloos was en zweefde, als een geest, en niet van vlees en bloed was.

Natuurlijk vroeg ze niet naar zijn emoties en wilde ze alleen maar weten of het kalmeringspilletje al was uitgewerkt. Hij antwoordde dat het prima ging.

Ze vertelde hem dat er haast met het onderzoek gemaakt zou worden. Maar omdat dr. Gupta wilde dat er grote zorgvuldigheid betracht werd om tot een zo exact mogelijke diagnose te komen, verwachtte hij de uitslag niet eerder dan dinsdag binnen te krijgen.

Aanvankelijk had Ryan willen informeren waar Ismay Clemm gebleven was. Hij had haar willen vragen wat ze precies bedoeld had met haar raadselachtige opmerkingen die ze gemaakt had toen hij in een halfslaap verkeerde.

Maar nu, in de klinisch verlichte onderzoekkamer, wist hij niet zeker of ze echt iets tegen hem gezegd had. Misschien had hij haar alleen maar in zijn dromen gezien.

Hij haalde de Mercedes uit de parkeergarage en reed naar huis.

Het leek of er in de heldere lucht meer vogels dan normaal rondfladderden. Zwermen zwierden in vreemde formaties door de lucht, een kalligrafie van kraaien, waar misschien enige betekenis uit af te lezen viel, als hij maar wist in welke taal de boodschap was opgesteld.

Toen hij voor rood moest stoppen en opzij keek naar de zilverkleurige Lexus die in de rijstrook naast hem voor het stoplicht stond te wachten, merkte hij dat de bestuurder naar hem zat te kijken: een man van in de veertig, met een bikkelhard gezicht waar geen enkele emotie op af te lezen viel. Hun blikken kruisten elkaar, en de onbekende keek hem met zo'n kille blik aan dat Ryan zijn ogen afwendde.

Twee straten verderop, toen hij weer voor rood moest stoppen, zag hij een jonge man, die handsfree achter het stuur van zijn verlaagde customized Ford pick-up zat te bellen. De man had een oortelefoontje in, en dat beeld deed Ryan denken aan een oude sciencefictionfilm over een buitenaardse parasiet die het lichaam van een mens in bezit had genomen.

De man keek opzij naar Ryan, wendde zijn blik onmiddellijk af maar loerde even later toch weer stiekem opzij. Daarbij leken zijn lippen sneller te bewegen, alsof zijn telefoongesprek over Ryan ging.

Kilometers verderop, toen Ryan de Pacific Coast Highway verliet en Newport Coast Road indraaide, keek hij herhaaldelijk in het achteruitkijkspiegeltje, omdat hij bang was dat hij door de zilverkleurige Lexus en de Ford pick-up achtervolgd werd.

Thuis waren Lee en Kay Ting nergens te bekennen, niet in de hal, noch op de trap of in welke kamer dan ook. Ook lieten Donnie, het hulpje van Lee, en Renata, het hulpje van Kay, zich niet zien.

Hij hoorde wegstervende voetstappen op de kalkstenen vloer, en een deur die dichtging. Elders in huis praatten twee mensen met elkaar, maar hij kon niet verstaan wat er gezegd werd.

In de keuken maakte hij snel een vroege lunch klaar. Hij gebruikte geen verse groenten of aangebroken blikjes en potten maar nam alleen spullen die nog dichtzaten.

Het werd een salade van champignons, artisjokharten, gele bieten, kikkererwten en witte asperges, met een Italiaanse dressing uit een nog niet eerder geopende fles, en met geraspte Parmezaanse kaas uit een busje dat hij openmaakte nadat hij gecontroleerd had of er niet mee geknoeid was.

Hij zette de salade op een dienblad en voegde er een afgesloten bakje geïmporteerde panettone en bestek aan toe. Na een lichte aarzeling pakte hij ook een glas en een flesje Far Niente chardonnay.

Toen hij met het dienblad naar zijn werkkamer liep, die in de westelijke vleugel op de begane grond lag, kwam hij niemand tegen. Wel hoorde hij dat er ergens in huis een stofzuiger werd aangezet.

In geen van de kamers waren beveiligingscamera's gemonteerd, maar wel op de gangen. De beelden daarvan werden op dvd bewaard, voor het geval er ooit ingebroken zou worden.

Niemand hield de camerabeelden in de gaten. Toch voelde Ryan zich bespied.

11

Ryan at in zijn werkkamer, aan zijn bureau. Het grote raam bood uitzicht op het zwembad met daarachter in de verte de zee.

De telefoon ging. Het was zijn privélijn, waarvan slechts een paar mensen het nummer hadden. Op het display las hij dat het Samantha was.

'Hé, Lonkie, ben je nog steeds ouder en wijzer aan het worden?'

'Ja, en er groeit nog steeds geen haar uit mijn oren.'

'Dat is mooi.'

'En ik heb ook nog niet van die mannenborstjes.'

'Nou schets je wel een heel aantrekkelijk beeld van jezelf. Zeg, het spijt me van woensdagavond.'

'Wat was er woensdagavond?'

'Ik heb de hele sfeer verpest door het alleen maar over Teresa te hebben. Dat ze haar voeding hadden stopgezet en dat ze haar hebben laten doodhongeren en zo.'

'Als jij bij me bent, kan de avond nooit worden verpest, Sam.'

'Dat is lief van je om te zeggen. Maar ik wil het goedmaken. Kom je vanavond bij me eten? Dan maak ik *saltimbocca alla romana*.'

'Jouw saltimbocca is altijd verrukkelijk.'

'Met polenta.'

'Dat is altijd veel werk.'

'En *caponata* als voorafje.'

Hij had geen reden haar te wantrouwen.

'Kunnen we niet beter uit eten gaan?' stelde hij voor. 'Dan hoeven we ook niet af te wassen.'

'Ik was wel af.'

Hij hield van haar. En zij van hem. Ze kon heerlijk koken. Alle angsten die hem parten speelden, waren ongegrond.

'Het is allemaal zo veel werk,' zei hij. 'Ik heb gehoord dat er een nieuw restaurantje is geopend. Moet geweldig zijn.'

'Hoe heet het?'

Het nieuwe restaurantje had hij uit zijn duim gezogen. Hij zou er een moeten zoeken. Hij zei: 'Dat blijft een verrassing.'

'Is er iets?'

'Ik heb gewoon zin uit eten te gaan. Dat nieuwe tentje lijkt me helemaal te gek.'

Ze praatten over wat ze aan zou trekken, en hoe laat hij haar op zou halen.

'Ik hou van jou,' zei ze.

'Ik hou van jou,' echode hij, waarna hij de verbinding verbrak.

Hij had nauwelijks een derde van zijn lunch opgegeten maar had geen trek meer.

Met een glas Far Niente in de hand liep hij naar buiten, de veranda op, en bleef staan kijken naar de milde zonnestralen die op de tegels van blauw getint Italiaans glas schenen die langs het zwembad aangebracht waren.

Hij merkte dat hij aan het verband op zijn hals zat te pulken.

Zoals zigeuners in handpalmen en theeblaren de toekomst konden lezen, zo zou er nu een sjamaan zijn die zijn weefselmonsters bestudeerde en vertelde wat het lot voor hem in petto had.

Toen het beeld van zigeuners rond een kampvuur bij hem bovenkwam, moest hij denken aan zwarte magie. Soms werd er aan de hand van een haarlok een vloek over de persoon in kwestie uitgesproken.

In de handen van een voodoopriester zouden drie vochtige stukjes van zijn hart – letterlijk een deel van zijn binnenste – gebruikt kunnen worden om op eenzelfde griezelige wijze onheil over hem uit te storten.

Toen er een rilling over zijn rug gleed, zijn hartslag versnelde en het zweet langs zijn haarlijn parelde, vond Ryan het belachelijk dat hij zich zo sterk door irrationele gedachten liet meeslepen. Een ongegrond wantrouwen jegens Sam was uitgegroeid tot bijgelovige flauwekul.

Hij liep naar binnen en belde Samantha op. 'Bij nader inzien kies ik toch voor je saltimbocca.'

'Wat heeft je tot inkeer gebracht?'

'Ik wil je liever niet delen met een horde jaloerse mannen.'

'Horde?'

'De obers en alle gasten in het restaurant die het geluk mogen smaken een glimp van jou op te vangen.'

'Soms, Lonkie, is de grens tussen ware romantiek en belachelijke kletspraat flinterdun.'

'Waar het hart vol van is, stroomt de mond van over.'

'Nou, lieverd, als je vanavond ook op die toer gaat zou ik zeggen: hou je vooral niet in, want ik vind het heerlijk te horen.'

Ze hing op, maar voordat Ryan de telefoon bij zijn oor vandaan had gehaald, dacht hij een kort, ingehouden lachje te horen.

Hoewel Sam de verbinding al had verbroken, klonk er geen ingesprektoon. Ryan luisterde naar het zachte holle geruis van een openstaande lijn.

'Met wie spreek ik?' vroeg hij.

Niemand gaf antwoord.

Het huis beschikte over een digitale hybride telefooncentrale met tien lijnen, plus intercom en deurbelfuncties. Geen van de telefoons had een gedeelde lijn, en als iemand een van de lijnen gebruikte, kon je niet via een andere telefoon meeluisteren.

Hij wachtte tot hij weer iets hoorde, een voorzichtige ademhaling of achtergrondgeluiden uit het vertrek waar de persoon aan de andere kant van de lijn zat, maar het bleef stil. Hij had de indruk dat hij iemand aan de lijn had, een vijandige aanwezigheid, al dan niet ingebeeld.

Ten slotte verbrak hij de verbinding.

Vrijdagmiddag om vier uur, eerder dan hij had aangekondigd, stuurde Wilson Mott een mailtje met daarin alle gegevens die hij over de moeder van Samantha te weten was gekomen.

Zo gauw Ryan het mailtje had uitgeprint, verwijderde hij het bericht uit zijn mailbestand en leegde daarna de computerprullenbak, zodat niemand het nog op zijn pc kon lezen. Hij ging in een leunstoel bij het zwembad zitten en las wat Mott hem gestuurd had.

Rebecca Lorraine Reach, 56 jaar, woonde in de Oase, een appartementencomplex in Las Vegas, en werkte als blackjackdealer in een van de chiquere casino's.

Mott had een recente foto van Rebecca meegestuurd, die hij waarschijnlijk op illegale wijze uit het dossier van de Nevada Gaming Control Board had overgenomen. Ze leek niet ouder dan veertig, en ze had het uiterlijk van haar dochter.

Ze was in het bezit van een witte Ford Explorer en had nog nooit een boete gehad.

Ze was in Nevada nooit met justitie in aanraking geweest. Uit haar financiële gegevens bleek dat ze zeer verantwoord met geld omging.

Volgens een van de buren, Amy Crocker, ging Rebecca weinig met de andere huurders in de Oase om, kwam ze tamelijk arrogant over, had ze nooit laten blijken dat ze een dochter had of had gehad, en onderhield ze een relatie met ene Spencer Barghest.

Mott schreef dat Barghest twee keer van moord beschuldigd was, in Texas, en dat hij beide keren was vrijgesproken. Als fervent euthanasieactivist had hij tientallen malen bij zelfdoding geassisteerd. Er bestond gegronde reden om aan te nemen dat niet alle betrokkenen terminaal of zelfs chronisch ziek waren, en dat sommige handtekeningen onder het verzoek tot levensbeëindiging vervalst waren.

Ryan had geen idee hoe hulp bij zelfdoding in z'n werk ging. Misschien gaf Barghest de persoon in kwestie een overdosis slaapmiddelen, vergif waarbij men weliswaar geen pijn leed, maar dat toch vergif was.

Bij zijn verslag had Mott een foto van Spencer Barghest bijgevoegd. De man had een perfect uiterlijk voor een standupcomedian: een prettig maar enigszins pafferig gezicht, een zelfverzekerde, innemende grijns om de mond, en een flinke bos wit haar, dat punkachtig omhoogstond en dat best wel grappig was voor een vent van in de vijftig.

Omdat Ryan zelf misschien aan een dodelijke hartkwaal leed, vond hij het een verontrustend idee dat hij maar drie handdrukken van Barghest verwijderd was, iemand die hem maar al te graag eeuwige rust zou schenken, of hij daar nu zin in had of niet.

Maar toch bevestigde dit verslag niet zijn intuïtieve vermoedens dat de moeder van Sam – en misschien Samantha zelf ook wel – iets te maken had met zijn kwakkelende gezondheid.

Het leven werd vaak bepaald door gebeurtenissen die synchroon plaatsvonden, verrassende verbanden die vol betekenis leken. Maar toeval was en bleef toeval.

Misschien was Barghest voor geen cent te vertrouwen, maar dat betekende nog niet dat zijn band met Rebecca per definitie niet in de haak was. Dat ze een relatie hadden, had niets met Ryan te maken.

In zijn huidige geestestoestand moest hij ervoor oppassen niet te veel toe te geven aan zijn paranoïde denkbeelden. Die betreurenswaardige neiging had er inmiddels al toe geleid dat Mott in het leven van de moeder van Samantha had zitten spitten.

Het was nu wel duidelijk dat Rebecca een normaal persoon was die een onopvallend leven leidde. Ryans wantrouwen was volkomen misplaatst geweest.

Nu hij erover nadacht, was het niet verwonderlijk dat Spencer Barghest in het leven van Rebecca Reach was opgedoken. Daar was zelfs niets toevalligs aan, laat staan dat het niet in de haak zou zijn.

Zes jaar geleden had ze de moeilijke beslissing genomen haar dochter, die door een hersenbeschadiging in coma was geraakt, van de kunstmatige voeding af te halen. Misschien had ze daar een schuldgevoel aan overgehouden, vooral omdat Samantha het zo heftig met haar oneens was.

In een poging zich van het schuldgevoel te bevrijden, had Rebecca zich misschien verdiept in boeken over euthanasie, op zoek naar een filosofische rechtvaardiging van haar besluit. Misschien had ze zich zelfs wel als lid bij een pro-euthanasievereniging aangemeld en had ze Spencer Barghest op een van de bijeenkomsten ontmoet.

Na het overlijden van Teresa was Samantha van haar moeder vervreemd geraakt en ze wist waarschijnlijk niet eens dat Barghest en Rebecca iets met elkaar hadden.

Ryan stond op en liep terug naar zijn werkkamer, beschaamd omdat hij de integriteit van Sam in twijfel had getrokken.

Hij ging achter zijn bureau zitten en zette de papierversnipperaar aan. Een tijdje bleef hij staan luisteren naar het gezoem van de motor en het gehak van de snijbladen.

Uiteindelijk zette hij het apparaat uit en stopte het verslag van Mott in een muurkluis, achter een schuifpaneel achter in een inbouwkast.

De angst had hem zo te pakken dat hij het moeilijk van zich af kon zetten.

12

In de loop der jaren was de reusachtige peperboom om het balkon op de eerste verdieping heen gegroeid. Als je op het balkon stond, kreeg je nog meer het gevoel dat je in een boomhut woonde dan binnen.

Samantha had een rood geblokt kleed over de tafel gelegd en witte borden en bestek klaargezet, en een rode schaal met witte rozen.

Het was of de gouden namiddagzon, gefilterd door de takken, een schat aan gouden muntjes over haar uitstrooide, toen ze een cabernet sauvignon voor Ryan inschonk, een wijn die eigenlijk boven haar budget was. Hij loog tegen haar over de reden waarom hij een pleister op zijn hals had.

Toen de zon in een vuurrode pracht was ondergegaan en de schemering alles in een paarse gloed zette, stak ze rode kaarsen in glazen potjes aan en zette het eten op tafel, terwijl de sterren aan de hemel verschenen. Zachtjes op de achtergrond klonk Keltische muziek van Connie Dover.

Omdat Ryan de bedoelingen van Sam zo sterk in twijfel had getrokken en haar moeder door een detective had laten natrekken, verwachtte hij aanvankelijk dat hij zich in haar nabijheid ongemakkelijk zou voelen. Want in zekere zin had hij haar vertrouwen beschaamd.

Hij merkte echter dat hij zich onmiddellijk bij haar op zijn gemak voelde. Door de wijn en vooral door haar uitzonderlijke schoonheid kwam hij in een betere stemming, en haar smetteloos gladde gouden huid deed hem meer goed dan een exquise maaltijd ooit zou kunnen.

Na het eten, toen ze de borden op het aanrecht hadden gezet en achter het restje van de wijn zaten, zei ze: 'Laten we naar bed gaan, Lonkie.'

Ryan werd plotseling bang dat hij door zijn kwaal last van impotentie zou krijgen. Achteraf had hij zich daar geen enkele zorgen over hoeven maken.

Toen ze in bed lagen te vrijen, vroeg hij zich even af of zijn hart het wel aankon. Maar hij overleefde het.

Na afloop, toen hij een arm om Samantha had geslagen en ze met haar hoofd op zijn borst lag, zei hij: 'Wat ben ik toch een idioot.'

Ze zuchtte. 'Je gaat me toch niet vertellen dat je daar nu pas achter bent gekomen?'

'Nee. Het was me al eerder opgevallen.'

'Waarom schiet het je nu dan weer te binnen?'

Als hij opbiechtte wat hij in zijn absurde vlaag van wantrouwen had gedaan, zou hij ook zijn kwakkelende gezondheid ter sprake moeten brengen. Hij wilde eerst wachten tot hij wist wat er uit het medisch onderzoek naar voren was gekomen en duidelijk was hoe ernstig het met hem gesteld was.

Hij zei: 'Ik heb die sandalen weggegooid.'

'Die van oude autobanden waren gemaakt?'

'Ik had ze gekocht vanwege de milieuvriendelijke naam van het merk: Groen Geschoeid.'

'Je bent een lekker ding, Dotcom, maar soms ben je ook wel een beetje een sukkel.'

Ze praatten een tijdje over koetjes en kalfjes, wat soms de beste gesprekken oplevert.

Samantha viel in slaap. Ryan bleef naar haar gouden gezicht kijken, wat zo rustgevend was dat hij op een gegeven moment ook wegdommelde.

De dromen gingen naadloos in elkaar over, totdat hij zich in een stad onder de zeespiegel bevond, op de bodem van een diepe trog. Kerken, paleizen en torens werden van onderaf beschenen door een griezelig licht, dat de muren en kantelen en koninklijke paleizen en tempels en Babylonachtige bouwwerken in een griezelige gloed zette. Hij zwierf door de straten die doodstil op de bodem van de zee lagen… tot hij een bassende toon hoorde, vol dreigende weemoed. Hoewel hij wist waar het geluid vandaan kwam, durfde hij het niet hardop te zeggen, want als hij dat deed, zou hij zich er niet meer los van kunnen maken.

Hij werd wakker in een zacht schijnsel. Hij was bang geweest, niet omdat hij direct bedreigd werd, maar doordat er een reusachtig gevaar op de loer lag, dat zich in de komende weken en maanden zou openbaren. Het had niets te maken met zijn haperende gezondheid, maar het betrof iets ergers, een naamloze bedreiging. Zijn hartslag was niet abnormaal hoog, maar steeds wanneer hij zijn hart voelde kloppen, was het of een zware zuiger van een grote, trage machine een omwenteling maakte.

De lakens roken nog verlokkelijk naar Samantha, maar ze was al opgestaan. Hij was alleen in de kamer.

Op de digitale wekker op het nachtkastje was het 23.24 uur. Hij had niet meer dan een uurtje geslapen.

De slaapkamerdeur stond op een kiertje, en er scheen licht door naar binnen. Hij moest denken aan het vreemde schijnsel dat hij in de onderwaterstad in zijn droom had gezien.

Hij deed zijn kakibroek aan en ging op blote voeten op zoek naar Sam.

In de gecombineerde eet-woonkamer stond een leunstoel, bij een bronzen schemerlamp die een cognackleurige lichtkring om zich heen verspreidde. De kraaltjes van de glazen lampenkap wierpen gekleurde spikkels op de vloer.

De open keuken lag in het verlengde van de woonkamer, en de deur naar het balkon stond open.

Er brandden geen kaarsen. Het enige schijnsel was afkomstig van de doffe maan, en de takken van de oude boom leken zich als tentakels in het vale licht uit te strekken.

In de milde avondlucht was de lichte geur van de zee te ruiken, en het sterkere aroma van de 's nachts bloeiende jasmijn.

Samantha stond niet op het balkon. Een trap leidde naar het plaatsje tussen de garage en het huis.

Ryan hoorde stemmen, die van beneden leken te komen, en toen hij over de balustrade keek, zag hij Samantha staan. De maan kleurde haar gouden lokken zilver en verlichtte haar parelwitte zijden jurk.

De tweede persoon stond in het donker, maar uit het timbre van zijn stem maakte Ryan op dat het om een man ging.

Hij kon niet horen wat ze zeiden, en ook kon hij uit de toon van het gesprek niet opmaken waar ze het over hadden.

Net als de vorige nacht in de servieskamer, toen hij twee mensen in de keuken had horen fluisteren, kreeg hij een ongemakkelijk gevoel, alsof er verborgen dimensies en geheime betekenissen scholen in dingen die tot nu toe alledaags, duidelijk en totaal begrijpelijk hadden geleken.

Door een verandering in de toon van het gesprek merkte Ryan dat de twee hun samenzijn hadden beëindigd. De man liep bij Samantha weg.

Eerst bleef de vreemdeling in het donker verborgen, maar toen trad hij in het licht van de maan, die een vaag en mysterieus schijnsel wierp, verhelderend en tegelijkertijd verhullend.

De lange, slanke gestalte had een atletische tred en liep over het door de maan beschenen gazon naar het paadje achter de garage. Hij had wit haar, in een punkachtig kapsel geknipt, en het leek of hij een borstelige kroon van ijs droeg.

Spencer Barghest, de vermeende vriend van Rebecca Reach, gedreven en enthousiaste hulp bij zelfdoding, was maar heel even zichtbaar, want al snel werd hij weer door het duister opgeslokt. De takken en bladeren van de Californische peperboom belemmerden het zicht verder.

Samantha draaide zich om en kwam de trap op.

13

Ryan deinsde een paar passen achteruit en ging op zijn blote voeten door de openstaande balkondeur naar binnen. Snel liep hij door de keuken en de woonkamer naar de slaapkamer.

Hij trok zijn kakibroek uit, hing hem over de stoel, op de plek waar hij eerst ook had gehangen, en kroop weer in bed.

Toen hij onder de dekens lag, besefte hij dat hij zijn aftocht niet zorgvuldig had overwogen maar intuïtief een confrontatie uit de weg was gegaan. Achteraf wist hij niet of hij daar verstandig aan had gedaan.

Toen hij hoorde dat Samantha binnenkwam, deed hij of hij sliep. Ruisend ontdeed ze zich van haar zijden badjas.

Toen ze in bed kroop, zei ze zachtjes: 'Ryan?' Toen hij geen reactie vertoonde, herhaalde ze zijn naam.

Als ze merkte dat hij net deed alsof hij sliep, zou ze misschien doorkrijgen dat hij wist dat ze onder de peperboom met de onbekende man had gesproken. Daarom zei hij met een slaperige stem: 'Hmmmm?'

Ze drukte haar lichaam tegen hem aan en gleed doelbewust met haar hand naar de plek die ze in gedachten had.

Onder de omstandigheden geloofde hij niet dat hij ertoe in staat zou zijn. Tot zijn verbazing merkte hij dat hij zich daarover geen zorgen hoefde te maken; het idee dat ze dingen voor hem verborgen hield, werd door zijn verlangens overstemd.

Wat hij aan vrouwen het meest erotische vond, was de combinatie van intelligentie, humor, genegenheid en tederheid. Deze vier kwaliteiten waren in Sam verenigd. Bij de eerste twee kon ze niet net doen alsof, hoewel Ryan rekening hield met de mogelijkheid dat ze hem door haar intelligentie juist beter kon manipuleren en misleiden. Hij vroeg zich af of ze echt wel van hem hield en of ze werkelijk het beste met hem voorhad. Misschien had ze alles alleen maar gespeeld.

Nooit eerder had hij gevreeën wanneer hij zich zo ellendig had gevoeld, wanneer zijn lichamelijke hartstocht losstond van de meer zachtaardige emoties. Eigenlijk had liefde er helemaal niets mee te maken kunnen hebben.

Na afloop zoende Samantha hem op zijn voorhoofd, op zijn kin en in zijn hals. Ze fluisterde: 'Welterusten, Lonkie,' en draaide zich op haar andere zij.

Al snel lag ze met open mond te slapen. Of deed alsof.

Ryan legde twee vingers tegen zijn hals aan om zijn hartslag op te nemen. Tot zijn verbazing merkte hij dat zijn hart rustig en regelmatig klopte, wat hem voorkwam als de zoveelste verdraaiing van de feiten, tot nu toe de meest intieme: zijn lichaam deed net of hij in blakende gezondheid verkeerde, terwijl er juist van alles mis was.

Een uur lang bleef hij naar het plafond staren en overdacht het afgelopen jaar en zijn relatie met Samantha. Vanuit zijn nieuwe perspectief zocht hij in zijn geheugen naar gebeurtenissen waaruit zou blijken dat haar bedoelingen met hem duisterder waren dan hij aanvankelijk gedacht had.

Eerst kon hij niets bedenken waaruit enige misleiding van haar kant bleek. Maar in tweede instantie vielen er schaduwen waar die eerst niet te zien waren geweest, en elke herinnering werd gekleurd door de gedachte dat ze een geheime agenda had, en dat ze slinkse samenzweerders achter de hand had.

Er kwam niets specifieks bij hem boven; hij kon geen concreet voorbeeld geven dat ze hem een rad voor ogen zou hebben gedraaid, maar toch gleed er een kille huivering van wantrouwen door zijn lijf.

De paranoïde inslag waarmee de hedendaagse cultuur was vergiftigd, had hem altijd verontrust, en hij merkte tot zijn schande dat hij zich nu leek over te geven aan die neiging die hij bij anderen zo afkeurde. Veel verontrustende feiten kon hij niet bedenken. Uit zijn op hol geslagen fantasie probeerde hij andere feiten te destilleren.

Zachtjes glipte Ryan uit bed. Samantha bewoog zich niet.

Hoewel de maan door het raam scheen, was het maar goed dat hij zijn weg op de tast kon vinden, want het was heel donker.

Met de intuïtie van een blinde vond hij zijn kleren, kleedde zich aan en schuifelde stilletjes door de slaapkamer. Muisstil deed hij de deur achter zich dicht.

Omdat hij bekend was met het huis en zijn ogen inmiddels aan het donker gewend waren, bereikte hij de keuken zonder zich te hebben verstapt of ergens tegenaan te zijn gelopen. Hij deed het licht boven het aanrecht aan.

Op het schrijfblokje naast de telefoon liet hij een berichtje voor haar achter: *Sam, chronische slapeloosheid slaat wederom toe. Te rusteloos om in bed te blijven liggen. Bel je morgen wel. Liefs, Lonkie.*

Hij reed naar huis en pakte zijn koffer.

Het grote huis was zo stil als het luchtledige tussen de planeten. Steeds wanneer hij een geluidje maakte, klonk dat alsof het onweerde.

Hij reed naar een hotel, waar niemand van zijn personeel of van zijn vrienden hem zou weten te vinden.

In een anonieme kamer, op een te zacht bed, sliep hij zes uur lang aan één stuk door, zonder te dromen. Toen hij zaterdagochtend wakker werd, lag hij in dezelfde foetushouding waarin hij was gaan slapen.

Zijn handen deden zeer. Kennelijk had hij ze in zijn slaap tot vuisten gebald.

Voordat hij de roomservice belde om een ontbijt te bestellen, pleegde hij twee telefoontjes. Allereerst belde hij Wilson Mott, de detective, en daarna liet hij een van de zakenvliegtuigen van Be2Do komen om hem naar Las Vegas te vliegen.

14

Het was of de woestijnzon de lucht tot op het bot had afgeschraapt. De kolkende hitte die van de landingsbaan opsteeg, was zo droog als de adem van een dode zee.

Het zakenvliegtuig bleef met de bemanning wachten om Ryan de volgende morgen weer naar het zuiden van Californië terug te vliegen.

Een zwarte Mercedes met chauffeur stond al bij de terminal voor het zakelijk vliegverkeer te wachten. De man stelde zichzelf voor als George Zane en zei dat hij voor het beveiligingsbedrijf van Wilson Mott werkte.

Hij droeg een zwart pak, een wit shirt, en een zwarte stropdas en laarzen, die stalen neuzen leken te hebben.

Zijn gladgeschoren hoofd werd ontsierd door twee littekens, vlak bij zijn wenkbrauwen. Zane was lang, gespierd, had een dikke nek, brede neusvleugels en doordringende ogen die donkerpaars als pruimenschillen waren, alsof er stierenbloed in zijn stamboom zat en de twee hoorns operatief verwijderd waren, zodat alleen de littekens nog restten.

Zane fungeerde niet alleen als chauffeur maar ook onder andere als bodyguard. Nadat hij de bagage in de kofferbak had gelegd, deed hij het achterportier van de Mercedes open en gaf Ryan een wegwerpmobieltje.

'Zolang u hier bent,' zei Zane, 'kunt u van dit telefoontje gebruikmaken. De gesprekken kunnen dan nooit op u worden teruggevoerd.'

Deze customized auto was als een limousine uitgerust met een beweegbaar paneel tussen de chauffeur en de achterbank.

Ryan keek door de getinte ruiten naar de kale woestijnbergen in de verte, tot een woud van hoge hotels en casino's het zicht op de natuur ontnam.

Bij het hotel waar Ryan zijn intrek zou nemen, zette Zane de auto op de vip-parkeerplaats neer. Terwijl Ryan in de auto bleef wachten, bracht de chauffeur zijn koffer naar binnen.

Toen Zane terugkwam, deed hij het achterportier open en gaf Ryan een elektronische keycard. 'Kamer elfhonderd. Dat is een suite, die op mijn naam staat geboekt. Uw naam staat nergens genoteerd, meneer.'

Toen ze bij het hotel wegreden, ging het mobieltje. Ryan nam op.

Een vrouw vroeg: 'Bent u zover om het appartement van Rebecca te gaan bekijken?'

Rebecca Reach. De moeder van Samantha.

'Ja,' zei Ryan.

'Het is nummer 34, op de eerste verdieping. Ik wacht binnen op u.'

Met die woorden beëindigde ze het gesprek.

Behalve uit de beroemde Strip bestond Vegas uit één uitgestrekte voorstad. Wit gestuukte huizen weerkaatsten de meedogenloze zon van de Mojavewoestijn, en veel tuinen bestonden uit stenen, rotsen, cactussen en vetplanten.

De palmbladeren leken kwetsbaar. De olijfbomen waren eerder grijs dan groen te noemen.

De lucht boven de gigantische parkeerplaatsen golfde door de hitte, waardoor de supermarkten glinsterden en constant van vorm leken te veranderen, net als de stad diep in de zee, waarover hij had gedroomd.

Onbebouwde percelen vormden een opeenhoping van zand, verdroogde struikjes en afval.

De Oase, een chic complex van maisonnettes, bestond uit crèmekleurige muren en een dak van turkooizen dakpannen. In de omringende muur die het grote binnenplein omsloot, was in art-decostijl een kamelenkaravaan gemetseld van keramische tegels in dezelfde tint als het dak.

Achter de appartementen bevonden zich garages, plus parkeerplaatsen voor bezoekers, tegen de zon afgeschermd door carports, begroeid met paarse bougainville.

Zane liet de glazen wand tussen hem en Ryan zakken, deed de ramen aan de voorkant van de auto open en zette de motor af. 'U kunt maar het beste zonder mij naar binnen gaan. Probeert u maar zo nonchalant mogelijk te doen.'

Ryan stapte uit maar voelde de aandrang meteen weer in te stappen en de twijfelachtige operatie af te blazen. Maar toen het beeld van Spencer Barghest bij hem bovenkwam, onder de peperboom, in gesprek met Samantha, met die haardos die in de maneschijn spierwit leek, dacht hij aan wat hij wilde weten, en waarom dat belangrijk was.

Het hekje aan de achterkant gaf toegang tot een overdekt pad naar het plein, maar kon alleen met een sleutel geopend worden die de huurder zelf had. Ryan liep om het complex heen naar de hoofdingang.

Het smeedijzeren hek aan de voorkant had een palmboomdessin, en wat groene verf moest de indruk wekken dat het geheel van verweerd koper was gemaakt.

Midden op het binnenplein bevond zich een groot zwembad met ligstoelen eromheen, en een turkooizen overkapping. In de verzengend hete lucht hing een lichte chloordamp, die diep in Ryans neus doordrong.

Een paar bewoners hadden hun door de zon gebruinde lichaam ingesmeerd met zonnebrandcrème en lagen op de ligstoelen hun kans op huidkanker te vergroten. Niemand keek in zijn richting.

De diepe balkons op de eerste verdieping fungeerden als zonnewering voor de veranda van de wooneenheden op de begane grond. De tuin was weelderig ingericht, met koninginnenpalmen van diverse hoogtes, die de drie vleugels van het complex van elkaar scheidden.

Hij betrad de buitentrap en ging op zoek naar appartement 34. De deur stond op een kier en zwaaide al open voordat hij er was.

In de hal van de woning werd hij opgewacht door een aantrekkelijke brunette met een sensuele mond en droevige ogen die zo grijs waren als een granieten grafzerk.

Ze werkte voor Wilson Mott. Hoewel ze er zeer vrouwelijk uitzag, wekte ze de indruk zeer goed in staat te zijn de deugdzaamheid die haar nog restte volledig te kunnen beschermen, en mogelijke belagers met een afdruk van haar schoenzolen in hun gezicht af te laten druipen.

Ze deed de deur achter Ryan dicht en zei: 'Rebecca werkt overdag in het casino. Het duurt nog uren voor ze thuiskomt.'

'Heb je al iets bijzonders gevonden?'

'Ik heb nog niet rondgekeken, meneer, omdat ik niet weet waarnaar u op zoek bent. Mijn taak is alleen maar om de deur te bewaken en u bij onraad zo snel mogelijk weer naar buiten te loodsen.'

'Hoe heet je?'

'Ik wil best een naam opgeven, maar hoe ik in het echt heet, zult u niet te weten komen.'

'Waarom niet?'

'Omdat we hier met een illegale activiteit bezig zijn. Ik blijf liever anoniem.'

Uit haar manier van doen concludeerde hij dat ze hem niet mocht en dat ze niet instemde met deze missie. Natuurlijk was het zijn leven dat op het spel stond, niet het hare.

Rebecca Reach had de airco in haar afwezigheid op 21 graden Celsius laten staan, wat deed vermoeden dat ze niet van een karig loontje hoefde rond te komen.

Ryan begon zijn zoektocht in de keuken, alsof hij verwachtte in de kastjes een grote hoeveelheid vergif aan te treffen.

15

Toen Ryan in het appartement van Rebecca Reach rondneusde, voelde hij zich net een inbreker, hoewel hij niet van plan was iets van haar eigendommen mee te nemen. Zijn wangen gloeiden, en door het gevoel met iets bezig te zijn wat wettelijk niet mocht, was zijn hartslag opgelopen.

Tegen de tijd dat hij de keuken, de eethoek en de zithoek had doorzocht, besloot hij dat hij geen gevoelens van schaamte of andere sterke emoties kon gebruiken, omdat die de kans op een hartaanval alleen maar konden vergroten, en daarom probeerde hij vanaf dat moment een klinische, afstandelijke houding aan te nemen.

Uit de inrichting van het appartement maakte hij op dat Rebecca niets gaf om gezelligheid in huis. Saaie beige en grijze tinten kenmerkten het schaarse meubilair. In de zithoek hing maar één kunstwerk aan de muur, een abstract geval, en aan de muren in de eethoek hing zelfs helemaal niets.

De afwezigheid van accessoires of souvenirs deed vermoeden dat ze geen mens was voor spullen met gevoelswaarde.

Uit het feit dat er geen enkel stofje in het appartement te vinden was, dat de kruidenpotjes in de keuken alfabetisch gerangschikt waren en dat de zes sierkussentjes op de bank zeer zorgvuldig neergelegd waren, concludeerde Ryan dat Rebecca zeer gesteld was op orde en netheid. Waarschijnlijk was ze een serieus type en hield ze er een sobere levensstijl op na.

Toen Ryan de studeerkamer betrad, begon zijn wegwerpmobieltje te rinkelen. Het nummer van de beller verscheen niet op het display.

Hij nam op, maar aanvankelijk hoorde hij niets. Pas toen hij een tweede keer hallo had gezegd, hoorde hij een lieflijke, zangerige vrouwenstem die zachtjes een melodie begon te neuriën. Het wijsje kwam hem niet bekend voor.

'Met wie spreek ik?' vroeg hij.

De zachte stem zakte geleidelijk weg, werd zwak maar was toch nog te horen, tot er slechts stilte overbleef.

Zijn vrije hand gleed naar het verbandje op zijn hals, de plek waar de vorige dag nog een katheter was ingebracht.

Hoewel er geen woorden waren gezongen, herkende Ryan de stem, of dacht die te herkennen, misschien onderbewust, omdat hij onmiddellijk moest denken aan de smaragdgroene ogen en de gladde, getinte huid van Ismay Clemm, de verpleegkundige die op de afdeling cardiologie werkte.

Nadat hij bijna een minuut lang tevergeefs had gewacht tot de stem weer iets van zich zou laten horen, verbrak hij de verbinding en liet hij het mobieltje in zijn broekzak glijden.

Er kwam een herinnering bij hem boven, een zinnetje dat Ismay tegen hem had gezegd toen hij versuft uit de verdoving ontwaakte: *Je hoort hem, hè, jongen? Ja, je hoort hem wel. Luister er niet naar, jongen.*

Ryan kreeg een angstig voorgevoel, zo sterk dat hij bijna het appartement wilde ontvluchten. Hij had hier niets te zoeken.

Hij haalde diep adem, liet de lucht vervolgens langzaam ontsnappen en probeerde zijn zenuwen de baas te blijven.

Hij was in Las Vegas om uit te vinden in welke mate hij bedreigd werd. Was zijn lichamelijke aftakeling zijn enige vijand, of werd er misschien een complot tegen hem gesmeed? Zijn kans om te overleven hing misschien af van de uitkomst van dit onderzoek.

De studeerkamer bleek net zo kleurloos en onpersoonlijk te zijn ingericht als de rest van het appartement. Haar bureaublad was leeg.

Op de boekenplanken stonden ongeveer honderd gebonden boeken. Er stonden geen romans bij, en ze gingen allemaal over persoonlijke groei en investeren.

Nadere inspectie wees uit dat er geen enkel boek tussen stond dat concrete aanwijzingen bevatte hoe je jezelf kon ontplooien of hoe je verstandig kon beleggen. Alle boeken gingen over de mystieke kracht van het positief denken, over hoe je kon slagen door te geloven in je eigen succes, over het ene esoterische geheim na het andere, waardoor je je hele financiële en persoonlijke leven op orde kon krijgen.

Het waren, kortom, boeken die de lezer voorspiegelden

hoe je snel rijk kon worden. Ze beloofden maximale voorspoed bij minimale inspanning.

Dat Rebecca zo veel boeken over dit onderwerp in huis had, deed vermoeden dat ze altijd gedroomd had ooit rijk te worden. Nu ze zesenvijftig was, zou ze door alle teleurstellingen en frustraties wel eens verbitterd kunnen zijn geraakt, en ongeduldig.

In geen van deze boeken werd de raad gegeven om je dochter met een rijke vent te laten trouwen en zijn geld binnen te halen door hem te vergiftigen. Je hoefde geen boeken te lezen om een dergelijk plan te kunnen bedenken.

Ryan schaamde zich ervoor dergelijke gedachten te hebben gekoesterd. Hij had Rebecca van duistere plannen verdacht, en dat was niet eerlijk ten opzichte van Samantha.

Een paar maanden geleden had hij Sam ten huwelijk gevraagd. Als ze op zijn geld uit was, zou ze onmiddellijk ja hebben gezegd. Dan zouden ze nu inmiddels al getrouwd zijn.

In een van de bureauladen vond Ryan acht tijdschriften. Het bovenste van de stapel was een *Vanity Fair*, het nummer waarin Samantha's artikel over hem stond.

Ook in de andere zeven bladen, die over een periode van twee jaar verschenen waren, stonden artikelen die Samantha had geschreven.

Sam mocht dan wel van haar moeder vervreemd zijn geraakt, maar kennelijk volgde Rebecca de carrière van haar dochter op de voet.

Hij bladerde de tijdschriften door en zocht tevergeefs naar een brief, een los papiertje waar iets op geschreven stond, een memovelletje, een aanwijzing dat Sam de bladen naar haar moeder had opgestuurd.

In de mooi ingerichte badkamer en de grote slaapkamer trof hij niets bijzonders aan. Wat Rebecca betrof, en eigenlijk ook wat haar dochter betrof, had Ryan genoeg gezien om te weten dat zijn wantrouwen geheel misplaatst was geweest.

De anonieme medewerkster van Wilson Mott stond in de hal te wachten. Toen ze gezamenlijk de woning verlieten, deed ze de deur op slot.

Tot zijn verbazing pakte ze zijn hand en keek hem glimlachend aan, alsof ze geliefden waren die samen gingen lunchen en er een spannende middag van wilden maken. Ze kletste honderduit over een film die ze onlangs had gezien. Misschien deed ze dat opdat niemand enig wantrouwen zou koesteren als ze alleen maar aandacht voor elkaar hadden.

Ze liepen over de galerij op de eerste verdieping en gingen via de open trap naar het binnenplein. Ryan mompelde twee keer iets terug. Beide keren lachte ze uitbundig, alsof hij de grappigste man was die ze kende.

Haar lach was zangerig, net als haar stem, en haar ogen glommen van kinderlijk genot.

Toen ze door de poort van het kopergroene hek stapten en het trottoir betraden dat voor de Oase langsliep, verloor haar stem alle zangerigheid. De glimlach die steeds om haar volle lippen had gespeeld, verdween op slag, en haar ogen waren weer net zo grijs.

Ze liet zijn hand los en veegde haar handpalm aan haar rok af.

Geïrriteerd besefte Ryan dat zijn hand bezweet was toen ze die had vastgepakt.

'Ik sta een straat verderop,' zei ze. 'George brengt u wel weer naar uw hotel.'

'En hoe zit het met Spencer Barghest?'

'Die is nu thuis. We denken dat hij vanavond uitgaat. Mocht dat inderdaad zo zijn, dan zullen we u naar zijn huis brengen.'

Ryan keek haar na en vroeg zich af wie ze was wanneer ze niet voor Wilson Mott werkte. Was de kille blik kenmerkend voor haar ware ik, of bepaalden de zangerige lach en haar glimmende ogen haar wezen?

Hij begon te twijfelen aan zijn vermogen om wie dan ook werkelijk te doorgronden.

Hij liep terug naar de Mercedes. George Zane zat achter het stuur op hem te wachten.

Op de terugweg keek hij door de getinte raampjes naar buiten. De wereld leek door zijn vermoeide ogen constant op subtiele wijze te veranderen: in het zonlicht zonder diepte, in de schaduw verwrongen, en elk oppervlak leek harder dan hij het zich herinnerde, elke rand leek scherper. Uiteindelijk kwam het hem voor dat dit niet dezelfde planeet was waarop hij ter wereld was gekomen.

16

Vanuit het hotel belde Ryan Perry met Samantha, op zijn eigen mobieltje, niet op het wegwerptoestelletje. Op het schrijfblok in haar keuken had hij die nacht geschreven dat hij dat zou doen.

Tot zijn opluchting kreeg hij haar voicemail. Hij sprak in dat hij onverwacht voor zaken naar Denver moest en dat hij dinsdag weer thuis zou zijn.

Ook zei hij dat hij van haar hield, en hij vond het zelf vrij overtuigend klinken.

Normaal dronk hij zelden wijn voor het eten, maar nu liet hij bij de lunch een half flesje Lancaster cabernet sauvignon op zijn kamer komen.

Hij had zich aanvankelijk voorgenomen naar het casino te gaan waar Rebecca Reach als dealer werkte, om haar eens in het echt te zien.

Hoewel hij niet van plan was geweest bij haar tafel aan te schuiven, vond hij het bij nader inzien überhaupt geen verstandig idee om naar het casino toe te gaan. Als ze het artikel van haar dochter in *Vanity Fair* had gelezen, was de kans groot dat ze Ryan van de foto's zou herkennen.

Misschien had Rebecca wel contact met haar dochter onderhouden, in tegenstelling tot wat Samantha had gezegd. In dat geval was het helemaal belangrijk dat ze hem niet zag, omdat hij net beweerd had in Denver te zijn.

Na de lunch hing hij het bordje DO NOT DISTURB op de deur. Omdat hij door de wijn doezelig was geworden, ging hij languit op bed liggen, zonder zijn kleren uit te doen.

Het felle woestijnlicht scheen aan de randen van de dichtgetrokken gordijnen naar binnen, maar in de kamer was het koel, donker en letterlijk slaapverwekkend.

Hij droomde van een stad onder de zeespiegel. Een spookachtig schijnsel viel van boven in de diepte en wierp gekwelde schaduwen op de tempels, torens, paleizen, priëlen van gebeeldhouwde klimop en stenen bloemen.

Hij doolde door onwerkelijk verlichte en toch donkere straten, meer als een zwemmer dan als een spook. Al snel besefte hij dat hij iets of iemand volgde, een bleke geestverschijning.

Toen de gestalte omkeek, zag hij dat het Ismay Clemm was. De bleke gloed was afkomstig van haar verpleegstersuniform. Ryan wilde haar dringend iets vragen, al was hem ontgaan wat dat precies was. In zijn droom kwam hij nooit zo dichtbij dat hij haar in de verdronken straten met zijn stem kon bereiken.

Het was al begonnen te schemeren toen hij wakker werd. In de suite doemden de meubels als grijze eilanden in een meer van duisternis op.

Ryan wist niet of hij door het zachte, aanhoudende geklop wakker was geworden, maar hij hoorde het geluid nu onmiskenbaar. Het gedesoriënteerde gevoel na het ontwaken zakte langzaam weg, en na een tijdje wist hij dat het geluid uit de aangrenzende kamer kwam.

In de woonkamer deed hij een lamp aan. Het klopgeluid lokte hem naar de deur. Hij keek met een oog door het kijkgat dat hem zicht bood op de gang van het hotel, maar daar was niemand te bekennen.

Nu Ryan klaarwakker was, merkte hij dat het geklop bij het raam vandaan leek te komen dat een weids uitzicht op de Las Vegas Strip bood.

Aan de horizon zakte de bloedrode zon achter de bergtoppen, zwol op, barstte open en verspreidde een rode gloed langs de westelijke hemel.

Hier op de tiende verdieping tikte niets tegen het raam. Hij zag alleen de knipperende lampen en het pulserende neonlicht van de casino's. Nu het donker werd, probeerden de gokpaleizen met schreeuwende verlichting en goedkope glamour de vermogende massa te bewegen hun fortuin bij hen te verspelen.

Ryan draaide zich van het raam weg. Het zachte klopgeluid leek uit een andere richting te komen. Hij ging op zijn gehoor af en liep naar de badkamer, waarvan hij de deur dicht had gelaten.

De deur kon alleen vanbinnen op slot worden gedraaid, zodat het nu uitgesloten was dat er iemand in zat die klopte omdat hij er niet uit kon.

Aarzelend, met een steeds sterker wordend gevoel dat er gevaar dreigde, opende hij de deur van de badkamer, deed het licht aan en keek met knipperende ogen in het blinkende, felverlichte vertrek.

Het geluid klonk nu hol en sonoor, alsof het uit een van de afvoerpijpen kwam. Nadat hij de deur van de douche had opengedaan en in gebukte houding bij elk van de twee putjes had staan luisteren, had hij de bron van het geluid nog steeds niet opgespoord.

Hij hoorde het geklop nu weer uit de slaapkamer komen en dacht dat het van het grote plasmatelevisiescherm kwam, hoewel hij de tv niet had aangezet.

Luister er niet naar, jongen.

Zijn lichamelijke klachten had hem emotioneel kwetsbaar gemaakt. Hij begon aan zijn eigen geestelijke vermogens te twijfelen.

Het wegwerpmobieltje, dat hij op het nachtkastje had gelegd, begon te rinkelen.

Toen hij opnam, zei George Zane: 'De kust is veilig voor uw tweede bezoek. Over een halfuur sta ik met de auto voor de deur.'

Ryan verbrak de verbinding, legde het apparaatje neer en wachtte tot het klopgeluid weer zou beginnen.

De aanhoudende stilte stelde hem niet op zijn gemak. Hij had niemand binnengelaten in de suite, en toch had hij het idee niet alleen te zijn.

Hij onderdrukte de irrationele drang om in elk hoekje en in elke kast te gaan kijken en douchte zich snel. Toen de glazen deur door de stoom besloeg, wreef hij de waterdamp weg, om de badkamer goed in het oog te kunnen blijven houden.

Toen hij zich had aangekleed en klaar was om de avond tegemoet te treden, voelde hij zich niet verfrist, en hij was nog steeds bang dat er iets of iemand in de suite aanwezig was. Uiteindelijk gaf hij toe aan zijn paranoïde gevoel en doorzocht hij kasten en keek hij achter elke stoel.

Hij probeerde de schuifpui naar het balkon open te doen. Op slot. Daar zat toch niemand.

In de ruime hal bekeek hij zichzelf in de spiegel die boven de bijzettafel hing. Eigenlijk verwachtte hij dat er iemand in de suite achter hem zou verschijnen, maar dat gebeurde niet.

17

Spencer Barghest, die twee keer op verdenking van moord in Texas was opgepakt en beide keren was vrijgesproken, woonde in een middenklassenwoonwijk vol bungalows.

George Zane reed langs het adres en zette de auto een eind verderop neer, aan de overkant. Ryan ging te voet terug naar het huis.

De warme avondlucht was zo droog dat de bomen en bloeiende struiken niet geurden. Ryan rook alleen het onbestemde, alkalische aroma van de woestijn, waaraan de stad zich had opgedrongen, maar die nooit was overwonnen.

Lampjes in de tuin, hoog in de takken van de theebomen opgehangen, wierpen gespikkelde schaduwen op het pad, zodat Ryan het idee kreeg of hij over blaadjes liep.

De gordijnen zaten dicht. Binnen was de verlichting aan. De anonieme brunette met de sensuele mond en de granietgrijze ogen deed open voordat hij de kans kreeg aan te bellen.

Toen Ryan het huis betrad en de vrouw de deur achter hem dichtdeed, vroeg hij: 'Hoeveel tijd heb ik?'

'Minstens drie of vier uur. Hij is met Rebecca Reach uit eten gegaan.'

'Duurt een etentje bij hen zo lang?'

'Het is een etentje met horizontaal dessert bij haar thuis. Volgens onze bronnen is Barghest een viagra-cowboy. Er gaat geen dag voorbij dat hij geen dosis inneemt en losgaat.'

'Is dokter Dood een donjuan?'

'Zo veel eer verdient hij niet. Hij is een slet.'

'En als ze hier nou toch eerder naartoe komen?'

'Dat doen ze niet. Je moet als vrouw wel heel gestoord zijn om je hierbinnen op je gemak te voelen. Rebecca komt hier liever niet.'

In de woonkamer liet ze hem zien waar ze op doelde. Er

stonden niet alleen tafels, stoelen en kastjes, maar ook twee dode mannen en een dode vrouw, alle drie ongekleed.

Omdat Ryan in de krant een artikel over lijkenkunst had gelezen en wist dat in gerenommeerde musea en galeries en universiteiten door het hele land tentoonstellingen werden gehouden, begreep hij onmiddellijk dat dit geen beelden waren, geen afgietsels of iets dergelijks. Dit waren zorgvuldig gebalsemde lijken.

Ze waren behandeld met antibacteriële oplossingen, drogende middelen en conserverende stoffen. Daarna waren ze in polyurethaan ondergedompeld, zodat ze werden bedekt met een luchtdicht laagje glazuur dat ontbinding tegenging, en waren ze met behulp van een ondersteunende structuur in een bepaalde houding gezet.

Een van de mannen was kennelijk overleden aan een ziekte die hem helemaal had gesloopt, want hij was vel over been. Zijn smalle lippen zaten stijf op elkaar. Een oog zat dicht, zodat het net was of hij de naderende dood niet met beide ogen in het gezicht had durven kijken.

De tweede man zag er gezond uit, zodat zijn doodsoorzaak niet zonder meer duidelijk was. Het was net of hij nog leefde. Door het laagje polyurethaan glansde hij van top tot teen, als een met olie ingesmeerde kerstkalkoen.

De vrouw van middelbare leeftijd was blijkbaar kort na een borstoperatie overleden, want de nare wond was nog niet geheeld. Net als de twee mannen had ze een kaalgeschoren hoofd.

In haar blauwe ogen lag een blik vol afschuw en doodsangst, alsof ze wist wat voor gruwelijke dingen er na haar dood met haar lichaam zouden worden uitgehaald.

Toen hij zijn stem had hervonden, vroeg Ryan: 'Weet de politie dat hij dit hier heeft staan?'

'Elke... persoon die hier staat, heeft schriftelijk toestemming gegeven na zijn of haar dood in het bezit van Barghest te komen, of anders heeft de familie daarvoor getekend. Hij heeft ze bij diverse gelegenheden al tentoongesteld.'

'Niet gevaarlijk voor de volksgezondheid?'

'De experts zeggen van niet.'

'Lijkt me in elk geval niet goed voor de geestelijke gezondheid.'

'Juridisch is er geen speld tussen te krijgen. De rechter heeft geoordeeld dat het om een legitieme vorm van kunst gaat, dat het een politiek statement is, culturele antropologie, opvoedkundig verantwoord, hip, cool, hartstikke leuk.'

Ryan voelde zich niet op zijn gemak, niet omdat er doden in het vertrek aanwezig waren, maar omdat hij vond dat ze op een mensonterende manier waren geëxploiteerd. Hij wendde zijn blik van de drie lijken af.

'Wanneer gooien we christenen weer voor de leeuwen?' vroeg hij zich hardop af.

'Aanstaande woensdag begint de kaartverkoop.'

Ze liep terug naar de hal om hem de mogelijkheid te geven het huis in zijn eentje te verkennen.

Vanuit de woonkamer kwam hij in een gang terecht. Aan het eind ervan stond weer een lijk, het vierde, te glimmen onder een spotje. Het was een man, die waarschijnlijk bij een auto-ongeluk om het leven was gekomen, of in elkaar was geslagen. Zijn gezicht was bont en blauw, zijn linkeroog was opgezwollen en zat dicht, en zijn rechteroog was bloeddoorlopen. Een van zijn jukbeenderen was verbrijzeld. Zijn schedel was aan de voorkant in twee stukken gebroken, die niet meer pal tegen elkaar aan zaten.

Ryan vroeg zich af of de hersenen en inwendige organen verwijderd waren. Hij wist eigenlijk niet hoe het balsemen precies in zijn werk ging.

Hij begon al aan deze barbaarse 'kunstuiting' te wennen. Hij vond het nog steeds aanstootgevend, maar merkte dat zijn gevoelens van ontzetting en verontwaardiging ten dele werden weggedrukt doordat zijn nieuwsgierigheid en verwondering waren gewekt.

Hij maakte zichzelf wijs dat zijn reactie op deze gruwelijkheden niets met apathie of onverschilligheid te maken had, maar dat hij gedwongen werd een stoïcijnse houding aan te nemen. Natuurlijk had hij met deze mannen en vrouwen te doen, door wat er met hun stoffelijk overschot was uitgespookt, maar als hij die gevoelens niet onderdrukte, zou hij nooit in staat zijn het huis te doorzoeken, en daarvoor was hij hier.

In de slaapkamer was een dode vrouw in zittende positie neergezet. Door haar suggestieve houding en de intensiteit van haar starende blik raakte Ryan zo van slag dat hij de kamer en de inloopkast slechts aan een oppervlakkige inspectie onderwierp.

Alleen in de werkkamer van Barghest vond Ryan iets wat mogelijk voor hem van belang kon zijn.

Tussen een paar onopvallende fotoalbums stonden twee ringmappen met haarscherpe kleurenfoto's van 20 x 25 cm. Gezichten.

De gezichten vertoonden geen enkele uitdrukking, en de ogen keken niet in de camera maar leken in het niets te staren. Het waren gezichten van overleden mensen.

Elke foto zat in een plastic hoesje, en op elk hoesje stond een etiketje, met daarop een handgeschreven getal, mogelijk een dossiernummer.

Ryan nam aan dat deze mensen door Barghest op hun verzoek – of op verzoek van de familie – waren begeleid in hun zelfdoding. Wanneer het iemand betrof die wilsonbekwaam was, zou er een dodelijke stof zijn toegediend die niet kon worden getraceerd.

Doordat er geen namen of sterfdata bij stonden, vermoedde Ryan dat Barghest bang was dat de foto's tegen hem gebruikt konden worden, ondanks het feit dat de maatschappij tegenwoordig tamelijk tolerant stond tegenover de steun die hij zijn medemens zo graag verleende.

Blij dat er in de werkkamer geen opgezet lijk aanwezig

was, ging Ryan achter het bureau zitten en legde de twee ringmappen voor zich. Hij wist niet goed waarom hij al die gezichten van lijken wilde gaan bekijken, maar intuïtief voelde hij dat deze beproeving iets kon opleveren.

Barghests trofeeën waren van beiderlei kunne, jong en oud, en met diverse etnische achtergronden. Het verbaasde Ryan dat het woord 'trofee' bij hem opkwam, maar nadat hij een tiental gezichten had bekeken, kon hij geen beter woord verzinnen.

In sommige gevallen leek het erop of de ogen van de desbetreffende persoon op het tijdstip van overlijden open waren blijven staan. Soms waren er kleine stukjes plakband gebruikt om de oogleden aan de wenkbrauwen vast te maken.

Aanvankelijk verdrong Ryan de vraag waarom het voor Barghest zo belangrijk was dat hun ogen openbleven. Maar op een gegeven moment drong het tot hem door dat de euthanasieactivist genoot van elke dode blik, net zoals verkrachters hun slachtoffers dwongen hen aan te kijken. In elke foto lag die quasi-pornografische intentie verscholen.

Ineens begonnen de foto's hem tegen te staan, en hij legde het album neer.

Hij rolde zijn bureaustoel achteruit, boog zich voorover en liet zijn hoofd hangen. Hij ademde door zijn mond tot de opkomende misselijkheid afzakte.

Hoewel zijn hart niet wild tekeerging, voelde elke hartslag als een hoge golf die in zijn borst kapotsloeg. De vloer leek te bewegen, en hij kreeg het gevoel alsof hij op een deinende watermassa dreef. Hij dacht het ijle gekrijs van meeuwen in de verte te horen, al besefte hij bijna onmiddellijk dat het om zijn eigen zachte, fluitende ademhaling ging.

De golven binnen in hem kwamen bij vlagen opzetten, zoals dat bij de zee ook het geval is, sommige groter dan andere, met onregelmatige onderbrekingen. Hij wist dat dergelijke aanvallen met variabele intensiteit een voorbode konden zijn van een hartaanval.

Hij legde een hand op zijn borst, alsof hij zijn hart op die manier tot rust kon brengen.

Als Ryan ter plekke de geest gaf, zouden de medewerkers van Wilson Mott hem waarschijnlijk achterlaten, om niet te hoeven verklaren wat hij en zij in het huis te zoeken hadden. Als hij vervolgens door dokter Dood werd gevonden, zou hij misschien ook in de verzameling lijken worden opgenomen. Poedelnaakt, gebalsemd en in een vernederende positie van een laagje glazuur voorzien zou hij in een hoekje van het huis worden neergezet, om daarna door Spencer Barghest te worden bekeken en betast.

18

Ryan overleefde de aanval, op pure wilskracht of door genade van het lot. Na een paar minuten merkte hij dat zijn hartslag zich weer stabiliseerde.

De droge, koele lucht in het huis van Barghest was geurloos, maar Ryan kreeg er wel een lichte, metalige smaak van in zijn mond. Hij wilde liever niet weten hoe dat kwam en ademde alleen nog maar door zijn neus.

Hij ging rechtop zitten en rolde in zijn stoel terug naar het bureau. Na een lichte aarzeling sloeg hij de eerste ringmap open op de plek waar hij gebleven was.

Hij bladerde de eerste map verder door, intuïtief, met grimmige vastberadenheid. Zijn geduld werd uiteindelijk beloond toen hij bij de derde foto van de tweede map kwam.

Samantha. Haar ogen werden met plakband opengehouden, haar volle lippen weken iets van elkaar, alsof ze een zucht van opluchting had geslaakt toen de camera haar had vastgelegd.

Natuurlijk was dit niet Samantha maar Teresa, haar eeneiige tweelingzus. Voordat ze was overleden, had ze geruime tijd als een kasplantje geleefd als gevolg van het auto-ongeluk, en daardoor was haar schoonheid enigszins aangetast. Teresa was lijkbleek, maar straalde desondanks een bovenaardse schoonheid uit, juist omdat ze zo geleden had; de broze transcendentale schoonheid van een heilig verklaarde martelaar die door een oude meester op het doek is vastgelegd.

Kennelijk kende Barghest Rebecca zes jaar geleden al. Het leek Ryan zeer waarschijnlijk dat hij bij het overlijden van Teresa aanwezig was geweest.

Samantha had gezegd dat ze in die laatste uren bij haar zus gewaakt had. Toch had ze het nooit over Barghest gehad.

Ze sprak niet vaak over haar tweelingzus. Maar dat was begrijpelijk en kon niet als verdacht worden aangemerkt. Waarschijnlijk deed het verlies nog steeds pijn.

Pas een paar dagen geleden had ze over de lijdensweg van Teresa verteld, onder de aardbeibomen. Daarvoor had ze Ryan in de waan gelaten dat haar zus bij het ongeluk om het leven was gekomen.

Weer was Sams zwijgzaamheid alleen maar een teken dat ze nog steeds leed onder het verlies van Teresa.

Op de foto lag de overleden vrouw met haar hoofd op een kussen. Uit de manier waarop haar goudblonde haar was geborsteld en langs haar gezicht was gedrapeerd, sprak veel liefde.

In scherp contrast daarmee vormden de plakbandjes waarmee de in het niets starende ogen waren vastgeplakt een belediging voor Teresa; het was zelfs mensonterend.

Ryans hart was net nog op hol geslagen, maar nu was zijn hartslag rustig en regelmatig. Het was stil in het huis en daarbuiten, alsof elke ziel in Las Vegas op hetzelfde moment in slaap was gevallen of tot stof vergaan was, alsof elk wiel tot stilstand was gekomen en elke lawaaierige machine zonder stroom was komen te zitten, alsof de nachtvogels niet meer konden vliegen of zingen, alsof alle dieren verlamd waren geraakt en zich alleen nog maar kruipend of krioelend konden voortbewegen. De lucht verstilde, en er leek geen ruimte meer te zijn voor zelfs ook maar het lichtste briesje. De tijd bevroor in uurwerken die stil waren blijven staan.

Ryan wist niet of hij zich de stilte verbeeldde, maar het was zo'n bijzonder moment dat hij de neiging kreeg te gaan schreeuwen, voordat de wereld voorgoed versteende.

Hij zweeg echter, omdat hij voelde dat deze volslagen stilte iets te betekenen had, een waarheid die ontdekt wilde worden.

De stilte leek veroorzaakt te worden door de foto die Ryan voor zich had liggen, alsof de stilte eruit opwelde en de wereld overspoelde, alsof er een enorme kracht uitging van de beeltenis van het gezicht van de overleden Teresa, een kracht die de schepping lam kon leggen om Ryans aandacht te vangen. Zijn onderbewustzijn vertelde hem wat hij moest doen: *observeren, kijken, ontdekken*. Op deze foto stond iets wat vreselijk belangrijk voor hem was, een choquerende openbaring die hij tot nu toe over het hoofd had gezien en die hem het leven kon redden.

Hij bestudeerde haar wezenloze blik, vroeg zich af of er uit de lichtval en de schaduwen die in haar ogen te zien waren, op te maken was in welke kamer ze was overleden, welke mensen erbij waren geweest, of misschien iets wat te maken had met de huidige penibele situatie waarin hij verkeerde.

De weerspiegeling in haar ogen was zo klein dat hij er niets uit kon opmaken, ook al tuurde hij er nog zo ingespannen naar.

Zijn blik gleed over haar prachtige wangen, langs de fijne lijnen van haar neus, naar haar volle, perfect gevormde lippen.

Haar geweken lippen spraken niet tot hem, maar ergens verwachtte hij een verklaring te zullen horen, zodat hij te weten kwam waarom hij een vergroot hart had en wat hem nog te wachten stond.

Ryan schrok toen hij vanuit een ooghoek iets zag bewegen.

Hij keek op. Even was hij bang dat een van de geglazuurde lijken zich had losgemaakt van de ondersteunende structuur en nu op hem afkwam.

De anonieme brunette was binnengekomen, en ze verbrak de betoverende stilte. 'Ik ben niet zo gauw ergens bang voor, maar dit huis werkt ontzettend op mijn zenuwen.'

'Bij mij ook,' zei hij.

Hij haalde de foto van Teresa uit het plastic hoesje, legde die apart en klapte het fotoalbum dicht.

'Dat merkt hij vast,' zei de brunette.

'Misschien wel, maar daar zit ik niet mee. Laat hem daar maar over inzitten.'

Ryan zette de twee ringmappen terug op de plank.

De brunette leunde tegen de deurpost, sloeg haar armen over elkaar en zei: 'Ze worden door iemand van ons in de gaten gehouden. Ze zijn inmiddels klaar met eten. Nu zijn ze naar haar appartement teruggegaan.'

Ze was waarschijnlijk tussen de dertig en de vijfendertig, maar door haar manier van doen kwam ze ouder over. Het zelfvertrouwen dat ze uitstraalde, leek niet zozeer te maken te hebben met hoogmoed als wel met wijsheid.

'Zou jij dat goedvinden?' vroeg Ryan.

'Zou ik wát goedvinden?'

'Dat hij aan je zat?'

Haar ogen waren bij nader inzien geen granieten grafzerken maar kasteelmuren, en alleen een idioot zou een poging wagen die te bestormen.

Ze zei: 'Ik zou zijn jongeheer eraf knallen.'

'Daar zie ik je wel toe in staat.'

'Ik zou de mensheid daarmee een dienst bewijzen.'

Ryan vroeg: 'Wat moet Rebecca dan met zo'n vent?'

'Misschien heeft ze ze niet alle vijf op een rijtje.'

'Hè?'

'En zij is niet de enige. Iedereen lijkt tegenwoordig verliefd te zijn op de dood.'

'Ik niet.'

De brunette wierp een beschuldigende blik op de foto van Teresa, die hij op het bureau had laten liggen.

Ryan zei: 'Dat is bewijsmateriaal.'

'Wat moet dat dan bewijzen?'

'Dat weet ik nog niet.'

Eerder had hij het bureau al doorzocht. Hij trok de la open waarin hij schrijfpapier had aangetroffen en haalde er een envelop uit, waar hij de foto in deed.

'Ik ben hier klaar,' zei hij.

Ze liepen samen door het huis om alle lampen uit te schakelen, deden net of ze niet bang waren dat de lijken zich ineens in beweging zouden zetten.

Toen ze bij het beveiligingspaneel in de hal stonden, zei ze: 'Het alarm stond aan toen ik hier kwam. Ik zal het opnieuw moeten instellen.'

Blijkbaar kende ze de code, want vlot drukte ze een paar toetsen in. Ryan vroeg: 'Hoe heb je het alarm eraf kunnen halen?'

'Met een paar handige spulletjes en jarenlange ervaring.'

De spulletjes waren blijkbaar zo klein dat ze in haar handtasje pasten, want iets anders had ze niet bij zich.

Buiten zei ze: 'Blijf bij me,' en nadat ze onder de neerhangende takken van de theeboom door waren gelopen, liepen ze over het trottoir in zuidelijke richting. 'Ik sta een straatje verderop.'

Hij wist dat ze het wel zonder zijn begeleiding kon stellen, zoals ze ook de spierkracht van George Zane niet nodig had.

Omdat er geen lantaarnpalen stonden en de maan weinig licht verspreidde, was er geen schaduw van hen zichtbaar.

Hier, kilometers van de opzichtig verlichte casino's, boden de sterren aan de hemel een eenzame aanblik.

Net als bij alle nederzettingen in de Mojavewoestijn, ongeacht hoe groot ze waren en hoe lang ze al bestonden, was het voortbestaan van Las Vegas onzeker. Duizenden jaren geleden had de oceaan zich hier teruggetrokken, zodat er een grote zandvlakte was ontstaan. De woestijn was net zomin een eeuwig leven beschoren als het water dat er ooit gestroomd had, en het was duidelijk dat de stad het minder lang zou uithouden dan de woestijn.

'Ik weet niet wat er mis is met uw leven,' zei ze, 'maar ik weet wel dat me dat helemaal niets aangaat.'

Daar was Ryan het wel mee eens.

'Als ik zie hoe Wilson Mott zich in deze operatie opstelt, zou ik op staande voet ontslagen worden als ik u wijzer maak dan ik al gedaan heb.'

Ryan had geen idee waar ze naartoe wilde en zei geruststellend: 'Wat ik van jou te horen krijg, zal ik heus niet aan hem doorvertellen.'

Na een ogenblik gezwegen te hebben, zei ze: 'U wordt geplaagd door iets wat u achtervolgt.'

'Een geest of zo? Ik geloof niet in dat soort dingen.'

'Dat verbaast me niets.'

Aan de overkant van de straat zat Zane achter het stuur van de Mercedes. Ze passeerden hem en liepen door.

Ze zei: 'Geen geest. U wordt achtervolgd door uw eigen dood.'

'Wat mag dat te betekenen hebben?'

'Dat betekent dat u zit te wachten tot de bijl valt.'

'Ik ben niet paranoïde,' zei hij, 'anders zou ik denken dat Wilson Mott míj heeft laten natrekken.'

'Ik ben gewoon goed in het inschatten van mensen.'

Met een klapwiekend geluid vloog er iets over hen heen. Toen Ryan omhoogkeek, zag hij brede, lichtgekleurde vleugels. Misschien een uil, dacht hij.

'Als ik u goed inschat, weet u niet wie het is.'

'Wie wat is?'

'Wie u wil vermoorden.'

In het nachtelijk donker klonk het monotone getjirp van krekels als scheermessen die op scheermessen werden gescherpt.

Terwijl ze verder liepen, zei ze: 'Wanneer u wilt uitzoeken wie het is... mag u niet de wortels van het geweld uit het oog verliezen.'

Hij vroeg zich af of ze misschien bij de politie had gezeten voordat ze bij Mott in dienst trad.

'Daar zijn er maar vijf van,' zei ze. 'Wellust, afgunst, boosheid, gierigheid en wraak.'

'Motieven, bedoel je.'

Toen ze bij haar auto kwamen, zei ze: 'Het is beter om ze als tekortkomingen in plaats van motieven te zien.'

Achter hen zagen ze het schijnsel van koplampen en hoorden ze het zachte gezoem van een auto die stationair draaide.

'Belangrijker dan die vijf wortels,' zei ze, 'is de hartwortel.'

Ze deed het portier van haar Honda open, draaide zich om en keek hem met een ernstig gezicht aan.

'De hartwortel,' zei ze, 'is de ultieme, werkelijke motivatie van de moordenaar.'

Hij was de afgelopen vier dagen in vreemde situaties verzeild geraakt, maar dit gesprek sloeg wel alles.

'En wat is de hartwortel van geweld?' vroeg hij.

'De hartgrondige afkeer van de waarheid.'

De stationair draaiende auto bleek de Mercedes te zijn. George Zane bracht de auto schuin voor de Honda tot stilstand, zodat Ryan en de vrouw slechts door de vale maan beschenen werden.

Ze zei: 'Voor het geval u er ooit over wilt praten: ik ben... Cathy Sienna.' Ze spelde haar achternaam.

'Nog niet zo lang geleden zei je dat je me nooit zou vertellen hoe je werkelijk heette.'

'Ik had het mis. En nog wat, meneer Perry...'

Hij wachtte op wat komen zou.

'De afkeer voor de waarheid is een ondeugd,' zei ze. 'Er komt alleen maar eigenwaan en een verlangen naar chaos uit voort.'

De maan maakte zilveren munten van haar grijze ogen.

Ze zei: 'Daarnet waren we bij iemand binnen met een hang naar chaos. Kijk goed uit. Het kan besmettelijk zijn.'

Cathy pakte zijn hand, maar gaf hem geen handdruk. In plaats daarvan omsloot ze zijn hand met haar handen, eerder het liefdevolle gebaar van een vriendin dan een zakelijke afscheidsgroet.

Voordat hij de kans kreeg iets terug te zeggen, stapte ze in, sloeg het portier dicht en startte de motor.

Ryan keek haar na. Toen stapte hij achter in de Mercedes.

'Terug naar het hotel, meneer?' vroeg Zane.

'Ja, graag.'

Ryan hield de envelop met de foto van Teresa Reach in zijn hand, de foto die misschien een verlossende aanwijzing bevatte.

Om hem beter te kunnen bekijken, moest de foto op hoge resolutie worden ingescand en vervolgens met een geavanceerd computerprogramma worden vergroot. Vanavond kon Ryan er verder niets meer mee doen.

Onderweg moest hij steeds aan Cathy Sienna denken. Hij wist niet of haar betrokkenheid echt of gespeeld was.

In het licht van de laatste ontwikkelingen vroeg hij zich af of ze haar adviezen wel zou hebben aangeboden als hij niet zo rijk was geweest.

19

Op de terugweg naar het hotel pleegde Ryan een paar telefoontjes. Tegen de tijd dat ze bij het hotel aankwamen, durfde hij de envelop met een gerust hart aan George Zane toe te vertrouwen.

Hoewel de hoofdvestigingen van Wilson Mott in New York, Los Angeles en Seattle zaten, onderhield hij goede contacten met beveiligingsbedrijven in andere steden, waaronder Las Vegas. Hij had geregeld dat de foto van Teresa door een plaatselijke firma werd ingescand, en hij had ervoor gezorgd dat Ryan een computer met de benodigde software tot zijn beschikking kreeg om de foto te kunnen bestuderen.

Toen Ryan rond 6.30 uur met het zakenvliegtuig uit Vegas vertrok, zou de computerapparatuur al op zijn hotelkamer in Denver zijn afgeleverd.

Omdat hij tegen Samantha had gezegd dat hij voor zaken naar Denver moest, wilde hij daar nu naartoe gaan. Hij wist eigenlijk niet goed waarom hij dat deed. Want daarmee maakte hij nog niet ongedaan dat hij tegen haar gelogen had. En hij was absoluut niet van plan om haar op te biechten dat hij stiekem het huis van haar moeder en dat van Spencer Barghest had doorzocht. Dat hij dat willens en wetens voor haar verborgen wilde houden, voelde hij als een groter verraad dan het leugentje over zijn reisbestemming.

Om ruim voor zijn afspraak met dr. Samar Gupta op dinsdag naar zijn huis in Newport Coast terug te gaan, was geen optie. Sinds hij Lee en Kay Ting in de keuken heimelijk tegen elkaar had horen fluisteren, had hij het gevoel dat hij in zijn eigen huis bespioneerd werd.

Las Vegas had hem niets anders te bieden dan geluksspelletjes. Hij was al betrokken bij een spel waarin het om de hoogst mogelijke inzet ging, namelijk zijn leven, en daar konden craps, blackjack en baccarat niet tegenop.

Daarom werd het Denver, in alle vroegte.

Hij liet zijn eten op zijn kamer komen, net als d

Hij had geen trek, maar hij at toch.

Natuurlijk droomde hij die nacht, maar niet over al dan niet opgezette lijken.

Zijn nachtmerries gingen niet over mensen of angstaanjagende monsters, maar over landschappen en architectuur, en speelden zich onder andere in die bekende onderwaterstad af.

Hij liep door een dal naar een hoger gelegen paleis. Het dal was ooit groen geweest, maar nu stonden er slechts verlepte bloemen en door ziekte aangetaste bomen in het verdorde gras op de oevers van een rivier, waarin een woeste stroom zwart water kolkte, vervuild met as en rotzooi. De ramen van het paleis, die ooit door een warm schijnsel verlicht werden, vertoonden een vreemde rode gloed en wild bewegende schaduwen. Hoe dichter hij bij de openstaande deur kwam, hoe banger hij werd dat er een afzichtelijke horde naar buiten zou stormen om hem aan te vallen.

Na het dal stond hij ineens aan de oever van een woest meer, geheel omzoomd door zwarte rotspartijen en bomen. De grijnzende maan die aan de donkere hemel stond, tekende zich als een grauwende maan op het zwarte water af. Giftige golven klotsten tegen de keien onder zijn voeten, en in het midden van het meer kwam iets omhoog, een of ander monster van onvoorstelbare afmetingen, waardoor het inktzwarte water in beweging kwam en de maan niet langer in het water weerspiegeld werd.

'S Ochtends, toen hij onder de douche stond, toen hij aan het ontbijt zat, toen hij met het zakenvliegtuig naar Denver vloog, kwamen er beelden van de griezelige dromen bij hem boven. Hij had het idee dat het plekken waren waar hij jaren geleden geweest was, niet in zijn dromen, want ze waren veel te echt om slechts uit zijn verbeelding ontsproten te kunnen zijn, te gedetailleerd, te indringend, te overdonderend.

Hij vroeg zich af of hij niet alleen lichamelijk maar ook geestelijk aftakelde. Misschien was het een gevolg van de haperende functie van zijn hart en ging zijn hersenfunctie door de verminderde bloedtoevoer ook achteruit.

20

Het hotel had vijf sterren. De ramen van de presidentiële suite, de enige kamer die nog op korte termijn beschikbaar was, keek uit op een grillige skyline vol wolkenkrabbers van glas en staal.

In het westen stonden grote, beboste bergen, waarboven nog grotere wolken hingen: een Andesgebergte van cumulus congestus, waarboven zich een Himalaya van cumulonimbus had gevormd. Het leek of de aarde zou verpletteren als het wolkenbouwwerk in elkaar stortte.

In de gezellige werkkamer van de suite stond een computer met geïnstalleerde software klaar, waarop Ryan de foto van de overleden Teresa uitgebreid kon bestuderen. Naast het toetsenbord stond een doos met koekjes van de beste bakkerij van Denver. Wilson Mott zorgde altijd voor alles.

Bij de fotoanalytische software zat een uitvoerige handleiding. Ryan was weliswaar rijk geworden in de ICT en was een goede computerprogrammeur, maar toch kon hij pas een beetje met het programma overweg nadat hij er het grootste gedeelte van de ochtend mee geëxperimenteerd had.

Tegen de middag had hij behoefte aan een pauze. Omdat hij zo veel koekjes had gegeten, had hij geen zin om te lunchen. Hij wilde graag een eindje gaan rijden en vond het jammer dat hij zijn Ford Woodie Wagon of een van zijn andere customized oldtimers niet tot zijn beschikking had.

Misschien zou hij er verstandig aan doen iemand anders te laten rijden, gezien zijn hartklachten, maar hij wilde liever niemand om zich heen hebben. Onderweg van Las Vegas naar Denver had zijn piloot contact opgenomen met het hotel, waardoor er nu een gehuurde terreinwagen voor hem klaarstond.

De zwarte Cadillac Escalade was van alle gemakken voorzien. Ryan reed door de stad en hoefde zich geen zorgen te maken dat hij hopeloos verdwaalde, want als hij weer naar het hotel terug wilde, zou het navigatiesysteem hem de weg wijzen.

Hij was twee keer eerder in Denver geweest, maar was nooit verder geweest dan het congrescentrum en de straatjes daar in de buurt. Nu had hij zin de stad nader te gaan verkennen.

Omdat het zondag was, was het niet druk op de weg. Binnen een halfuur kwam hij bij een parkje dat ongeveer een hectare groot was. Aan de rand lag een oude stenen kerk.

Wat hem ertoe bracht om de Escalade te parkeren en het park te voet te verkennen, waren de espen, althans dat dacht hij. In hun goudkleurige herfsttooi waren ze een lust voor het oog, en ze staken prachtig tegen de lucht af.

In het park was geen enkel speeltuintje of oorlogsmonument. Er waren alleen maar klinkerpaadjes, bezaaid met afgevallen bladeren. Hier en daar stond een bankje, waarop men de natuur in al haar pracht op zich in kon laten werken.

Op deze milde herfstmiddag leek het nog weken te duren voor de eerste sneeuw zich zou aandienen.

Hoog in de lucht dreven wolken als galjoenen naar het oosten. Op de aarde zelf was alles tot rust gekomen. Toch trilden de espenblaadjes, zoals altijd.

Hij liep door het parkje en bleef zo nu en dan staan om te luisteren naar het gefluister van de bomen, een geluid waar hij altijd zeer van genoot. De espen waren zo gevoelig voor de wind, wist hij, omdat hun blaadjes met dunne steeltjes in een rechte hoek aan de takken vastzaten.

Toen Ryan op een bankje ging zitten om even uit te rusten, besefte hij dat hij zich niet kon herinneren dat hij ooit eerder in zijn leven het geritsel van espenbladeren had gehoord, en ook snapte hij niet dat hij wist dat hun typerende geluid veroorzaakt werd door de vorm van hun bladstelen.

Meteen toen hij het park had gezien, was er een positief gevoel bij hem ontstaan. Toen hij tussen de bomen doorliep, had hij een liefde voor ze gevoeld die hem heel bekend voorkwam.

Nu hij op het bankje onder een dak van glanzende gele blaadjes zat, rijpte die liefde tot een intenser gevoel, een teder verlangen met een weemoedige ondertoon. Hij kreeg het vreemde gevoel dat hij hier al vele malen onder de bomen had gezeten, in diverse seizoenen en weersomstandigheden.

Woudzangers, die binnenkort naar het zuiden zouden trekken, zongen in de fluisterende bomen hun lieflijke hoge lied: *swie-swie-swie-ti-ti-ti-swie.*

Ryan had geen idee hoe hij wist dat dit woudzangers waren, maar ineens sloeg zijn merkwaardige weemoed om in een intense déjà-vu-ervaring. Dit was niet de eerste keer dat hij hier in het park was.

Hij schrok zo heftig van het inzicht hier al talloze malen eerder te zijn geweest dat hij van de bank opstond, doordrongen van het besef dat er bovennatuurlijke krachten in het spel waren. Hij voelde zijn kruin prikken, en de haartjes in zijn nek gingen recht overeind staan. Een rilling volgde de contouren van zijn ruggengraat zo precies dat het was of een ijverige professor in de fysiologie met een laserpen in de weer was.

Hoewel de kerk hem eerst nauwelijks interesseerde, draaide hij zich er nu naar om, in de stellige overtuiging dat hij daar ooit binnen was geweest, al kon hij zich de gelegenheid niet meer voor de geest halen. Hij was tijdens zijn wandeling niet in de buurt van de kerk gekomen, zodat hij niet op de bordjes had kunnen kijken, maar op de een of andere manier wist hij dat het een katholieke kerk was.

Ondanks het feit dat het een milde dag was, kreeg Ryan het koud. Hij stopte zijn handen in de zakken van zijn jas en liep naar de kerk.

Omdat de betonnen treden voor de ochtendmis nog geveegd waren, lagen er maar een paar espenblaadjes op. De laatste mis van de dag was inmiddels afgelopen, en de kerk van St.-Gemma lag er stil bij.

Ryan aarzelde voordat hij de treden betrad. Hij verkeerde in de stellige overtuiging dat het kruisbeeld boven het altaar van hout was, dat de doornenkroon op het hoofd van Jezus verguld was, net als de spijkers die in Zijn handen en voeten waren geslagen. Achter het kruis bevond zich een verguld ovaal, met daaromheen de vergulde, uit hout gesneden, stralen van het heilige licht.

Hij liep de trappen op.

Bij de kerkdeur kreeg hij de aandrang terug te gaan.

Het portaal was onverlicht. In de kerk zelf was het iets minder donker. Daglicht viel door de kleurige glas-inloodramen, en op het altaar stonden een paar kaarsen te branden.

Het indrukwekkende kruisbeeld was tot in detail zoals hij in gedachten voor zich had gezien.

Hij was de enige die in de kerk aanwezig was en hij bleef in het middenpad staan, als aan de grond genageld, trillend als de espenbladeren in het park.

Ryan bleef ervan overtuigd dat hij hier nooit eerder binnen was geweest. Hij was niet katholiek, en toch was het of hij thuiskwam, dat gevoel dat je alleen op plekken hebt die je goed kent en waar je je op je gemak voelt.

Desondanks werd hij niet blij of rustig maar wilde hij zo snel mogelijk de kerk ontvluchten.

Buiten, op de trappen, bleef hij een minuutje staan om op adem te komen.

Toen hij met wankele tred naar een bankje in het park liep en ging zitten, toetste hij op zijn mobieltje het privénummer van Wilson Mott in.

Nadat hij de man aan de lijn had gehad, wilde hij aanvankelijk nog een tijdje blijven zitten, omdat hij nog niet tot rust was gekomen en zich niet in staat achtte achter het stuur te gaan zitten. Maar door de schittering van de espen, de zwarte ijzeren lantaarnpalen met ruitjes van gecraqueleerd glas, de smeedijzeren bank die glanzend zwart gelakt was, en het in keperverband bestrate klinkerpad werd hij doordrongen van een onbekend verlangen naar het verleden, een verleden dat hij nooit had meegemaakt.

Hij raakte hierdoor zozeer van slag dat hij het park verliet, niet op een holletje, maar ook niet op zijn dooie gemak.

Nadat Ryan de naam van zijn hotel in het navigatiesysteem van zijn Escalade had ingevoerd, reed hij door de stad terug, geleid door het zoetgevooisde geluid van een geduldige jonge vrouw. Hij miste maar een paar keer een afslag.

21

In de werkkamer van de presidentiële suite, waar je van grote hoogte op Denver neerkeek, bestudeerde Ryan Perry bezeten de gedigitaliseerde foto van de dode Teresa.

De fotoanalytische software bood verschillende mogelijkheden om de ogen van het lijk te vergroten en het beeld dat in die glimmende vlakken weerspiegeld werd, scherper te maken. Ook konden bepaalde technieken worden gecombineerd. Toen Ryan het beeld zo sterk vergroot had dat de foto onscherp werd, konden de pixels worden gekloond om de scherpte te herstellen.

Toen een medewerker van Wilson Mott zich die zondagavond om 19.05 uur meldde, had Ryan echter nog niets van de patronen van licht en donker kunnen maken.

Voordat hij het park verliet en met Mott belde om een betrouwbare, discrete verpleegkundige in te schakelen die bloed kon afnemen, had hij te horen gekregen dat George Zane de geschiktste persoon was om die medische handeling uit te voeren, maar Zane was nog niet van Las Vegas op het hoofdkantoor in Los Angeles teruggekeerd. Voordat Zane bij Mott in dienst trad, had hij als hospik in het Amerikaanse leger gezeten en had hij op de slagvelden in Irak de gewonden verzorgd.

Nu lag Ryan languit op een bed in het slaapgedeelte van de suite, met een handdoek onder zijn arm. Zane nam hem bloed af, acht buisjes van vijf milliliter.

'Ik wil getest worden op alle giftige stoffen die er maar bekend zijn,' zei Ryan.

'Dat is goed, meneer.'

'Niet alleen de stoffen die een vergroot hart tot gevolg kunnen hebben.'

'We hebben een lab in Denver gevonden, waar twee bloedspecialisten er de hele nacht mee bezig zullen zijn. U wilt niet weten hoeveel dat allemaal kost.'

'Dat maakt me ook helemaal niets uit,' verzekerde Ryan hem.

Een van de prettigste bijkomstigheden van een rijk leven was dat je alles gedaan kon krijgen wat en wanneer je maar wilde, vooropgesteld dat je de juiste tussenpersonen kende, zoals Wilson Mott. Ook al was je verzoek nog zo excentriek, niemand keek er gek van op, en iedereen behandelde je met alle respect. Natuurlijk wist je niet wat er achter je rug om werd gesmoesd.

'Ik wil ook op drugs getest worden, ook – of nee, vooral

– op hallucinerende middelen, en op stoffen die als bijwerking hallucinaties kunnen opwekken.'

'Komt voor elkaar, meneer,' zei Zane, toen hij het vierde buisje had gevuld. 'Ik ben al uitvoerig door meneer Mott ingelicht.'

Met de twee littekens op zijn kale kop, zijn doordringende donkere ogen, zijn grote neusgaten die zich verwijdden alsof de geur van bloed hem opwond, zag George Zane er eigenlijk best griezelig uit. Maar Ryan merkte dat hij zich in de aanwezigheid van de man op zijn gemak voelde.

'Je bent heel behendig met de naald, George.'

'Dank u wel, meneer.'

'Het deed helemaal geen pijn. En je gaat op een prettige manier met mensen om.'

'Dat komt omdat ik in het leger gezeten heb.'

'Ik wist niet dat ze je in het leger leerden om prettig met anderen om te gaan.'

'Dat leer je op het slagveld. Door alle leed dat je om je heen ziet. Dan is het belangrijk om de gewonden zachtmoedig tegemoet te treden.'

'Ik ben nooit in het leger geweest.'

'Nou, of we nu in het leger zitten of niet, we hebben elke dag een oorlog uit te vechten. Nog twee buisjes, meneer.'

Toen Zane een vol buisje van de canule haalde en een leeg buisje plaatste, zei Ryan: 'Je zult wel denken: wat een paranoïde figuur is dat.'

'Welnee, meneer. Het kwaad bestaat nu eenmaal. Wie zich daarop instelt, zou ik eerder realistisch dan paranoïde noemen.'

'Het idee dat ik door iemand vergiftigd zou worden...'

'U zou niet de eerste zijn. De vijand hanteert niet altijd een pistool of een bom. Soms staat hij heel dicht bij ons. Soms lijkt hij op een van ons, waardoor hij zo goed als onzichtbaar is, en juist dan vormt hij het grootste gevaar.'

Ryan had Wilson Mott ook opgedragen voor een slaapmiddel te zorgen en dat aan Zane mee te geven. Hij wilde een krachtig medicijn, niet alleen tegen slapeloosheid, want hij lag elke nacht klaarwakker met rusteloze benen in bed, terwijl de gedachten maar door zijn hoofd bleven tollen, zodat hij overdag zo manisch werd dat hij op de rug van een haai mee wilde liften, maar ook om in een diepe slaap weg te kunnen zinken en niet door nare dromen geplaagd te worden.

Nadat Zane met de buisjes bloed was vertrokken, belde Ryan de roomservice en liet een maaltijd komen die zo zwaar was dat hij erna net zo gemakkelijk onder zeil zou raken als na een cocktail van barbituraten.

Toen hij gegeten had, bestudeerde hij de gebruiksaanwijzing op het potje met pillen, nam twee capsules in plaats van de aanbevolen ene capsule, en spoelde ze met een glas melk weg.

In bed pakte hij de afstandsbediening om te surfen op de zee van vermaak die op de satelliettelevisie van het hotel aangeboden werd. Op een zender waar alleen oude films vertoond werden, kwam hij terecht in een verhaal over een vrouwengevangenis, zo langdradig dat hij misschien geen slaapmiddel had hoeven te nemen om in slaap te vallen.

Hij sliep.

Een stille duisternis. Hij werd zich vaag bewust van verdraaide lakens, en daarna weer dezelfde stille duisternis, met slechts het ritmische geluid van een pompend hart en het geruis van bloed dat door de aderen stroomde. Het was zo donker als een meer op een maanloze nacht, als de vleugels van een raaf, alleen duisternis en verder niets...

En toen verscheen er in de duisternis een flakkerende droom in een rechthoekige lijst.

Een man en een vrouw namen het woord. De stem van de man kwam hem bekend voor, en hij hoorde muziek en kreeg een gevoel dat de tijd drong. Er werd geschoten.

De droom flakkerde omdat Ryan met zijn ogen knipperde, en het was geen omlijste droom, omdat het helemaal geen droom was, en ook geen film over een vrouwengevangenis, maar een andere film die op televisie werd vertoond.

Het wekkertje naast zijn bed gaf de tijd in lichtgevende cijfers aan: 2.36 uur. Hij had vier of vijf uur geslapen.

Hij wilde meer slaap, had dat absoluut nodig, zocht op de tast naar de afstandsbediening, schakelde de rechthoek vol kleurrijke beelden uit, legde het kanongebulder het zwijgen op, en ook de muziek, en de vrouw, en William Holden.

Toen de afstandsbediening uit zijn verslapte hand viel en hij de troostrijke vergetelheid binnengleed, besefte hij dat de film die hij net had uitgedaan, dezelfde was als de film die werd vertoond toen hij donderdagmorgen bij kennis kwam, na die afschuwelijke aanval van woensdagnacht, de reden waarom hij toen naar Forry Stafford was gegaan.

Toen hij die donderdagochtend op de vloer van zijn slaapkamer bij bewustzijn kwam, opgerold in een foetushouding, met opgedroogde korsten op zijn oogleden en een zurige smaak in zijn droge mond, was hij ervan overtuigd geraakt dat de onbekende film met William Holden die toen op tv was, een bijzondere betekenis voor hem had, dat er een boodschap in lag verborgen die ontcijferd moest worden, een waarschuwing over wat hem te wachten stond.

Dat gevoel was verdwenen toen hij volledig bij kennis was gekomen en zich de aanvallen en de ondraaglijke pijn voor de geest haalde die hem 's nachts hadden gekweld.

Nu, bijna vier dagen later, kreeg Ryan weer het gevoel dat hem een openbaring werd aangereikt. Hij vocht tegen de aandrang om weer in slaap te vallen. Hij wilde opstaan, de tv aandoen om de naam van de film te achterhalen en die opnieuw te bekijken, zodat hij er elk voorteken uit kon halen dat erin verborgen lag.

Hij had uitgebreid gegeten, had een sterke slaappil genomen, was uitgeput, en ook omdat hij door een zekere mate van lafheid geplaagd werd, liet hij de overgebleven zandkorreltjes van zijn bewustzijn door de vingers glijden.

Hij sliep meer dan tien uur aan één stuk door en werd maandagmorgen wakker met een bonkende hoofdpijn, alsof hij drie dagen lang aan de zwier was geweest.

Toen hij onder de douche stond, leken de waterdruppels keiharde hagelstenen die op zijn hoofd kletterden. Zelfs gedimd licht deed pijn aan zijn ogen, en van elke geur werd hij misselijk.

Hij probeerde zijn kater met grote kannen koffie weg te werken. De eerste kan dronk hij zwart, de tweede met melk maar zonder suiker.

Later liet hij droge toastjes op zijn kamer brengen. En nog later bestelde hij een muffin. 's Middags kreeg hij zin in vanille-ijs.

Hij bestelde steeds één ding tegelijk, als een ziek kind dat zich door zijn moeder in de watten laat leggen.

Zonder oponthoud zat hij achter de computer, in een poging de weerspiegeling op de levenloze ogen van Teresa te vergroten en te ontdekken wat die beelden voor betekenis konden hebben. Uren nadat hij er zo langzamerhand van overtuigd was geraakt dat er geen enkele betekenis in te ontdekken viel, zat hij nog met die twee beelden te worstelen.

Als hij niets omhanden had gehad, zou hij de parkeerbediende waarschijnlijk hebben gevraagd zijn Escalade voor te rijden, en dan zou hij misschien weer naar het park met de espen zijn gegaan, als hij dat tenminste nog wist te vinden. Dan zou hij de verleiding niet hebben kunnen weerstaan bij de St.-Gemma langs te gaan. Hij was bang dat een tweede bezoek aan de kerk helemaal geen duidelijkheid in dit mysterie zou scheppen, dat hij er niets mee op zou schieten en dat hij alleen maar meer gedesoriënteerd zou raken.

Aanvankelijk had de stroom aan vreemde gebeurtenissen van de afgelopen dagen hem bevreemd, en dat had zijn nieuwsgierigheid geprikkeld. Maar daarna was een aanhoudend gevoel van verwarring ontstaan, wat hem geestelijk en emotioneel had ondermijnd.

Op maandagmiddag kwam hij uiteindelijk tot de conclusie dat er in de gefotografeerde ogen van Teresa geen enkele aanwijzing te vinden was omtrent de identiteit van de mensen die een complot tegen hem hadden gesmeed, en ook was hij niets verder wat hun motieven betrof.

Toch had hij nog steeds het idee dat deze laatste foto van haar een belangrijke aanwijzing bevatte. Ongetwijfeld was het Spencer Barghest die de foto had genomen, die man die Rebecca Reach terzijde had gestaan om het leven van Teresa te beëindigen.

Samantha beweerde dat ze van haar moeder vervreemd was.

Ze leeft niet meer. Voor mij niet, althans. Rebecca heeft zichzelf begraven in een appartement in Las Vegas. Ze kan praten en lopen en ademen, maar voor mij leeft ze niet meer.

Toch was ze nauwelijks achtenveertig uur na die bozige uitspraak het huis uit geslopen en had ze met Barghest gepraat, onder de peperboom in de maneschijn.

Spencer Barghest had hier op de een of andere manier iets mee te maken, en omdat hij op z'n minst gestoord was te noemen, en misschien zelfs wel door en door slecht, was het niet waarschijnlijk dat hij zich om Ryans welbevinden bekommerde. Barghest had het leven van Teresa beëindigd, en misschien zat hij in een complot om ook aan Ryans leven een einde te maken, wat betekende dat Ryans intuïtieve reactie op de foto – zijn gevoel dat daarmee dit mysterie opgelost kon worden – niet zonder meer weggewuifd diende te worden.

Als het antwoord dan niet in haar ogen verscholen lag, was het misschien elders op de foto te zien.

Hij richtte zijn aandacht op haar mond, die niet gesloten was. Het was net of haar volle lippen door haar laatste ademtocht waren geweken.

Haar duistere mondholte vertoonde niet overal dezelfde zwarte tint, zag hij meteen. Het viel hem nu pas op dat Teresa iets in haar mond leek te hebben, een voorwerp, vlak achter haar tanden, een subtiele schemerige vorm die zo geometrisch was dat het waarschijnlijk niet haar tong was.

Hij zoomde in op haar lippen, tot die het hele scherm vulden, en kloonde pixels om het beeld scherp te krijgen.

De mooi gevormde mond leek hem iets toe te schreeuwen, maar de stilte werd niet doorbroken, en hij kwam er niet achter wat ze als laatste gezegd had voordat Barghest haar van haar leven beroofde.

Ryan begon aan deze nieuwe klus met dezelfde verbetenheid waarmee hij de weerspiegeling in haar ogen had bestudeerd.

Maandagavond om 20.40 uur, toen Ryan aan een broodje stilton met augurk zat en ondertussen achter de computer doorwerkte, belde George Zane om de uitslag van het bloedonderzoek door te geven.

De twee bloedspecialisten en hun laboratoriumassistenten hadden de veertig milliliter bloed die Zane bij Ryan had afgenomen uitvoerig onderzocht. Er waren geen sporen van vergif, drugs of andere verdachte stoffen aangetroffen.

'Misschien hebben ze iets over het hoofd gezien,' zei Ryan. 'Iedereen laat wel eens een steekje vallen.'

'Zal ik opnieuw bloed bij u afnemen,' vroeg Zane, 'en het door iemand anders laten onderzoeken?'

'Nee, laat maar. Blijkbaar is het iets wat er niet bij de standaard labtests uit komt. Ook al zou je al mijn bloed tot de laatste druppel afnemen en duizend hematologen inschakelen, dan nog zou ik er geen steek mee opschieten.'

Ryan spoelde de slaappillen door de wc en liet een kan koffie op zijn kamer brengen.

Hij kreeg het gevoel dat de tijd op z'n eind liep, en niet alleen omdat het nog maar achttien uur duurde voordat dr. Samar Gupta met de uitslag van de biopsie zou komen.

Toen de avond zich voortsleepte en het eindelijk middernacht was geworden, was hij bekend geraakt met de contouren van Teresa's lippen en mondholte. Het beeld vormde zijn universum, zo verlokkelijk en overweldigend dat het niet eens bij hem opkwam om naar bed te gaan. Uiteindelijk viel hij na drieën achter de computer in slaap. Zijn speurtocht naar de waarheid had nog steeds niets opgeleverd.

Ryan zat in het comfortabele zakenvliegtuig dat hem van Denver naar John Wayne Airport in Orange County, Californië, zou brengen en pakte de foto van Teresa er zo nu en dan bij. Hij vroeg zich af of de aanwijzing die hij zocht, misschien in het haar van Teresa verborgen lag, of in de fijne contouren van de enige oorschelp die op de foto te zien was, of wellicht in de plooien van het kussen, naast haar gezicht...

Het vliegtuig landde en taxiede naar de terminal. Over nog geen uur moest Ryan bij de cardioloog zijn.

Hij wilde niet door Lee Ting worden opgehaald, omdat hij zich dan verplicht voelde zijn geheim prijs te geven, en daarom had hij een limousine besteld, waarmee hij zich naar het ziekenhuis wilde laten vervoeren. Er stond een superlange Cadillac voor hem klaar, bestuurd door een beleefde chauffeur die kennelijk vond dat het voeren van een gesprek niet tot zijn taakomschrijving behoorde.

Onderweg in de limo hield Ryan zijn blik op de foto van Teresa gericht.

Hij was in een geestestoestand geraakt die niet kenmerkend voor hem was. De verwarring die zich in Denver van hem meester had gemaakt, was alleen maar heftiger geworden. Hij snapte er nu helemaal niets meer van en was geheel overdonderd door wat hij had ontdekt en meegemaakt. Het feit dat hij er geen touw aan kon vastknopen, maakte de zaak er alleen maar erger op.

Voor het eerst in zijn leven verkeerde hij in opperste verwarring, en dat had tot gevolg kunnen hebben dat alle levenslust uit hem stroomde, maar hij merkte dat er een stille berusting in hem neerdaalde, wat in feite erger was, omdat hij niet gewend was aan welke vorm van overgave dan ook.

Doordat zijn ouders allebei buitengewoon egocentrisch waren en nooit enige belangstelling voor zijn doen en laten hadden getoond, had hij zich gedwongen gevoeld veel te presteren, niet alleen toen hij volwassen was, maar ook al als kind. Hij had zich voorgenomen nooit te worden zoals zij.

In de zakenwereld had hij elke tegenslag gezien als een kans, had hij elke overwinning opgevat als een uitdaging om nog beter te presteren. Hij had zich nooit gewonnen gegeven, had nooit enig verlies erkend, en had nooit iets van zijn macht willen prijsgeven, behalve als hij daardoor op een ander terrein voordeel kon behalen.

Het liefst zou hij geloven dat er van zijn toenemende berusting een zekere kracht uitging, waarmee de wanhoop bestreden kon worden. Maar kracht was uithoudingsvermogen dat door moed werd aangedreven, en met elke meter die de limousine aflegde, voelde hij zich meer afgesneden van zijn krachtbronnen en minder in staat om moed bijeen te schrapen.

Hij vroeg zich af of hij zich de afgelopen vijf dagen zo intensief had beziggehouden met het natrekken van Rebecca Reach en Barghest om maar niet aan de uitslag te hoeven denken die hij vanmiddag van de cardioloog te horen kreeg. Misschien was hij bang dat de cardioloog hem zou vertellen dat hij een dodelijke hartkwaal had, een bericht waar hij geen verweer tegen had, en had hij daarom een vijand gezocht met wie hij wel een strijd kon aangaan.

Toen ze bij het gebouw kwamen waarin dr. Gupta zijn praktijk had, stopte de limo op een plek waar parkeren niet was toegestaan.

Ryan stopte de foto van Teresa terug in de envelop.

De chauffeur stapte uit en hield het achterportier voor Ryan open.

In een impuls nam Ryan de foto van de overleden vrouw mee, niet om die aan de cardioloog te laten zien, maar alleen om iets bij zich te hebben, een soort talisman. Misschien putte hij er de kracht uit die nodig was om niet in pure wanhoop weg te zakken.

22

'Cardiomyopathie,' zei dr. Gupta.

Hij ontving Ryan niet in een onderzoekkamer maar in zijn eigen werkvertrek, alsof hij het wenselijk vond om de uitslag van het onderzoek in een minder klinische en meer geruststellende omgeving te bespreken.

Op een plank achter het bureau stonden zilveren lijstjes met foto's van zijn gezin. Hij had een zeer charmante vrouw. Ze hadden twee dochters en een zoon, die er alle drie zeer goed uitzagen, en een golden retriever.

Ook stond er een schaalmodel van een zeilboot, en twee foto's van de hele familie – inclusief de hond – die aan boord van het zeiljacht genomen waren.

Terwijl Ryan naar de cardioloog luisterde, merkte hij dat hij jaloers was op de man, omdat die een gezin had en een rijk gevuld leven leidde, wat heel wat anders – en beter – was dan rijkdom.

'Een aandoening van de hartspier,' zei Gupta. 'Als gevolg

daarvan knijpt het hart minder krachtig samen, waardoor het bloed minder goed wordt rondgepompt.'

Ryan wilde de oorzaak ervan weten, en of het een gevolg kon zijn van vergiftiging, maar hij wachtte tot de specialist was uitgesproken.

Ook nu drukte dr. Gupta zich uiterst zorgvuldig uit, maar de zangerige toon waarop hij meestal sprak, ontbrak doordat hij met zijn patiënt te doen had, en er klonk een ernstige toon in zijn stem door. 'Cardiomyopathie is onder te verdelen in drie categorieën: restrictieve, dilaterende en hypertrofische cardiomyopathie.'

'Hypertrofische cardiomyopathie. Dat is wat ik heb.'

'Inderdaad. Een afwijking van de spiervezels van het hart. De hartcellen zelf functioneren niet naar behoren.'

'En de oorzaak?'

'Meestal heeft het een erfelijke oorzaak.'

'Mijn ouders hebben het niet.'

'Misschien een van uw grootouders. Soms blijven de symptomen verborgen, valt iemand plotseling dood neer en wordt er als doodsoorzaak een hartaanval opgegeven.'

Ryans opa van vaders kant was op zesenveertigjarige leeftijd aan een plotselinge hartstilstand overleden.

'Is het te behandelen?'

De cardioloog werd door die vraag zichtbaar in verlegenheid gebracht. 'Er is niets aan te doen,' zei hij met schroom, alsof het hem persoonlijk was aan te rekenen dat de wetenschap er nog niets op gevonden had.

Ryan richtte zijn blik op de golden retriever die op de gezinsfoto stond. Hij had al heel lang een hond willen hebben, maar hij was altijd te druk met zijn werk bezig geweest om er een aan te schaffen. Hij had altijd gedacht dat dat altijd nog kon, in de jaren die voor hem lagen.

'We kunnen alleen de symptomen bestrijden. U krijgt diuretica om een hartstilstand tegen te gaan,' zei Gupta, 'en anti-aritmica om de hartslag constant te houden.'

'Ik doe aan surfen en ik leid een tamelijk actief leven. Zijn er dingen die ik nu niet meer mag doen? Wat voor invloed zal dit op mijn leven hebben?'

Toen de cardioloog aarzelde voordat hij antwoord gaf, keek Ryan niet langer naar de golden retriever.

'De cruciale vraag,' zei Gupta, 'is niet wat u wel of niet meer mag doen, maar hoe lang u nog te leven hebt.'

De zachtmoedige ogen van de specialist waren als de bol van een waarzegger: Ryan kon zijn toekomst erin zien.

'Uw lichamelijke conditie is niet statisch, meneer Perry. Misschien kunnen we ervoor zorgen dat de symptomen afnemen, maar aan de ziekte op zich kunnen we niets doen. Uw hartfunctie zal langzamerhand afnemen.'

'Hoe lang heb ik nog?'

Gupta wendde zijn blik af en keek naar een foto van zijn gezin die op zijn bureau stond. 'Ik denk... niet meer dan een jaar.'

In de nacht van woensdag op donderdag, toen Ryan kronkelend van de pijn op de vloer van zijn slaapkamer lag, had hij gedacht dat hij ter plekke zou overlijden. Daarna had hij zich er steeds op ingesteld dat hij elk moment geveld kon worden.

Wat dat betreft was een jaar nog heel wat, maar toch sneed de prognose als een geestelijke guillotine door hem heen, en hij was zo ontdaan dat hij geen woord kon uitbrengen.

'Ik kan u vertellen wat de laatste ontwikkelingen in het stamcelonderzoek bij volwassenen zijn,' zei Gupta, 'maar het komende jaar valt daar geen doorbraak in te verwachten, en misschien komt er nooit een doorbraak, maar u lijkt me niet iemand die zich vastklampt aan dergelijke mooie praatjes. De enige optie die nog overblijft, is een transplantatie.'

Ryan keek op van de envelop met de foto erin, die hij krampachtig met beide handen vasthield, alsof het een boei was waarmee hij zich drijvende hield. 'Een harttransplantatie?'

'We zullen u onmiddellijk bij het UNOS aanmelden.'

'Het UNOS?'

'Het United Network for Organ Sharing, de overkoepelende organisatie voor orgaandonatie.'

'Dus dat betekent dat ik nog een kans maak?'

'Vaak worden er bij harttransplantaties goede resultaten geboekt. Zo leeft een van mijn patiënten al vijftien jaar met een nieuw hart, en ze heeft nog steeds nergens last van.'

De overweging dat Ryan met een harttransplantatie aan de dood zou kunnen ontsnappen, verminderde zijn angst niet maar werkte extra sterk op zijn emoties.

In het bijzijn van Gupta wilde hij niet in huilen uitbarsten, en om iets te zeggen om het ongemakkelijke moment te verlichten, bracht hij het thema ter sprake dat hem de afgelopen dagen had beziggehouden: 'Zou het kunnen dat ik vergiftigd ben?'

Gupta keek hem fronsend aan. 'Uitgesloten.'

'Dr. Stafford noemde vergiftiging als een van de mogelijke oorzaken van een vergroot hart. Hoewel ik moet zeggen dat ook hij die mogelijkheid... van de hand wees.'

'Gezien de resultaten van de biopsie durf ik tamelijk zeker te stellen dat we in uw geval met een familiaire afwijking te maken hebben,' zei de cardioloog.

'Familiair?'

'Erfelijk. De weefselcellen vertonen klassieke erfelijke kenmerken.'

'U bent er tamelijk zeker van,' zei Ryan, 'maar niet voor honderd procent?'

'Misschien kunnen we in het leven niets met honderd procent zekerheid zeggen, meneer Perry.'

Ryan had zijn tranen met succes onderdrukt en zei met een flauw lachje: 'Behalve als het om de dood en de belastingen gaat.'

Gupta was blij dat Ryan glimlachte en deed dat zelf ook. 'Met dit verschil dat je wat de belastingen betreft altijd nog bezwaar kunt aantekenen.'

23

Nadat Ryan de uitslag van het onderzoek te horen had gekregen, belandde hij in de daaropvolgende dagen in een ontkenningsfase. Urenlang zat hij op internet medische sites te bekijken, op zoek naar de meest recente ontwikkelingen in de behandeling van cardiomyopathie.

Toen geen van de artikelen nieuwe perspectieven bood, richtte hij zich op sites van alternatieve genezers. Gedreven zocht hij naar verhalen van patiënten die genezen waren met behulp van de bast van een exotische Braziliaanse boom, of met thee die getrokken was van een plant die alleen in de jungle van Thailand voorkwam.

Talloze malen nam hij de omvangrijke hoeveelheid folders over harttransplantaties door die hij van dr. Gupta gekregen had. En steeds weer werd zijn bewondering voor de kundigheid van de chirurgen van tegenwoordig getemperd door een gevoel van frustratie, omdat er veel meer patiënten waren die een nieuw hart nodig hadden dan er orgaandonors waren, en ook door de bureaucratie van de zorginstellingen die die ongelijkheid probeerden weg te werken.

Terwijl Ryan worstelde met zijn radicaal omgeslagen toekomstverwachting – of het gebrek daaraan – ontliep hij Samantha en liet hij haar in de waan dat hij nog voor zaken in Denver zat.

Hij wilde haar pas onder ogen komen wanneer hij de uitslag van het onderzoek verwerkt had en een plaats had gegeven. Hij wilde zichzelf geheel onder controle hebben wanneer hij haar het nieuws vertelde, want dat moment was misschien wel het belangrijkste van zijn leven, ongeacht haar reactie en de verdere gevolgen. Hij wilde zich niet door zijn emoties laten meeslepen, maar wilde alles wat ze zou zeggen goed tot zich door laten dringen en ook openstaan voor de subtiele signalen die ze met haar lichaamstaal uitzond.

De foto van Teresa bleef een onverminderde obsessie voor hem.

Op zijn vlucht van Colorado naar Los Angeles had hij de computer met de fotoanalytische software bij zich die Wilson Mott in het hotel in Denver voor hem had klaargezet. De apparatuur stond nu in de alkoof die aan zijn slaapkamer grensde.

Toen hij tot de conclusie was gekomen dat het niet te zien was of Teresa op de foto een vreemd voorwerp in haar mond had, verdeelde hij het beeld in tachtig vierkantjes van tweeënhalve centimeter, vergrootte ze een voor een en bestudeerde ze uitvoerig. Misschien lag er een aanwijzing verborgen in de glans van haar goudblonde haren, of in de plooien van haar kussen. Of misschien vormde een onbeduidend vlekje op haar gezicht de link tussen de dood van Teresa en zijn eigen crisissituatie.

Maar nadat hij twee dagen had gedaan over het bestuderen van twintig vierkantjes, kreeg hij het gevoel dat hij met een zinloze onderneming bezig was, dat hij zich alleen maar op de foto had geworpen omdat Teresa de tweelingzus van Samantha was en het dus extra choquerend was haar in deze staat te zien, omdat het leek of hij in de toekomst keek en een glimp van Samantha's dood had opgevangen.

Uiteindelijk zette hij de computer uit en besloot zich niet langer met de computeranalyse bezig te houden.

Hoewel hij niet meer zo obsessief door de gedigitaliseerde foto in beslag werd genomen en hij er voorlopig schoon genoeg van had, raakte hij onmiddellijk weer in de ban van de papieren versie toen hij hem uit de envelop haalde. Hij was weer diep geschokt, net zo heftig als toen bij Spencer Barghest thuis, en bleef er stellig van overtuigd dat deze foto hem iets te zeggen had, iets waarmee niet alleen de vreemde gebeurtenissen van de afgelopen dagen verklaard konden worden, maar waardoor hij letterlijk gered zou worden.

In de loop der tijd had hij gemerkt dat elke impuls in zakendoen de moeite waard was om uit te proberen. Maar misschien waren de gedachten die hij er de laatste tijd op na hield en die naar het paranoïde neigden, misschien het gevolg van de afgenomen werking van zijn hart, van het verlaagde zuurstofgehalte in zijn bloed. In dat geval kon hij niet langer op zijn intuïtie vertrouwen en mocht hij er niet van uitgaan dat hij altijd een heldere kijk op de wereld bleef houden.

Het kwam geen moment in hem op om bij de pakken neer te gaan zitten omdat er op zijn vierendertigste een doodvonnis over hem was uitgesproken. Net als bij alle tegenslagen in het leven kon je kiezen: of je kon jezelf een beetje zielig gaan beklagen, of je kon in actie komen. Alleen die laatste optie bood enige hoop.

In tegenstelling tot de zakenwereld, waarin je mogelijkheden in geval van tegenslagen bepaald werden door je eigen slimheid en je bereidheid om er hard tegenaan te gaan, waren de opties bij een haperende gezondheid beperkter. Ryan weigerde echter in de slachtofferrol te kruipen. Als het mogelijk was onder de onheilspellende prognose uit te komen, zou hij daar het koste wat het kost achter komen.

Langzaamaan begon hij aan het idee van een harttransplantatie te wennen, en hij verdiepte zich grondig in de procedures en operatietechnieken die daarbij een rol speelden. Steeds hield hij er rekening mee dat hij weer een hartaanval zou krijgen, maar dat gebeurde niet. Dr. Gupta had drie medicijnen voorgeschreven die de symptomen voorlopig met succes onderdrukten.

Op donderdag bleef hij in zijn suite. Hij wilde niemand zien, omdat hij bang was dat hij zelfs onder het meest onschuldige gesprek zijn mond voorbij zou praten en de ander in de gaten zou krijgen dat hij met ernstige gezondheidsproblemen kampte. Hij wilde niet dat Samantha er via via iets over te horen kreeg voordat hij met haar gepraat had.

Op de voicemail van Kay Ting sprak hij een lijst van maaltijden en snacks in die hij graag wilde hebben, plus de tijden waarop ze gebracht moesten worden. De trolley met spullen werd altijd op de gang voor zijn slaapkamerdeur neergezet.

Het was in het verleden wel voorgekomen dat hij in een hypercreatieve bui dagen achtereen computerprogramma's zat te schrijven zonder een mens te zien. Dan liep hij dag en nacht in zijn pyjama rond en schoor zich pas wanneer zijn baardstoppels begonnen te kriebelen. Daarom zou het personeel van de huidige gang van zaken niet vreemd opkijken.

Hij was niet bang dat het eten en drinken vergiftigd was, of dat er hallucinerende middelen aan toegevoegd waren. Nadat hij Rebecca Reach op het spoor was gekomen, en via haar bij Spencer Barghest en zijn huis vol eigentijdse mummies was uitgekomen, leek het hem hoogst onwaarschijnlijk dat de Tings en het overige personeel in een complot tegen hem betrokken waren.

Bovendien was zijn hart inmiddels verzwakt. Als er al sprake van was dat iemand hem probeerde te vergiftigen, zou die persoon er niets mee opschieten daar nu nog mee door te gaan. Bovendien zou dat de kans op ontdekking alleen maar groter maken.

Ryan werd 's nachts niet langer geplaagd door dromen van verzonken steden, verlaten meren en paleizen vol demonen. Hij hoorde geen onverklaarbare geluiden meer, er waren geen motten of vogels of handen die op ramen, muren of deuren klopten.

Misschien kon hij zich door de concrete diagnose en door de ontnuchterende prognose concentreren op een bestaande dreiging en hoefde hij zijn nerveuze energie niet langer te verspillen aan ingebeelde gevaren. Eigenlijk kon hij zich dat niet meer veroorloven als hij dit avontuur wilde overleven en er een hart voor hem beschikbaar kwam.

Op vrijdag besloot hij Samantha van het slechte nieuws

op de hoogte te brengen. Hij belde haar op om te zeggen dat hij weer thuis was en dat het hem leuk leek om samen met haar te gaan eten.

'Zullen we dat nieuwe restaurantje proberen waar je vorige week zo enthousiast over was?' opperde ze.

'Ik heb het de afgelopen dagen ontzettend druk gehad, Sam, dus ik hou het liever een beetje rustig. Alleen jij en ik. Kunnen we misschien bij jou thuis eten?'

'Ik heb even genoeg van het koken, Dotcom. Als jij wat van de traiteur meeneemt, vind ik het prima.'

'Dan ben ik om halfzes bij je,' zei hij en verbrak de verbinding.

Hij overwoog de foto van Teresa mee te nemen, voor het geval er tijdens hun samenzijn kille vragen werden gesteld die harde antwoorden vereisten.

Ryan had weliswaar redenen om een zeker wantrouwen tegenover Samantha te koesteren, maar toen hij nog eens naar het levenloze gezicht van Teresa keek, besloot hij de foto niet aan haar te laten zien, omdat hij zich niet tot een dergelijke wreedheid in staat achtte.

Hij stopte de foto weer terug in de envelop en borg die in een bureaula op.

24

In haar zijden slippers en haar blauwe kimono met goudkleurige randjes zag Samantha er hartverwarmend en ontwapenend uit, nog meer dan in zijn herinnering, en hij werd meteen door verlangen overstelpt.

Hij had de afgelopen tijd zo vaak naar haar overleden tweelingzus gekeken, wier gezicht van de pijn vertrokken was, dat zijn herinnering aan haar knappe gelaat daardoor was weggedrukt.

Meteen toen Ryan de tassen van de traiteur op het aanrecht had gezet, wierp Sam zich in zijn armen. Kennelijk wilde ze eerst met hem naar de slaapkamer, en bijna had hij zich laten overhalen.

Het was krankzinnig, maar in gedachten hoorde hij de stem van de jonge vrouw die hem via het navigatiesysteem in zijn Cadillac Escalade toesprak en hem vertelde hoe hij van het park met de espen terug kon komen naar zijn hotel in Denver. Door deze bizarre associatie werd de vlam van zijn verlangen gedoofd, en hij kreeg zijn emoties weer onder controle.

'Ik verga van de honger,' zei hij.

'Dat meen je niet.'

'Ik heb echt ontzettend veel honger.'

'Kennelijk.'

'Kijk,' zei hij, 'broodjes cornedbeef.'

'Laat ik nou gedacht hebben dat ik er in deze kimono onweerstaanbaar uitzag.'

'Met die kaas die je zo lekker vindt, en die speciale mosterd.'

'De volgende keer doe ik wel cornedbeef en kaas aan.'

'Vergeet die speciale mosterd niet,' zei hij.

'Met augurkjes als oorbellen.'

'Dat zou wel heel gewaagd zijn. Kijk, paprikasalade en aardappelsalade en die ene schotel, waarvan me de naam even ontschoten is, die met drie verschillende boonsoorten en pepertjes en selderij.'

'Alleen paprikasalade was ook mooi geweest. Wat is dit? Cheesecake?'

'En kijk hier, wat een onweerstaanbare koekjes.'

'Wil je me vetmesten of zo?'

'Als ik bij die traiteur naar binnen ga, heb ik mezelf niet meer in de hand. Eigenlijk zou ik daar niet zonder chaperonne naar binnen mogen.'

Ze schepten alles uit de plastic bakjes in kommen en schalen en brachten die naar het balkon.

'Wat bijzonder dat je geen bier hebt meegenomen,' zei ze.

'Jij drinkt toch geen bier?'

'Ik eet ook niet vier kilo aan heerlijkheden achter elkaar op, maar dat heeft je er niet van weerhouden het toch te kopen.'

'Ik heb wijn meegebracht,' zei hij, en wees naar de fles die hij op het tafeltje had neergezet. 'Een lekkere Meritage.'

'Ik pak de glazen wel even.'

Hij schonk de wijn in, en voordat ze aan tafel schoven, tikten ze hun glazen tegen elkaar. Een heldere klank als van een zilveren belletje tingelde tussen de bladeren van de peperboom door.

Ze namen een slokje, zoenden, gingen zitten, en Ryan voelde zich in haar nabijheid weer zo op zijn gemak dat hij wist dat hij van haar hield, ongeacht of de Samantha die tegenover hem zat nu oneerlijk was of niet, en dat hij altijd van haar zou blijven houden, ook als er misschien nog een andere Samantha bestond, een die een manipulerend kreng was.

'Je bent een hele week weg geweest,' zei ze.

Hij had in die tijd te horen gekregen dat hij het aan zijn hart had. Als bleek dat hij verliefd was op mevrouw Jekyll en er ook nog een mevrouw Hyde bestond, werd dit misschien wel de ingrijpendste week van zijn leven.

Het was of de schaduwen en late zonnestralen niet over hen heen vielen maar hen omarmden, alsof ze erin opgenomen werden en zelf op hun beurt die compositie van licht en donker in zich opnamen, het bekende en onbekende, een aaneenschakeling van mysterieuze zaken, die de basis vormde voor het verdere verloop van hun toekomst.

'Waarom hebben we een hele week verloren laten gaan?' vroeg ze.

Hij zei: 'Het schrijven gaat zeker lekker?'

'Inderdaad. Ik heb nu al een paar dagen achter elkaar goed door kunnen werken. Hoe wist je dat?'

Het was Ryan bekend dat ze minder over zijn huwelijksaanzoek nadacht wanneer ze helemaal opging in het schrijven, en dat ze tamelijk aanminnig was wanneer ze niet aan trouwen dacht. Maar hij was niet van plan dit inzicht met haar te delen en zei: 'Je ogen glanzen van opwinding, en je stem tingelt van plezier.'

'Dat kan ook komen omdat jij bij me bent.'

'Nee. Als je echt blij zou zijn me te zien, zou je je met cornedbeef en kaas hebben behangen.'

'Goed. Het boek. Moeilijk uit te leggen. Maar de tekst en de subtekst lijken fantastisch samen te vallen. Ik had nooit gedacht dat dat op die manier kon.'

'Dat is fantastisch.'

'Nou, voor mij wel, in elk geval.'

'Hoe gaat het met je voltooide deelwoorden?'

'Die heb ik behoorlijk onder controle.'

'En de puntkomma's, de d's en de t's, de wier/wiens-kwestie?'

'Het is dat deze wijn zo lekker is, anders zou ik mijn glas boven je hoofd omkeren.'

'Daarom koop ik alleen maar goede wijnen. Uit zelfverdediging.'

Snelle voetstappen kwamen langs de buitentrap omhoog.

Toen Ryan zich omkeerde, zag hij de ijskroon van wit haar, het kapsel aan de hand waarvan hij een week geleden de man in het maanlicht had geïdentificeerd als zijnde Spencer Barghest.

Nu de maan niet scheen, bleef er niets van die identificatie over. Deze man had dezelfde lichaamsbouw als Barghest, maar was een jaar of tien jonger dan dokter Dood. Hij was in de veertig en bezat niet die rubberen gelaatstrekken van een stand-upcomedian waarachter Barghest zijn gevoelens verborgen hield.

'O,' zei de man toen hij hen aan tafel zag zitten. Hij bleef op de op een na bovenste tree van de trap staan. 'Sorry. Het was niet mijn bedoeling jullie te storen.'

'Kevin,' zei ze. 'Kom erbij zitten. Ik zal een glas voor je pakken.'

'Nee, nee, echt niet. Bovendien heb ik ook eigenlijk geen tijd. Ik moet zo naar het zickenhuis, voor het bezoekuur.'

Toen Ryan overeind kwam, vroeg Samantha: 'Hebben jullie elkaar al eens ontmoet?'

Ryan antwoordde dat dat helaas nog niet het geval was geweest, waarna Samantha hem voorstelde aan Kevin Spurlock, de zoon van Miriam Spurlock, de eigenaar van het huis waar de garage waar Sam woonde deel van uitmaakte.

'Hoe is het met je moeder?' vroeg Sam.

'Stukken beter. Het gaat echt de goede kant op.'

Ter verduidelijking zei Samantha tegen Ryan: 'Miriam heeft vorige week een aanval van angina gehad. Vanavond precies een week geleden.'

'Ze zat in een restaurant toen het gebeurde,' zei Kevin. 'Ze is met een ambulance naar het ziekenhuis gebracht. Het ergste vond ze nog dat ze zo'n heisa gemaakt had. Ze was doodsbang geweest.'

'Een hartaanval?' vroeg Ryan.

'Nee, dat niet, godzijdank. Maar uit onderzoek is gebleken dat een deel van haar aders verstopt zit.'

'Ernstig verstopt,' zei Samantha. 'Ze heeft meteen de volgende ochtend een viervoudige bypass gekregen.'

'Ze vond je bloemen heel mooi,' zei Kevin tegen Samantha. 'Aronskelken, haar lievelingsbloemen.'

'Dan zal ik die overal in haar slaapkamer neerzetten, voor als ze thuiskomt.'

Nadat Kevin was vertrokken, vertelde Samantha een paar verhalen over Miriam, waarvan hij er een al eerder had gehoord. De hospita was een tamelijk excentriek persoon, hoewel ze buitengewoon lief en aardig was.

Een week daarvoor, toen Ryan dacht Samantha te betrappen op een stiekeme ontmoeting met Spencer Barghest, had ze natuurlijk te horen gekregen dat Miriam Spurlock naar het ziekenhuis was gebracht.

Toen Kevin had gezien dat er licht in het appartement brandde, had hij op de deur geklopt. Ryan lag nog bij te komen van de vrijpartij en sliep door. Om hem niet wakker te maken, was Sam naar buiten gegaan om daar met de zoon van haar hospita te praten.

Hierdoor had Ryan zich van alles in zijn paranoïde hoofd gehaald, had de volgende ochtend het vliegtuig naar Las Vegas genomen en was bang geweest dat er een samenzwering tegen hem werd beraamd, een complot dat helemaal niet bestond.

De boeken van Rebecca Reach, over manieren om snel rijk te worden, leken nu vooral een teken dat de vrouw een goedgelovige dromer was.

En dat Rebecca in het bezit was van een aantal tijdschriften met artikelen van Sam erin, leek er alleen maar op te wijzen dat ze nog steeds trots op haar dochter was, ook al waren de twee in de loop der jaren van elkaar vervreemd geraakt.

Spencer Barghest mocht dan wel een pervers en misschien zelfs wel een gestoord type zijn, en Rebecca mocht dan wel altijd de verkeerde mannen uitkiezen, weinig intelligent zijn en moreel het spoor bijster, maar zij noch haar op lijken verliefde minnaar was betrokken bij een complot tegen Ryan.

Samantha had ook nooit beweerd dat ze Barghest had ontmoet of dat hij erbij aanwezig was toen het leven van haar zus Teresa werd beëindigd.

Maar achteraf leek haar stilzwijgen over dit onderwerp vooral ingegeven door een zekere gêne. Het was alleen maar logisch dat ze niet van de daken schreeuwde dat haar moeder het bed deelde met een griezelige nihilist die zich omringde met lijken die voor kunst door moesten gaan.

Na het incident tijdens het surfen en de daaropvolgende

hartaanval, wat hem had doen besluiten een consult bij Forry Stafford aan te vragen, had Ryan slechts één woord uit de mond van de internist onthouden – vergiftiging – om de waarheid maar niet onder ogen te hoeven zien dat zijn lichaam hem in de steek liet. Blijkbaar had hij een vijandsbeeld gecreëerd, waartegen hij het makkelijker kon opnemen dan tegen een ziekte of een erfelijke afwijking.

In al zijn wanhoop had hij de logica overboord gezet, terwijl hij alle beslissingen in zijn zaken- en privéleven altijd op logisch denken had gebaseerd. Hij had de rede ingewisseld voor de redeloosheid.

Nu Kevin Spurlock op bezoek was geweest, besefte Ryan dat hij een verkeerde inschatting had gemaakt, en hierdoor raakte hij enigszins van slag. In de hoop dat de wijn zijn gevoel van vernedering iets zou verlichten, schonk hij zich een tweede glas in.

Hij was blij dat hij in de schaduwen zat die de tanende zon wierp, omdat hij hoopte dat hij nu geen open boek voor Sam was, een makkelijk leesbaar verhaal van Dr. Seuss.

Nadat Sam een derde anekdote over Miriam had verteld, haalde ze vier votiefkaarsen uit de keuken en zette die op de tafel.

Toen haar gezicht door het schijnsel van de aansteker verlicht werd en ze haar blik van de ene naar de andere kaarsenpit liet gaan, zei Ryan: 'Ik hou van je,' en voelde zich zo stom als een ezel, maar dan wel als een ezel in de herkansing.

25

Nu de maan nog steeds aan de horizon in het oosten vastgeketend leek te zijn maar haar best deed omhoog te komen, en de reusachtige peperboom het grootste deel van de eeuwig wegkwijnende sterren uit het zicht onttrok, was het tijd geworden om het over de dood te hebben.

Na het eten, toen de tafel was afgeruimd en er alleen nog wijn en kaarsen overbleven, pakte Ryan de linkerhand van Samantha en zei: 'Elk moment dat we samen hebben doorgebracht, ben ik zielsgelukkig geweest.'

'Dat klinkt alsof het volgende woord dat je gaat zeggen, *maar* is, en in dat geval vind ik het jammer dat ik deze slippers aanheb, want daarmee kan ik je niet goed een trap onder je kont geven.'

Hij wilde haar niet vertellen over zijn waandenkbeelden, zijn angst dat hij vergiftigd was. Als hij binnen een jaar doodging, wilde hij dat hij in Sams herinneringen verder leefde als een beter mens dan hij in werkelijkheid was geweest.

Omdat Sam het leven op dezelfde manier nam als waarop ze bij het surfen de zee tegemoet trad – op haar voorwaarden, maar met respect voor het onvoorspelbare karakter van de golven, onverschrokken en vol lef – deed Ryan zijn verhaal bondig zonder er doekjes om te winden. Hij maakte er geen tragische opera van, noch een luchtige operette die hoe dan ook eindigde in wapperende vlaggen, trompetgeschal en arpeggio's op de harp.

Ze kneep in zijn hand, alsof ze hem daarmee wilde beletten deze wereld te verlaten. Ze kreeg tranen in haar ogen, en in haar poging niet in huilen uit te barsten begonnen haar ogen te glimmen, waardoor de vlammetjes van de kaarsen fonkelend in haar blik weerspiegeld werden, nog helderder dan in de glazen potjes waarin ze stonden.

Ze begreep dat het moeilijk voor hem moest zijn om dit tegen haar te zeggen, en ze was er kapot van. Ze hadden twee eigenschappen met elkaar gemeen: ze waren allebei onafhankelijk, en ze vonden allebei dat het leven een strijd was die je vol optimisme en zelfvertrouwen aan moest gaan.

Ryan was dankbaar dat ze zich niet geheel door haar emoties liet meeslepen en in huilen uitbarstte, en blij dat ze zijn hele verhaal aanhoorde en hem niet onmiddellijk met allerlei vragen bestookte. Hij vond het ook aandoenlijk om te zien dat Samantha er alles aan deed om haar tranen te bedwingen en zich goed te houden.

Haar hart reageerde onmiskenbaar op zijn woorden, want in haar ranke hals was te zien dat haar hartslag versnelde en heftiger werd. De kimono kon niet verhullen dat ze over haar hele lijf begon te rillen; de belletjes aan haar mouwen rinkelden, en het trillen werd zichtbaar in elke vouw waarin de zachte zijden stof zich had geplooid, net zo duidelijk als de woorden die hij had gesproken.

Toen Ryan zijn verhaal gedaan had, haalde Sam twee keer diep adem, liet haar blik van zijn ogen naar hun ineengestrengelde handen gaan en besloot met haar eerste vraag de kern van haar angst bespreekbaar te maken. 'Hoe groot is de kans dat je een nieuw hart krijgt?'

'Elk jaar hebben vierduizend Amerikanen een nieuw hart nodig. In die tijd komen er maar zo'n tweeduizend donorharten beschikbaar.'

'Vijftig procent kans dus,' zei ze.

'Zo groot niet. Het donorhart mag niet door mijn immuunsysteem worden afgestoten. Er moeten bepaalde overeenkomsten zijn, om die kans zo klein mogelijk te maken.'

'Wat is de kans dat je zo'n passend hart krijgt?'

'Ik heb een bloedgroep die het meest voorkomt. Dat is gunstig. Maar er spelen ook nog andere factoren een rol. En zelfs als alles meezit, zal het hart naar degene gaan die hoger op de lijst staat, als die persoon eenzelfde soort hart nodig heeft.'

'Sta jij al op die lijst?'

'Ja, voorlopig. Volgende week moet ik een psychologische test doen. Daar hangt van af of ik op de lijst kan blijven staan.'

'Waarom?'

'Ze kijken ook naar sociale factoren en gedragspatronen die

van negatieve invloed op het revalidatieproces kunnen zijn.'

'Je bedoelt dingen als alcoholgebruik en zo?'

'Alcoholgebruik, roken, gedragsproblemen, factoren waardoor ik misschien een minder geschikte kandidaat ben dan iemand anders. Neemt iemand zijn medicijnen wel op tijd in, kan iemand zich aanpassen aan een andere manier van leven, enzovoort.'

Sam keek op, ontweek zijn blik en staarde naar de vier kaarsen, alsof ze de toekomst in de vlammetjes kon aflezen. 'Intelligentie lijkt me ook een factor van belang. Een slimme patiënt zal het toch altijd beter doen dan iemand die niet zo slim is?'

'Misschien.'

'Dat is dan gunstig voor jou. En wat nog meer? Wat voor pluspunten kunnen we nog meer verzinnen?'

'Ik ben jong en verder nog goed gezond. Als ik nog meer gezondheidsklachten had, of als ik suikerziekte had, zou ik een minder ideale kandidaat zijn.'

Samantha trok een kaars naar zich toe, liet het vlammetje eerst flakkeren en blies het toen uit. 'Wat nog meer? Ik wil nog meer pluspunten.'

'Ik ben niet afhankelijk van een verzekeringsmaatschappij. Ik kan alles uit eigen zak betalen.'

Een grijze rooksliert kringelde vanaf de zwarte kaarsenpit omhoog. Samantha trok een tweede kaars naar zich toe en blies hem uit.

Ryan zei: 'Soms is de afstand een probleem. Als een donor eenmaal hersendood is verklaard en het hart operatief is verwijderd, kunnen ze dat een tijdje bewaren, in een zoutoplossing, op 4 graden Celsius, maar niet langer dan zes uur.'

'Wat doen ze dan? Kijken ze naar kandidaten die binnen een bepaalde straal wonen?'

'In mijn geval hoeven ze het hart niet naar me toe te brengen, omdat ik het zakenvliegtuig kan nemen. Zolang kunnen ze de donor kunstmatig in leven houden.'

Ze doopte het topje van haar duim en wijsvinger in het bodempje wijn dat nog in haar glas zat en kneep de vlam van de derde kaars uit.

'Het percentage mensen dat vijf jaar na een harttransplantatie nog in leven is, kruipt langzaam maar zeker naar de zeventig procent,' zei hij.

Zonder haar vingers opnieuw nat te maken, doofde Sam de laatste kaars met twee vingers. Ze maakte een sissend geluid toen ze de hitte voelde, maar het leek of ze daaropuit was.

De deur van de keuken zat dicht, net als de gordijnen, zodat er geen licht op het balkon viel.

'Als ik door de eerste vijf jaar heen kom, is de kans groot dat ik er daarna nog vijf bij krijg. En ze kunnen steeds meer. Elk jaar boeken ze vorderingen. Grote vorderingen.'

Hoewel het niet aardedonker was, bleef het gezicht van Samantha voor het grootste gedeelte in de schaduwen verborgen. Toch kon ze haar stille verdriet niet langer voor zich houden en waren er op haar gezicht glinsterende sporen zichtbaar, alsof haar tranen fosforhoudende zouten bevatten.

Ze duwde haar stoel achteruit, stond op, hield nog steeds zijn hand vast en zei: 'Kom bij me op bed liggen.'

Hij kwam overeind.

'Alleen maar liggen,' zei ze, 'en me vasthouden.'

26

Toen ze op bed lagen, met hun kleren aan, boven op de dekens, legde Samantha haar hoofd op zijn borst en kroop tegen hem aan. Hij legde zijn rechterarm om haar heen.

Van uitputting kon hij bijna geen vinger meer verroeren. Hij voelde zich down en uitgewrongen.

Ze hadden een overgangsrite in hun relatie bereikt en wisten dat ze weliswaar nog jong waren, maar dat de dood bij hun dans aanwezig was en dat het leven dat ze deelden, eindig was.

Waarschijnlijk wilde ze net als hij allerlei dingen zeggen, maar had ze daar de energie niet voor en kon ze niet op de juiste woorden komen om haar gedachten tot uiting te brengen.

Ze dommelden een beetje maar vielen niet diep in slaap, gingen soms even verliggen maar hielden elkaar stevig vast.

Toen Samantha uiteindelijk weer het woord nam, klonk haar stem iel en ontbrak haar gebruikelijke levendigheid. 'Ik ben bang.'

'Ik ook. Dat geeft niks. Ze vinden wel een donor voor me. Dan krijg ik een nieuw hart.'

'Dat weet ik,' zei ze.

'Echt wel.'

'Als iemand recht op een nieuw hart heeft, ben jij het wel. Maar doe ondertussen wel voorzichtig, Ryan.'

'Ik zal keurig doen wat de dokters zeggen.'

'Vooral jij. Vanwege je karakter moet je extra goed oppassen.'

'Ik zal echt niet proberen op de rug van een haai mee te liften.'

'Je moet de dingen nemen zoals ze komen.'

'Het gebeurt zoals het gebeurt.'

'Ik ben bang.'

'Ik kwijn niet zomaar weg,' zei hij. 'Dat is niks voor mij. Dat weet jij ook wel. Dat is niks voor mij.'

'Ik ben bang voor wat je kan overkomen,' zei ze.

'Ik kan het wel hanteren, Sam.'

'Je moet het niet willen hanteren. Laat het maar gewoon komen.'

'Maak je maar geen zorgen om mij. Ik ben niet bang.'
'Soms is het goed om bang te zijn,' zei ze. 'Dat houdt je blik helder, zodat je alles goed op een rijtje kan zetten.'

Veel later zei hij: 'Trouw met me.' Ze reageerde niet, maar hij wist zeker dat ze niet sliep. 'Ik weet dat je me hoort.'
'Ja, ik hoor je wel.'
'Trouw met me.'
'Dan is het net of ik met je trouw omdat je doodgaat.'
'Ik ga niet dood.'
'Dan zal iedereen denken dat ik het om het geld doe.'
'Wat anderen denken, laat me koud. Ik heb me daar nooit iets van aangetrokken, en ik zie niet in waarom ik dat nu ineens wel zou moeten doen.'
'Ik hou van je. Ik blijf bij je, en samen komen we er wel doorheen, als je de dingen maar vanzelf laat gebeuren. Maar je moet wel doen wat dr. Gupta zegt.'
'Hij is de dokter. Natuurlijk doe ik wat hij zegt.'
'Maar ik ken je. Ik ken je maar al te goed. Ik wil zo graag dat alles goed komt... dat je hier goed uit komt.'
'Trouw dan met me.'
'Ik trouw wel met je als alles achter de rug is, als het allemaal goed is afgelopen.'
'Trouw je dan met me na de transplantatie?'
'Als je je ontspant. Je moet proberen je te ontspannen en het te aanvaarden en alles op zijn beloop te laten.'
'Dan ben jij mijn beloning,' zei hij.
'Zo bedoelde ik het niet.'
Hij zei: 'Jij bent het enige wat ik wil, Sam.'
'Maar dan moet het wel goed zitten.'
'Het zit goed. We hebben het samen hartstikke fijn.'
'Dat is waar. Elke dag weer,' zei ze instemmend.
'Precies. Wat wil je nog meer.'
'Dus als je de dingen gewoon laat komen zoals ze komen, als je je daarbij kunt ontspannen en je neerlegt bij hoe de

dingen lopen, dan weet ik dat het helemaal goed komt, niet alleen van dag tot dag, maar jarenlang.'

'Oké. Ik doe lekker rustig aan. Is dat wat je wilt?'

'Je moet zo ontzettend op jezelf passen, Dotcom.'

'Moet jij eens opletten hoe ik kan chillen.'

'Je moet zo ontzettend uitkijken. Ik blijf steeds bij je in de buurt, maar je moet dan wel goed naar me luisteren.'

'Ja, schat.'

'Ik meen het. Je moet naar me luisteren.'

'Doe ik.'

'Je moet naar me luisteren.'

'Ik luister.'

Samantha klampte zich aan hem vast en zei: 'O, god, wat ben ik bang.'

Steeds gleden ze al doezelend van elkaar af, en wanneer dat gebeurde, werden ze wakker, en dan kropen ze weer tegen elkaar aan. In dat ritme verliep de nacht.

Tegen de ochtend werd ze weer wakker en lag apart, maar ze zocht hem op de tast, zo panisch dat het leek of ze bang was dat hij niet meer naast haar lag. Hij werd wakker toen ze hem vastpakte en drukte haar dicht tegen zich aan, maar nabijheid alleen was nu niet meer genoeg.

Ze vreeën anders dan voorheen, vol verlangen om geheel in elkaar op te gaan, en toch zonder wellust. Ze gaven zonder te nemen, ze ontvingen zonder ergens om gevraagd te hebben. Teder, onzelfzuchtig, bijna onschuldig. Ze vierden het leven, en zelfs meer dan dat, ze vierden alles wat ze tot dan toe voor elkaar hadden betekend, op dit keerpunt in hun leven, en het was een bestendiging van hun voornemen om samen door het leven te gaan, om samen één te zijn, altijd één, één voor altijd.

Zelfs nu Ryan van de cardioloog zijn doodvonnis had vernomen, was er dus blijkbaar zo'n moment van schoonheid en vreugde mogelijk, en daar putte hij niet alleen hoop uit, maar het scherpte zijn wil om te leven nog verder aan.

Dit zinnelijke feest was zijn springvloed, de beste surfsessie die hij ooit had gehad, een perfecte serie huizenhoge golven, en het lag niet in zijn aard om ervan uit te gaan dat wat volgde, niet meer van hetzelfde zou zijn, en dat hij binnenkort met een nieuw, gezond hart een nieuw leven zou beginnen. In plaats daarvan voorvoelde hij angst, pijn, chaos en verlies.

De storm.

27

Ryan kwam goed uit het psychologisch onderzoek en werd aan de lijst met kandidaten toegevoegd die door de UNOS werd beheerd.

Nu hij aan Samantha had verteld dat er cardiomyopathie bij hem was geconstateerd, had hij geen last meer van de dromen die hem een week lang geteisterd hadden. De verzonken stad, het donkere meer en het angstaanjagende paleis waren uit het spoorboekje van zijn dromen geschrapt.

Er kwamen geen andere nachtmerries voor in de plaats. Elke nacht sliep hij als een roos, en overdag voelde hij zich goed uitgerust, of in elk geval in voldoende mate.

Als hij alleen was, hoorde hij niet meer dat merkwaardige klopgeluid dat hem eerder had geplaagd en dat toen bij ramen, deuren, badkamers en het plasmatelevisiescherm vandaan leek te komen.

Het gevoel dat hij in de gaten gehouden werd en dat hij het mikpunt was van een sinistere samenzwering, was ook verdwenen. Er was een nieuwe wind gaan waaien, en zijn hoofd werd bevrijd van de verstikkende atmosfeer van de redeloosheid, alsof hij al die tijd alleen maar last had gehad van hooikoorts.

Hij had geen déjà-vu-ervaringen meer. Als hij naar Denver zou gaan en het parkje met de espen weer zou kunnen vinden, dacht hij dat hij niet meer zo onder de indruk zou zijn van het kerkje en de bomen.

En dat hij had geweten hoe het kruisbeeld boven het altaar in de St.-Gemma eruit had gezien voordat hij de kerk had betreden…

In de loop der jaren had hij heel wat katholieke kerken vanbinnen gezien, bij trouwerijen en begrafenissen. Hij kon zich geen van die altaren nog voor de geest halen, maar hij nam aan dat al die kruisbeelden nogal veel op elkaar leken. Misschien was een zekere uniformiteit wel een vereiste. Waarschijnlijk dacht hij dat hij het interieur van de St.-Gemma kende omdat hij tijdens een van die trouwerijen of begrafenissen een identiek kruisbeeld had gezien, of een dat er erg op leek.

Door de rust en helderheid die over hem waren gekomen, waren zijn paranoïde denkbeelden verdreven. Hij schreef dit toe aan de medicijnen die dr. Gupta hem had gegeven, waaronder diuretica om een hartstilstand te voorkomen, en anti-aritmica om de hartslag te reguleren. Het zuurstofgehalte in zijn bloed was nu hoger dan eerst, en giftige stoffen die eerst te lang in zijn lichaam bleven circuleren, werden nu sneller uit het bloed verwijderd.

Hij was bang geweest dat iemand van het huishoudelijk personeel een manipulerende gifmenger was, een moderne Medici. Hij was tot de bizarre slotsom gekomen dat de enige gifmenger zijn bloedeigen hart was. Door de verminderde hartfunctie was zijn geest vertroebeld geraakt en had hij zich waandenkbeelden in zijn hoofd gehaald. Dat was althans zijn conclusie.

In oktober en november bleek Ryans grootste probleem

zijn gebrek aan geduld te zijn. Omdat anderen op de lijst inmiddels van een hart waren voorzien of voortijdig overleden, schoof hij steeds verder op naar boven, maar het ging hem niet snel genoeg.

Hij was zich er maar al te zeer van bewust dat Samar Gupta hem hooguit nog een jaar had gegeven. Een zesde van dat jaar was nu verstreken.

Wanneer er op de tv melding werd gemaakt van dodelijke ongelukken, vroeg hij zich af of de overledene een donorcodicil bij zich had gehad. Het besef dat de meeste mensen zich niet als donor opgaven, maakte hem soms opstandig. Dat was natuurlijk niet eerlijk tegenover die mensen, want voordat hij last van zijn hart kreeg, had hij ook geen donorcodicil gehad.

Nu was hij wijzer en had hij laten vastleggen dat hij zijn lichaam ter beschikking stelde van degenen die er misschien nog hun voordeel mee konden doen, voor het geval hij bij de hartoperatie kwam te overlijden of indien hij wel een nieuw hart kreeg, maar daarna toch doodging.

In december paste dr. Gupta de medicatie iets aan. Ryan kreeg er nog twee medicijnen bij, die bedoeld waren om de beangstigende en slopende symptomen te onderdrukken.

De cardioloog gebruikte ouderwetse medische termen, om woorden als *achteruitgang* maar niet te hoeven gebruiken. Desalniettemin snapte Ryan dat zijn lichamelijke conditie achteruitging.

Hij voelde zich eigenlijk nog net zo als in september, met dit verschil dat hij nu sneller vermoeid raakte en meer sliep dan toen.

In de spiegel zag hij slechts kleine veranderingen. Een ietwat pafferig gezicht. Soms een aanhoudende ongezonde blos op zijn wangen, en op andere tijden een grauwe, grijsblauwe tint onder zijn ogen.

Zijn geduld liep ten einde, niet alleen wat de wachtlijst

betrof, maar ook tegenover Samantha. Soms stelde ze zijn geduld danig op de proef.

Zo vond hij dat ze veel te veel vertrouwen had in de organisatie die de lijst beheerde en bepaalde wie erop kwamen.

Als Ryan zijn bedrijf had geleid met dezelfde arrogantie en dezelfde trage bureaucratie waar hij nu in de zorg tegenaan liep, zou hij nooit zo rijk zijn geworden. Omdat er levens op het spel stonden, vond hij dat deze poortwachters juist extra efficiënt te werk moesten gaan, doelmatiger dan hij was geweest toen hij zijn sociale netwerk op internet had opgebouwd.

Samantha luisterde naar zijn grieven en herinnerde hem er vervolgens aan dat hij beloofd had de dingen in deze wachttijd heel ontspannen over zich heen te laten komen. Hij had beloofd dat hij zich niet zou bemoeien met zaken waar hij geen invloed op kon uitoefenen, en dat hij alles op zijn beloop zou laten.

'Ik maak me zorgen om je, Dotcom,' zei ze tegen hem. 'Je rusteloosheid, die bozige buien. Dat is niet goed. Daar schiet je niks mee op. Je doet veel te opgefokt.'

Elke week ontwikkelde Ryan meer exotische strategieën om te overleven en zocht hij naar alternatieve geneeswijzen, als aanvulling op de behandeling van de cardioloog, van healing tot zeldzame stoffen die uit de sporen van varens uit het regenwoud werden gewonnen.

Steeds wanneer hij de ultieme behandelingswijze dacht te hebben gevonden, probeerde Samantha hem met veel tact, logica en humor ervan te overtuigen dat hij de werkelijkheid uit het oog verloor. Hij wist wel dat ze gelijk had, maar soms kwam haar wrange humor wat kil en sarcastisch over en vond hij haar logische manier van redeneren pessimistisch, en haar medeleven onoprecht.

Ryan vermoedde dat zijn humeurige buien en zijn rusteloosheid en boosheid bijwerkingen van zijn medicijngebruik waren. Toen hij de bijsluiters las, werden zijn vermoedens bevestigd.

'Het spijt me, Sam,' zei hij meer dan eens tegen haar. 'Het komt door die stomme medicijnen. Ik ben mezelf niet meer. Straks krijg ik nog haar op mijn handpalmen en ga ik als een wolf huilen als het vollemaan is.'

Hij wist dat ze doodmoe van hem werd en dat ze bijna niet meer aan schrijven toekwam. Hij dwong haar meer tijd voor zichzelf te nemen, al wilde ze daar aanvankelijk niets van weten en zei ze dat ze dag en nacht tot zijn beschikking wilde staan, net zo lang tot hij een nieuw hart had gekregen en weer zo fit als een hoentje was.

Op 12 december gingen ze uit eten in een restaurant waar witte tafellakens, Limoges-porselein, kristallen glazen en obers in witte jasjes de toon zetten en de sfeer bepaalden.

Dit was niet zo'n chique eettent waar werd bezuinigd op het eten en waar rijke singles naartoe kwamen die hun tafeldame aan de bar konden uitzoeken. De mensen die hier kwamen eten, waren ouder, rustiger, bezaten in elk geval de schijn van enig aanzien, vaak met die charme en bevalligheid die je bij oud geld aantreft, in vergelijking waarmee opgeklopte status vaak wat goedkoop afsteekt.

In de tijd tussen het voorgerecht en het hoofdgerecht vertelde Ryan Samantha over dr. Dougal Hobb, een vooraanstaand cardioloog en hartchirurg, die in Beverly Hills praktijk hield.

'Misschien ga ik wel naar hem toe,' zei hij.

Verbaasd vroeg ze: 'Wat is er dan mis met dr. Gupta?'

'Niets. Gupta is een prima dokter. Niets mis mee. Maar dr. Hobb staat heel goed aangeschreven. In zijn vakgebied is hij echt een van de besten.'

'Zou dat van invloed kunnen zijn op je plaats op de wachtlijst?'

'Nee. Absoluut niet.'

'Wat zegt Forry Stafford ervan?'

'Ik heb het nog niet met hem besproken.'

'Waarom niet? Hij is toch degene geweest die dr. Gupta heeft aanbevolen?'

Wanneer hij en Samantha uit eten gingen, zaten ze het liefst in een hoekje, voor de privacy, maar nu hadden ze een tafeltje in het midden gekregen. De stijlvolle ruimte fonkelde, het was een lust voor het oog; ze werden omgeven door pracht en praal.

'Ik moet nog met Forry overleggen,' zei Ryan. 'Daar was ik nog niet aan toegekomen.'

'Dotcom, is dit gewoon weer iets anders omdat je weer iets anders wilt, dus een kwestie van rusteloosheid?'

'Nee. Hier heb ik lang en diep over nagedacht.'

De ober verscheen met het hoofdgerecht, bijgestaan door een hulpje. Hij presenteerde elk gerecht met veel zwier, waar een zekere trots uit sprak, zonder dat het een opschepperige show werd.

Toen ze begonnen te eten, schakelde Ryan op een ander gespreksonderwerp over. 'Wat zie je er fantastisch uit. Iedereen kijkt vol bewondering naar je. Je staat echt in het middelpunt van de belangstelling.'

'Nou, we zitten toevallig ook in het midden van de zaak, zoals je gemerkt zult hebben. En ik ga ervan uit dat de meeste gasten hier wel zullen weten wie je bent, waardoor ik zo'n beetje in de rol van sidekick ben geduwd.'

Hij had het over van alles en nog wat, wat ze prima vond, maar op een gegeven moment bracht ze de kwestie-Hobb weer ter sprake. 'Je moet niet bij dr. Gupta weggaan voordat je met Forry hebt gesproken.'

'Zal ik doen. Maar een betere cardioloog dan Dougal Hobb is er niet. Ik heb hem zelfs laten natrekken.'

'Natrekken?'

'Door een buitengewoon betrouwbaar beveiligingsbedrijf, om te zien of er ooit een proces tegen hem is aangespannen wegens een medische misser, en of hij misschien problemen in de privésfeer heeft.'

Haar blauwgroene ogen vertroebelden niet, maar haar stemming sloeg meteen om. 'Heb je een detective in de arm genomen om hem na te trekken?'

'Het is mijn leven dat hier op het spel staat, Sam. Dan wil ik wel weten aan wie ik me toevertrouw.'

'Forry is je vriend. Hij heeft je naar de beste cardioloog doorverwezen die hij kent. Hij heeft alleen maar het beste met je voor.'

'Tegen Hobb is nog nooit een klacht ingediend, laat staan dat iemand een proces tegen hem heeft aangespannen.'

'En tegen dr. Gupta wel?' vroeg ze.

'Dat weet ik niet.'

'Ik durf te wedden van niet.'

'Ik weet het niet. Maar luister nou, het privéleven van dr. Hobb is smetteloos, hij heeft zijn financiën tiptop in orde, zijn huwelijk is zo stabiel als het maar zijn kan, zijn...'

Ze legde haar mes en vork neer en zei: 'Ik word bang van je.'

Hij trok zijn wenkbrauwen op. 'Waarom?'

'Hoor je dan zelf niet wat je uitkraamt? Je probeert de situatie in je greep te krijgen, je probeert actie te ondernemen, terwijl je over deze situatie nu eenmaal geen zeggenschap hebt.'

Hij reageerde op haar bezorgde woorden door haar schaapachtig aan te kijken. 'Be2Do. *Be to do*. Leven om te handelen. Dat is meer dan een geinige bedrijfsnaam. Het is een levensfilosofie. Het is moeilijk voor me om dingen los te laten.'

'En om anderen te vertrouwen, is ook moeilijk, Ryan, niet in het minst voor mensen als jij en ik, als je bedenkt wat voor achtergrond we hebben.'

'Je hebt gelijk. Oké. Ik weet het.'

'Tot op zekere hoogte kunnen we ons lot bijsturen,' zei ze, 'maar we hebben er geen absolute zeggenschap over. Je hebt geen zeggenschap over de dood. Je moet met anderen samenwerken. Je kunt dit soort beslissingen pas nemen nadat je bij anderen advies hebt ingewonnen.'

'Ik win nu toch bij jou advies in?'

Ze verbrak hun oogcontact niet, maar gaf geen antwoord.

'Oké,' zei hij. 'Je hebt gelijk. Ik zal niets doen voordat ik met Forry en Gupta overlegd heb. En met jou.'

Ze nam een slokje van haar Cabernet en zette het wijnglas neer, liet haar blik door de letterlijk schitterende ruimte gaan, zodat andere gasten zich gedwongen voelden hun blik van haar af te wenden.

Toen ze haar aandacht weer op Ryan had gevestigd, zei ze: 'Lieverd, je moet de mensen vertrouwen die om je geven. En je moet vooral mij vertrouwen, omdat ik je zo goed begrijp, zo ontzettend goed, zo helemaal – en omdat ik van je hou.'

Aangedaan zei hij: 'Ik hou ook van jou.'

'Als je me net zo goed zou kennen als ik jou,' zei ze, 'hield je misschien niet meer van me.'

'Onmogelijk. Hoe kom je erbij.'

'Nee, echt, hoor. Mensen zijn nu eenmaal complexe, radeloze wezens. Het komt niet vaak voor dat je iemand helemaal kent en dan nog van hem houdt. Of van haar. Ik hoef geen toetje. Jij wel?'

Hij was zo geboeid geraakt door wat ze zei, dat haar plotselinge verandering van gespreksonderwerp hem onwerkelijk voorkwam, en hij keek haar aan alsof ze ineens op een obscuur Russisch dialect was overgegaan. Toen zei hij: 'O. Nee. Ik hoef ook geen toetje.'

'Misschien neem ik een dubbele espresso wanneer ik mijn wijn opheb.'

'Dat lijkt me ook wel wat.'

Ze bracht dr. Hobb niet meer ter sprake, noch de radeloze aard van de mens, maar had het over zaken die vrolijker stemden.

Toen ze allebei achter een kopje espresso zaten, schonk ze Ryan zo'n liefdevolle glimlach dat hij er blij van werd, en toen hij de lichtjes van de kroonluchter in haar ogen kon zien flonkeren, zei ze: 'Weet je, Lonkie, je had ook een tafeltje in een hoekje achteraf kunnen reserveren, maar zelfs in die relatieve beslotenheid zou ik je nooit hebben afgemaakt of je bij wijze van spreken een draai om je oren hebben gegeven.'

Nauwelijks een dag later, op 14 december, toen Ryan alleen thuis was en al uren in bed lag te wachten op de slaap die maar niet wilde komen, met het lampje naast zijn bed aan, omdat hij de laatste dagen liever niet in het donker lag, kreeg hij ineens ademhalingsproblemen.

Hij ademde in zonder daarvan enig effect te voelen, alsof de lucht niet naar zijn longen ging. Hij had echt het idee dat hij de lucht diep naar binnen zoog, maar misschien verbeeldde hij zich dat alleen maar. Hij kreeg geen lucht meer en werd door angst overspoeld. Hij dreigde in een golf van paniek ten onder te gaan.

Toen hij zich oprichtte, werd hij zo duizelig dat het bed op een draaimolen leek te staan. Hij viel terug in de kussens en hapte naar lucht. Het angstzweet brak hem van alle kanten uit.

De telefoon die naast zijn bed stond, leek een lichtjaar van hem verwijderd te zijn. Hij zag het toestel wel op het nachtkastje staan, maar beschikte niet over voldoende kennis van de relativiteitstheorie om die avontuurlijke reis te kunnen maken.

De aanval duurde maar een paar minuten. Maar toen Ryan weer normaal kon ademen, kon hij zich niet heugen ooit zo intens van de lucht te hebben genoten.

Een tijdlang durfde hij zich niet te verroeren, omdat hij bang was dat hij weer een aanval zou krijgen, misschien wel een hevigere. Toen hij zich uiteindelijk durfde op te richten, zijn benen uit bed zwaaide en ging staan, merkte hij dat zijn enkels ernstig waren opgezwollen.

Hoewel hij zijn medicijnen elke dag stipt op tijd innam, hield hij vocht vast.

Toen hij naast zijn bed stond, hoorde hij het weer, voor het eerst sinds maanden: een zacht getik, alsof er iemand aan het raam of op de deur klopte.

De paniek was gezakt, maar de angst niet. Het zweet dat hem aan alle kanten was uitgebroken, was afgekoeld.

Hij draaide zich om, probeerde te lokaliseren waar het geluid vandaan kwam en luisterde met scheef gehouden hoofd naar het aanhoudende ritmische getik. Hij deed een paar stappen een kant op, paste zijn koers aan en bleef steeds staan luisteren.

Hij liep van de slaapkamer naar de woonkamer, daarna terug naar de slaapkamer, en betrad de badkamer, met het zwarte graniet en het goudkleurige onyx, het roestvrij staal en de spiegels. In dat doolhof van weerspiegelingen hoorde hij nog steeds het klopgeluid, net zo duidelijk als in de rest van het huis.

Even verkeerde Ryan in de veronderstelling dat het geluid van beneden kwam, en uit het feit dat het geluid overal even goed te horen was – altijd even hard, en in elk vertrek dezelfde klank – concludeerde hij dat het geluid van onder de houten vloer vandaan kwam en dat het hem volgde, al leek dat nog zo onwaarschijnlijk.

Maar toen schoot hem te binnen dat de vloeren van een licht soort beton waren gemaakt, dat extra geluidwerend was. Er was geen houten vloer die opengebroken kon worden, geen spouwruimte waarin het geluid hem kon volgen.

Hij keek naar het plafond, het enige andere vlak dat doorliep in deze vertrekken op de tweede verdieping. Hij dacht aan de zolder erboven, en zag in gedachten een gestoord type voor zich, een fantoom uit de oude doos, dat de kelders van het operagebouw had verlaten en het hogerop had gezocht, iemand die Ryan op elektronische wijze kon lokaliseren en die hem plaagde met dit getik, dit zachte geklop, klop-klop-klop.

Die absurde gedachte hield maar een paar seconden stand, want Ryan kwam er ineens achter dat het geluid van binnenuit kwam. Hoewel het niet het klassieke *loeb-doeb* van de hartslag was, had het wel een soortgelijk ritme. Wat hij hoorde, was het onheilspellende geklop van zijn disfunctionele hart, geen gehandschoende hand die op de deur klopte, geen dikke motvlinder die herhaaldelijk tegen het raam vloog, maar het geluid van zijn eigen hart, dat bloed door zijn lijf pompte, en als het geluid niet langzaam wegstierf, zoals eerst, als het geluid maar lang genoeg aanhield, zou de roep beantwoord worden, niet door Ryan maar door de dood.

Hij nam een douche, zo heet mogelijk, in de hoop de kou uit zijn botten te verdrijven. Het zachte klopgeluid begon weer, verdween, en begon weer, maar hij veegde de waterdamp niet van de glazen douchecabine, omdat hij er niet van uitging dat er een grijnzende kop van een insluiper te zien was.

In zijn inloopkast, die zo groot als een kamer was, kleedde hij zich aan. Hoewel hij nog steeds het gevoel had dat het geluid achter een van de kastdeuren of de drie panelen van zijn passpiegel vandaan kwam, wist hij nu dat het geen zin had om naar de bron van het geluid te gaan zoeken.

De superlange limo die hij had besteld, reed om acht uur voor. De chauffeur stelde zichzelf voor als Naraka. Ryan wist niet of dat zijn voor- of achternaam was.

Toen ze wegreden, viel het geklop vanbinnen stil, en van Newport Coast tot Beverly Hills liet het geluid zich niet meer horen.

Twee dagen eerder, voordat Ryan met Samantha uit eten ging, had hij een spoedafspraak met dr. Hobb gemaakt. Nadat Sam zich er zo afkeurend over had uitgelaten, overwoog hij de afspraak af te zeggen, maar hij wilde daar pas op het allerlaatste moment, vanmorgen, een beslissing over nemen.

Gezien de beangstigende ademhalingsproblemen waar hij 's nachts last van had gehad, en zijn inzicht dat hij zelf de bron van het klopgeluid was, leek het hem verstandig om Hobb te raadplegen.

Ryan lichtte dr. Gupta en Forry Stafford daar niet over in, en zelfs Samantha liet hij niets weten.

Het enige waar hij zich op verliet, was zijn instinct om te overleven. Hij had het gevoel dat een afspraak met Hobb niet alleen raadzaam was, maar zelfs cruciaal voor zijn overlevingskansen, zoals een brandvrije trap onmisbaar was voor degene die uit een brandend flatgebouw wilde ontsnappen.

De praktijk van dr. Dougal Hobb was niet gevestigd in een van de glanzende wolkenkrabbers aan Wilshire Boulevard, waar velen van zijn collega's zaten, maar lag in een rustige straat aan de rand van het zakendistrict van Beverly Hills en besloeg een compleet gebouw van twee etages hoog.

Dit elegante neoklassieke pand – witte muren en een zwart dak, omgeven door oude magnolia's die hun reusachtige schaduwen op de muren wierpen – leek meer op een woonhuis dan op een medische kliniek. De enige aanwijzing vormde een discreet koperen bord naast de voordeur: DR. D. HOBB.

In de hal zag hij drie deuren. Op de deur aan zijn rechterhand stond AFSPRAKEN.

Het bleek een wachtkamer te zijn met een Santos mahoniehouten vloer, waarop een antiek Perzisch tapijt lag, een negentiende-eeuwse Tabriz, dat glansde alsof het van gouddraad geweven was. De aanwezigheid van comfortabele stoelen en stijlvolle tafeltjes deed vermoeden dat de patiënten hier als gasten werden behandeld.

Ryan herkende de klassieke muziek op de achtergrond niet, maar hij vond die rustgevend.

De receptioniste, een aantrekkelijke vrouw van in de veertig, had geen ziekenhuisuniform aan en ging ook niet gekleed in de vormeloze laboratoriumjassen die tegenwoordig in de meeste klinieken gangbaar waren, maar droeg een exclusief, beige wollen pakje.

Zowel de receptioniste als de verpleegkundige, Laura, die met Ryan naar een spreekkamertje ging om zijn medische gegevens te noteren, drukte zich uiterst correct uit, kwam professioneel, efficiënt en warm over.

Ryan had het gevoel dat hij aan een storm ontkomen was en nu een zonnige haven was binnengevaren.

Laura, die in de twintig was, droeg een gouden kettinkje met een ovalen medaillon, waar in rode en goudkleurige tinten een gestileerde vogel met gespreide vleugels op prijkte.

Toen Ryan zei dat hij het sieraad prachtig vond, zei de verpleegkundige: 'Het is een feniks. Begin negentiende eeuw. Heb ik van dr. Hobb gekregen toen ik hier drie jaar werkte.' Ze zag dat hij daarvan opkeek, en er verschenen roze blosjes op haar blanke wangen. Snel verklaarde ze zich nader. 'De dokter is mijn schoonvader. En Andrea – mevrouw Barnett, de receptioniste – is zijn zus.'

'Bij een dokterspraktijk denk ik niet meteen aan een familiebedrijf,' zei Ryan.

'Ze vormen een heel hechte familie,' zei ze, 'en het zijn fijne mensen. Blake, mijn man, heeft Harvard gedaan.'

'Cardiologie?'

'Cardiovasculaire chirurgie. Wanneer hij zijn coschappen achter de rug heeft, komt hij hier bij Dougal – dr. Hobb – in de kliniek werken.'

Omdat de ouders van Ryan nooit iets met familiewaarden en tradities hadden gehad, was Ryan jaloers op de Hobbclan.

Na de intake bracht Laura Ryan niet naar een onderzoekkamer, maar naar de werkkamer van Dougal Hobb. 'Hij komt er binnen een minuutje aan, meneer Perry.'

Weer kreeg hij het gevoel niet in een kliniek maar in een

woonhuis te zijn beland, ook al hingen er medische getuigschriften en onderscheidingen aan de muur.

Omdat Wilson Mott hem een uitgebreid dossier over de chirurg had gestuurd, vond Ryan het niet nodig de ingelijste documenten nader te bekijken.

Toen Hobb binnenkwam, stond Ryan net een met ebbenhout ingelegd biedermeierbureau van kersenhout te bewonderen.

Hobb was bijna een meter tachtig lang, zag er gezond uit, was slank maar niet overdreven gespierd, had zwarte instappers aan, een grijze wollen broek, een donkerrood vest en een wit overhemd zonder stropdas. Het was duidelijk dat de man niet probeerde indruk op zijn cliënten te maken door zijn kleding, maar toch had Ryan het gevoel dat er net een natuurkracht was binnengekomen.

Hobb had een ferme baritonstem maar sprak op zachte toon, met een licht, sympathiek accent dat deed vermoeden dat hij uit Carolina kwam. Hij had een volle bos peper-en-zoutkleurig haar, maar geen zilverkleurige leeuwenmanen. Er lag een open, onopvallende blik in zijn bruine ogen, en hij had prettige gelaatstrekken, zonder overdadig knap te zijn. Toch leek hij de hele ruimte met zijn aanwezigheid te vullen.

Ze gingen in fauteuils tegenover elkaar zitten, 'om elkaar wat beter te leren kennen', zoals dr. Hobb het stelde. Tussen hen in stond een biedermeiertafeltje van walnotenhout met prachtige patronen.

Na een paar minuten besefte Ryan dat dr. Hobb zo'n grote indruk op hem maakte omdat de man vanaf het eerste moment heel bescheiden overkwam, nederig haast, terwijl je zou verwachten dat hij zich door zijn geweldige reputatie als chirurg walgelijk zelfverzekerd of zelfs arrogant zou gedragen. Hij leek werkelijk in Ryan geïnteresseerd en begaan met zijn lot; hij maakte niet de indruk dat hij een verkooppraatje hield of eropuit was zijn patiënt stroop om de mond te smeren.

'De afgelopen drie maanden,' zei Ryan, 'heb ik natuurlijk erg in de rats gezeten. Het was een deprimerende tijd, maar het komt niet alleen door de angst en die dipjes waardoor ik het gevoel heb het niet aan te kunnen. Ik heb deze tijd als heel vreemd ervaren, buitengewoon wonderlijk, alsof er iets scheef zit in mijn leven en er meer aan de hand is dan alleen een haperend hart. Ik krijg steeds het gevoel dat iemand me probeert te manipuleren, dat ik de controle over mijn eigen leven ben kwijtgeraakt, dat de medische zorg die ik krijg niet de zorg is die ik zou moeten hebben. Ik snap dat het voor iemand van mijn leeftijd nogal voor de hand ligt om paranoïde denkbeelden te ontwikkelen als zo'n diagnose is gesteld, omdat het je als een donderslag bij heldere hemel treft. Ik bedoel, ik ben nog maar vierendertig, en ik kan me er maar niet bij neerleggen dat ik binnen niet al te lange tijd zal komen te overlijden.'

'Zover zullen we het niet laten komen,' zei dr. Hobb, en hij boog zich voorover. 'Zover zullen we het eenvoudigweg niet laten komen.'

Gezien de geringe overlevingskansen die Ryan had, vond hij dat hij de zelfverzekerde uitspraak van Hobb eigenlijk niet serieus kon nemen, en toch deed hij dat. Hij geloofde dat Dougal Hobb hem niet zomaar zou laten sterven, en hij was zo opgelucht en dankbaar dat zijn blik vertroebelde en hij even niets uit kon brengen.

28

Dr. Hobb besteedde het grootste gedeelte van die dag aan Ryan. Hij voerde diverse tests uit, maar bespaarde zijn patiënt een tweede myocardiale biopsie, omdat hij naar alle redelijkheid aannam dat het weefsel dat door dr. Gupta was ingestuurd, naar behoren was onderzocht.

Voor de zekerheid liet hij een nieuw ontwikkeld bloedonderzoek doen om te kijken of er genen te vinden waren die op een erfelijke vorm van cardiomyopathie wezen. Dat bleek inderdaad het geval te zijn.

Ryan klampte zich niet aan de illusie vast dat de diagnose van dr. Gupta achteraf niet juist zou kunnen zijn. Hij verwachtte vooral nieuwe hoop, doordat hij zich aan de zorgen van een briljante arts had toevertrouwd, iemand die zich met hart en ziel inzette om een bloeiende praktijk op te bouwen, zoals Ryan zich met hart en ziel had gewijd aan het opzetten van Be2Do.

Hobb schreef twee van de vier medicijnen voor die Ryan al elke dag slikte, achtte het niet nodig dat hij twee andere medicijnen bleef innemen, en voegde er nog drie aan toe.

Om zeven uur 's avonds zaten de twee mannen weer in de werkkamer. Voordat de chirurg Ryan liet gaan, gaf hij hem een klein mobieltje waarmee hij alarm kon slaan. Door twee keer op een knop te drukken zou Ryan per satelliet worden doorverbonden naar een alarmnummer.

'Houd dit apparaatje te allen tijde bij u,' adviseerde Hobb hem. 'Zet het elke avond naast uw bed om het op te laden. Maar neem het altijd mee, ook wanneer u bijvoorbeeld naar de wc moet, want je weet nooit of er iets gebeurt.'

Hij gaf Ryan een lijst met lichamelijke symptomen, zoals problemen met de ademhaling, en als iets dergelijks zich zou voordoen, moest hij het telefoontje onmiddellijk gebruiken.

'En als ik bericht krijg dat u aan de beurt bent en dat er een hart voor u beschikbaar is,' zei Hobb, 'zal ik u op dit mobieltje bellen. Omdat tijd in dit soort gevallen van cruciaal belang is, verlaat ik me niet op de gewone telefoonverbindingen, omdat patiënten nogal eens de neiging hebben om hun mobieltje uit te zetten zonder erbij na te denken, zodat ik dan hun voicemail krijg. Zolang dit mobieltje is opgeladen, werkt het. Er zit geen UIT-knop op. Dus zet het steeds terug in de oplader en houd het altijd bij u. Want je weet maar nooit.'

Na een rit van twee uur in de gecharterde limousine, waarbij Naraka zwijgend en met een ernstig gezicht achter het stuur zat, kwam Ryan thuis.

Bij dr. Hobb had hij een lichte voorverpakte lunch aangeboden gekregen, maar hij had nog niet warm gegeten. Hij keek in de koelkast wat er in huis was en stelde een maaltijd samen.

Lee en Kay Ting hadden nu vrij en hadden zich in hun privédomein teruggetrokken. Het liet hem koud wat ze daar uitspookten, want hij ging er niet meer van uit dat ze tegen hem samenzweerden.

Zijn wantrouwen was weliswaar nog niet geheel verdwenen, maar hij was in elk geval niet meer bang dat ze hem nog meer kwaad konden berokkenen. Hij had zijn lot in eigen hand genomen, zonder dat iemand in zijn naaste omgeving daarvanaf wist.

Hoewel dr. Hobb zijn nieuwe patiënt misschien een excentriek persoon vond, of nog erger, had hij ingestemd met diens verzoek om Gupta niet te laten weten dat Ryan nu bij een andere cardioloog liep.

Al zeven jaar was Ryan niet verzekerd tegen ziektekosten, omdat hij een hekel had aan het bureaucratische gedoe waar verzekeringsmaatschappijen en de overheid patent op leken te hebben, om nog maar te zwijgen van de hele papierwinkel die zorginstellingen met zich meebrachten. Hij schreef Dougal Hobb een cheque van $100.000 uit, bij wijze van voorschot op de toekomstige onkosten, en daarmee leek de zaak op een relaxte manier te zijn geregeld.

Hij was niet van plan om de regelmatige consulten van dr. Gupta stop te zetten, al zou hij diens adviezen bij voorbaat naast zich neerleggen.

Van Ryans wantrouwen jegens Gupta was niets meer over, maar als de cardioloog erachter kwam dat Ryan zich onder behandeling van Hobb had gesteld, zou hij het nieuws onmiddellijk aan Forry Stafford doorgeven, en via Forry – of zijn vrouw Jane – zou Sam het dan te weten komen.

Hij beschouwde Forry als een vriend. Maar vriendschappen liepen voortdurend op de klippen. Al sinds de tijden van Kaïn en Abel keerden broers zich tegen elkaar, en dat was in dit barbaarse tijdperk alleen maar erger geworden.

Hoewel hij er in zijn hart van overtuigd was geraakt dat Samantha hem niet ontrouw was en hem nooit zou verlaten, en hoewel hij zich dat verstandelijk constant voorhield, wist hij nog goed wat ze onlangs aan tafel tegen hem gezegd had. *Als je me net zo goed zou kennen als ik jou, hield je misschien niet meer van me.*

Hij hield ontzettend veel van haar, meer dan hij ooit van iemand anders had gehouden, en hij vertrouwde haar meer dan wie dan ook. Maar het lag in het wezen van de wereld besloten dat degenen die liefhadden en de ander vertrouwden, buitengewoon kwetsbaar waren.

Mensen zijn nu eenmaal complexe, radeloze wezens. Het komt niet vaak voor dat je iemand helemaal kent en dan nog van hem houdt.

Misschien was dat het eerlijkste, het zelfonthullendste en liefhebbendste wat iemand ooit tegen hem gezegd had.

Maar in de huidige gestreste situatie, waarin de wanhoop op de loer lag, mocht hij zijn ogen niet sluiten voor de mogelijkheid dat haar woorden misschien een doortrapte poging vormden om hem te manipuleren.

Hij vond zichzelf op dit moment als mens niet geweldig. Misschien bleef dat de eerste tijd ook zo. Toch wilde hij zijn leven niet zonder meer opgeven, want hij vond zichzelf nog steeds voldoende de moeite waard.

Hij zat op een kruk aan de kleinste van de twee kookeilanden en at bij het licht dat de afzuigkap verspreidde. Op zijn bord lagen *za'atar*-crackers met *halloumi*, zwarte olijven, plakjes *sujuk* en koude asperges. Als dessert nam hij een peer en een handvol pistachenoten.

Hij voorzag dat hij in de komende weken en maanden vaker alleen zou eten dan hem lief was.

Nadat hij de etiketten op de vijf potjes met medicijnen had bestudeerd die hij van dr. Hobb had gekregen, nam hij de voorgeschreven dosis.

Boven, op zijn slaapkamer, deed hij het alarmmobieltje in de oplader en zette die op zijn nachtkastje, zo dicht bij zijn bed dat hij er gemakkelijk bij zou kunnen, ongeacht zijn lichamelijke toestand.

Net als de voorgaande avonden liet hij een lampje branden, want toen hij eens in het donker wakker was geworden, was het net of hij levend was begraven, in een afgesloten doodskist, met te weinig lucht om het lang uit te houden.

In bed keek hij naar een oude western (*The Searchers,* met John Wayne) en dacht na over de beslissingen die hij die dag genomen had. Hij had er een goed gevoel over.

Hij had ontzettend veel vertrouwen in zijn nieuwe cardioloog, hoewel zelfs Hobb één ding niet kon verklaren, namelijk waar het aanhoudende geklop vandaan kwam dat Ryan zo nu en dan hoorde. De specialist had ten stelligste ontkend dat het iets te maken kon hebben met de verminderde bloedtoevoer als gevolg van zijn vergrote hart.

Hobb opperde dat zijn gehoor misschien niet goed functioneerde en dat hij zijn oren wellicht eens na moest laten kijken. Uiteindelijk deed Ryan alsof hij die mogelijkheid in overweging wilde nemen, maar hij bleef ervan overtuigd dat de oorzaak van het geklop niet in het slakkenhuis van zijn gehoorgang gezocht moest worden, maar in zijn borstkas.

Hij keek maar met een half oog naar de western, die zich afspeelde in de periode na de Amerikaanse Burgeroorlog. Eigenlijk lag hij te wachten tot het geklop weer begon.

Toen de film ten einde liep en Ryan door vermoeidheid

werd overvallen, dacht hij dat het geklop misschien voorgoed verdwenen was omdat hij erop in was gegaan en had opengedaan.

Hij wist niet goed wat hij daar precies mee bedoelde. Het was het soort gedachte dat in je opkwam wanneer je op het punt stond door de rivier van de slaap meegevoerd te worden.

Hij viel in slaap.

Die nacht verscheen er een landschap om hem heen, en voor het eerst in maanden kwam de droom terug waar hij in september ook al door geplaagd was.

Het begon met een gevoel dat er alleen maar een diepte was, leeg en onherbergzaam, zonder begin of eind, en angstaanjagend.

Toen veranderde de leegte in water, onzichtbaar, zonder licht, stil, zonder stroming, warm noch koud. Zonder dat hij het kon voelen, wist hij dat het water er moest zijn.

Een wind stak op, een mysterieuze wind die fluisterde zonder melodie, en de wind voerde licht mee, het vale schijnsel van de maan dat als stof werd meegezogen. Elke rimpeling van het water kreeg een zilveren glans, hoewel het water zelf zwart bleef.

De wind blies één keer over het oppervlak en ging toen liggen, en rond het meer verscheen de aarde, geen vruchtbare grond maar kale rotsen, en uit de rotsen ontsproten bomen die zo kleurloos als schaduwen waren.

Hij stond op de rotsen, net als eerst, maar niet alles was hetzelfde. Hij was nu niet meer de enige aanwezige.

Aan de overkant van het meer stond een duistere gestalte, die hij desalniettemin kon zien omdat de achtergrond nog donkerder was.

Toen de Ander zich in beweging zette en langs het meer in zijn richting liep, wist Ryan dat het Samantha moest zijn, hoewel hij haar gezicht en contouren niet of nauwelijks kon onderscheiden.

Normaal gesproken zou ze iets geroepen hebben, en hij ook. Maar hier was geen lucht waardoor de woorden zich konden verplaatsen.

Ook hij kwam in beweging en liep haar langs de oever tegemoet, maar hij had nog maar een paar passen over de verraderlijke steenmassa gezet toen hij een hand op zijn schouder voelde. In het schemerdonker zag hij dat William Holden bij hem stond.

De acteur, die inmiddels allang overleden was en schitterde in talloze films, zoals *Sabrina* en *The Bridge on the River Kwai*, en die een Oscar voor zijn rol in *Stalag 17* had gekregen, zei: 'Dat is haar niet, joh.'

Ryan stond er niet van te kijken dat Holden zich in dit luchtledige oord wel verstaanbaar kon maken. De regels waar anderen zich aan te houden hadden, golden niet voor filmsterren.

Het knappe gezicht van de acteur was getekend door alle ellende die hij in de loop der jaren had meegemaakt, wat ook al te zien was toen hij in *The Wild Bunch* en *Network* speelde.

'Luister, joh. Ik had een drankprobleem. Ik ben eens dronken achter het stuur gaan zitten toen ik in Europa was, heb toen een ongeluk gekregen, waarbij iemand om het leven is gekomen.'

Ook als Ryan iets had kunnen zeggen, zou hij nog niet geweten hebben hoe hij op de non sequitur van de acteur had moeten reageren.

In de verte kwam de Ander gestaag dichterbij.

'Maak jezelf niks wijs, Dotcom. Dat is haar niet. Kom maar met mij mee.'

Ryan volgde Holden, en samen liepen ze de andere kant op, bij de naderbij komende Ander vandaan. In de lange, uitputtende nacht wandelden ze om het donkere meer heen, zoals misschien in films gebeurde om indianen of Duitse soldaten te ontlopen, en Ryan wilde de acteur een complimentje geven voor zijn rol in *Sunset Boulevard* en hem om een handtekening vragen, maar hij zweeg, en ook Holden bracht geen woord meer uit.

29

Toen de vakantie naderde, en ook toen de vakantie eindelijk was aangebroken, bedacht Ryan diverse redenen om minder tijd met Samantha te hoeven doorbrengen. Hij hield nog wel enig contact met haar, om niet te laten merken dat hij haar vermeed.

Hij hield hartstochtelijk van haar, meer dan hij ooit voor mogelijk had gehouden, en hij wilde het liefst zo vaak mogelijk bij haar zijn. Maar omdat ze hem zo goed doorzag, was hij bang dat hij zich zou verspreken of dat ze aan zijn gezicht kon zien dat hij stiekem van Gupta op Hobb was overgestapt.

Hij had geen zin om een discussie met haar aan te gaan, maar hij wilde vooral niet vertellen wat hij gedaan had, omdat hij zeker wist dat ze teleurgesteld in hem zou zijn. Hij had haar goedkeuring nodig, zoals rozen regen nodig hebben.

Zijn lichamelijke conditie gebruikte hij niet alleen om zich achter de gebruikelijke zakelijke afspraken te verschuilen, maar ook om zich te beklagen over de bijwerkingen van de medicijnen die hij slikte: misselijkheid, hoofdpijn, slapeloosheid, stemmingswisselingen. Soms waren ze niet verzonnen.

En wanneer ze bij elkaar waren, zette hij al zijn charme in, probeerde er helemaal voor haar te zijn en haar te vermaken, meer als Lonkie dan als Dotcom, en dat ging hem steeds zonder veel moeite af. In haar nabijheid was dat gemakkelijker dan met wie dan ook, omdat ze door haar aard altijd het beste in hem naar boven wist te halen. Hij had altijd gewild dat ze het naar haar zin had, ook al voordat hij iets voor haar te verbergen had.

Nadat in september de diagnose was vastgesteld, had zijn ziekte ook bij Samantha een tol geëist, misschien niet in dezelfde mate als bij hem, maar toch zo ingrijpend dat ze tijd en energie aan hem had gegeven die ze anders had gebruikt om aan haar boek te werken. De voortgang was eruit. Ze had geen writer's block, maar had het gevoel hoog en droog op de oever te staan, terwijl de rivier van de creativiteit buiten haar bereik voortdenderde.

Omdat Ryan nu minder vaak bij haar was, kon ze meer tijd aan het schrijven besteden. Ze pakte de draad weer op, en het kwam Ryan goed uit dat ze weer de drive kreeg met haar boek verder te gaan. Want als ze goed kon werken en opschoot, ging ze er helemaal in op en kreeg ze niet zo snel in de gaten dat ze eigenlijk weinig meer met hem samen deed.

Elke week of tien dagen liet Ryan zich per limo naar dr. Hobb in Beverly Hills brengen, die de toestand van zijn hart zo goed mogelijk in de gaten wilde houden. Met elk bezoek raakte Ryan er meer van overtuigd dat hij er goed aan had gedaan om zich tot deze gedreven man te wenden.

Een paar bijwerkingen speelden Ryan parten, maar hij had geen last meer van pijn op de borst, hartritmestoornissen of ademhalingsproblemen. Dit zag hij als een bewijs dat hij bij Hobb in goede handen was, en dat hij er goed aan had gedaan een andere specialist te zoeken, zonder anderen daarin te kennen, want sommigen daarvan wensten hem misschien toch niets goeds toe.

Op 14 januari, om vijf uur 's ochtends, kreeg hij het langverwachte telefoontje. Er was een hart voor hem beschikbaar.

Ryan had al vaak op lijstjes gestaan: in *Forbes*, in de top honderd van de meest succesvolle internetondernemers, in *Wired*, in de top twintig van meest creatieve geesten van het web, in *People*, in de top honderd van populairste singles. Maar nu stond hij boven aan de enige lijst die er iets toe deed.

Na maandenlang gewacht te hebben, kon hij eindelijk in actie komen. Tijd was meer dan ooit van doorslaggevend belang.

De donor was hersendood verklaard, en het lichaam zou in leven gehouden worden tot Ryan in het ziekenhuis was en alle voorbereidingen voor de operatie getroffen waren. Als het hart niet urenlang op vier graden Celsius in een zoutoplossing bewaard hoefde te worden, als het niet vervoerd hoefde te worden, als het hart verwijderd kon worden door hetzelfde team dat het onmiddellijk daarna in de ontvanger kon overplaatsen, was er een aanzienlijk grotere kans op succes.

Toch kon er nog van alles misgaan. Afhankelijk van de verwonding of de ziekte die tot zijn hersendood had geleid, kon de persoon in kwestie nog steeds een hartaanval krijgen, waarbij de hartspier zo ernstig beschadigd kon worden dat een transplantatie geen enkele zin had. Als de nieren of de lever of andere inwendige organen geïnfecteerd waren geraakt zonder dat dat was opgemerkt, kon dat tot bloedvergiftiging leiden, of zelfs tot een septische shock en ernstige weefselbeschadiging. De apparatuur waarmee het slachtoffer in leven werd gehouden, kon kapotgaan. De stroom kon uitvallen.

Ryan dacht liever niet na over wat er allemaal mis kon gaan. Gezien zijn lichamelijke klachten was het beter stress zo veel mogelijk te vermijden. Nog geen derde van het jaar dat dr. Gupta hem had gegeven, was nu verstreken, maar dat jaar was natuurlijk maar een schatting, geen zekerheid. Zijn hart kon hem elk moment in de steek laten, en dan zou hij geen kandidaat voor een harttransplantatie zijn, maar een donor, en zouden zijn hoornvliezen en zijn longen en zijn lever en zijn nieren uit hem worden gesneden, zodat anderen daar weer baat bij konden hebben.

Meteen na het bewuste telefoontje belde hij Samantha op, vurig hopend dat ze niet zou opnemen. Hij wilde haar liever niet rechtstreeks spreken, want dan moest hij haar vragen beantwoorden, en zou hij de teleurstelling in haar stem horen, of de angst voor wat hem te wachten stond, ook al zou ze proberen niets van haar emoties te laten merken.

Sam was bezig met de laatste hoofdstukken van haar boek; ze werkte 's avonds vaak door en ging pas na twaalven naar bed. Ryan hoopte dat ze de telefoon had uitgeschakeld en dat hij haar voicemail kreeg, wat inderdaad het geval was.

Zelfs haar vlak uitgesproken 'sorry, ik kan je niet te woord staan' sneed hem door de ziel. Het klonk alledaags en pijnlijk tegelijk. Hij vroeg zich af of hij haar stem ooit nog zou horen, haar ooit weer zou zien.

'Sam, ik hou van je, meer dan ik je kan zeggen. Hoor eens, ik ben net gebeld. Ze hebben een hart voor me. Ik neem het vliegtuig. Ik heb afgesproken dat dr. Hobb en zijn medewerkers de operatie zullen uitvoeren. Ik heb jou daar niets over verteld, omdat je dat misschien paranoïde van me zou vinden, maar dat ben ik volgens mij niet, Sam. Ik denk dat ik juist hebt gehandeld. Misschien heb ik wat vreemd gereageerd nadat ze de diagnose hadden gesteld, misschien ben ik een beetje gek geworden, en misschien komt dat door de medicijnen die ik slik, maar volgens mij is dat allemaal niet zo. Maar goed, dat bekijk ik wel wanneer ik weer beter ben, wanneer ik weer terug ben, als ik het haal. Sam, Sam, mijn god, Sam, ik wou dat je bij me was, ik wou dat je bij me kon zijn, maar niet als ik sterf, en dat is niet ondenkbaar, die kans zit er wel in. Daarom is het beter dat je niet meegaat. Wat ik graag wil, ongeacht wat er verder nog gebeurt, is dat je je roman afmaakt, dat het een bestseller wordt, en dat je altijd gelukkig zult zijn, want dat verdien je gewoon. Misschien kun je het boek aan mij opdragen. Of nee, dat neem ik terug. Zulke dingen moet ik niet vragen. Draag het maar op aan wie dan ook, aan een of andere sukkel die het totaal niet verdiend heeft, als je dat wilt. Maar als het boek ook maar een beetje over liefde gaat, Sam, en als ik jou zo ken, denk ik dat dat het geval is, als het ook maar een beetje over liefde gaat, kun je ze misschien vertellen dat je in elk geval een beetje over dat onderwerp van mij hebt geleerd. Alles wat ik erover weet, heb ik van jou. Ik bel je zo snel mogelijk. Tot spoedig, Sam. Lieve, lieve Sam.'

30

Ryan had zijn koffer al weken geleden gepakt. Om 5.45 uur stapte hij ermee in de lift, zoefde naar beneden en liep ermee door de ruime, stille kamers naar de voordeur.

Dit was zijn droomhuis, en hij had er ontzettend veel tijd en energie in gestoken. Hij vond het een heerlijk huis. Maar hij nam er geen afscheid van, keek niet een laatste keer met weemoed om. Want uiteindelijk deed het huis er niet zo veel toe.

Op dit tijdstip lag het huishoudelijk personeel nog te slapen, net als de mensen die de tuin onderhielden. Buiten was het donker, want de zon was nog niet op. De stilte in de buurt werd verstoord door het holle gekrijs van een uil en de draaiende motor van de ambulance die op de oprijlaan stond te wachten.

Dr. Hobb had een bestelbusachtige ambulance laten komen. Van Ryan had hij de toegangscode gekregen, en die had hij telefonisch doorgegeven aan de bewaker, zodat de poort openging toen de ziekenauto aankwam.

Iemand van het ambulancepersoneel stond al bij de voordeur op hem te wachten. De man stond erop de koffer voor Ryan te dragen.

Nadat hij die achter in de ambulance had gelegd en Ryan had helpen instappen, zei hij: 'Wat hebt u liever: dat ik bij u blijf, of dat ik voor in de auto bij mijn collega ga zitten?'

'Ik red me hier wel alleen, hoor,' verzekerde Ryan hem. 'Ik loop niet direct gevaar.'

Hij ging op zijn rug op de verrijdbare brancard liggen en wachtte tot hij naar het vliegveld gebracht zou worden.

Om hem heen stonden opbergkastjes, een zuurstofapparaat, een hartmonitor, twee zuurstofflessen en andere apparatuur, wat hem eens temeer met de neus op de feiten drukte. Zijn wereld zou de eerstkomende tijd begrensd worden door de muren van het ziekenhuis.

Binnen niet al te lange tijd zou dr. Hobb door Ryans borstbeen zagen, zijn borstkas openen, het verzwakte hart verwijderen terwijl een machine zijn bloed rondpompte, en dan zou Ryan het hart van een liefdevolle onbekende ontvangen.

Zijn angst zakte geleidelijk af. Hij had zich tijdenlang hulpeloos gevoeld, ten prooi aan de grillen van het lot. Eindelijk kon er positieve actie ondernomen worden. We zijn niet op de wereld om te wachten op wat komen gaat. We zijn op de wereld om actie te ondernemen.

De chauffeur schakelde het zwaailicht in om het overige verkeer te manen aan de kant te gaan. Op dit tijdstip was het niet druk op de snelweg en zou het niet nodig zijn om de sirene aan te zetten.

Zelf had Ryan altijd een pittige rijstijl gehad, maar hij had nog nooit met iemand meegereden die zo hard ging als deze chauffeur, en het was ook nog niet zo vaak voorgekomen dat hij als passagier in horizontale positie verkeerde. Het voortdenderende geluid van de wielen klonk hem als muziek in de oren, want het deed hem aan het geraas van de branding denken, en ook vond hij het fluiten van de wind heerlijk, veroorzaakt doordat de ambulance zo hard reed, een geluid dat niets weg had van het gekrijs van een boze geest of het geloei van een alarm, maar dat bijna als een slaapliedje klonk.

Toen ze in de buurt van het vliegveld kwamen, schoot het hem te binnen dat hij zijn vader noch zijn moeder had gebeld. Eigenlijk was hij dat wel van plan geweest.

Hij had hen niet van de diagnose op de hoogte gesteld en zag ertegen op ze nu nog te bellen, vooral omdat het nog zo vroeg was, want zijn moeder zou chagrijnig reageren, en zijn vader zou het allemaal alleen maar stom vinden, en geen van tweeën zouden ze anders kunnen of willen reageren.

Bovendien hadden ze niets te melden wat hem interesseerde, en daarentegen veel te vertellen waar hij geen enkele boodschap aan had.

Hij had hen vrijgevig in zijn testament bedacht, voor het geval hem iets mocht overkomen. Met het geld zouden ze er de rest van hun leven warmpjes bij zitten, zodat ze waarschijnlijk nog meer dan nu geheel in zichzelf zouden opgaan.

Hij koesterde geen wrok jegens hen. Ze hadden nooit van hem gehouden, maar aan de andere kant hadden ze hem ook nooit geslagen. Hoewel ze niet in staat waren om iemand lief te hebben, waren ze wel degelijk in staat om erop los te slaan, dus daarom hadden ze wat dat betreft wel wat respect verdiend. Wat ze zichzelf hadden aangedaan was erger dan wat ze hem hadden aangedaan.

Emotioneel zou het hem veel minder moeite kosten om afscheid te nemen van zijn ouders dan van zijn huis.

Ze reden naar Long Beach Airport, want het zou te veel tijd

gekost hebben om een spoedvlucht vanuit LAX te regelen.

In het ochtendgloren zag Ryan de Medi-jet op de startbaan staan. Het toestel leek groter dan het zakenvliegtuig dat Ryan van plan was geweest te gebruiken. Dr. Hobb had gekozen voor dit toestel, omdat het plaats bood aan zowel zijn medewerkers als een groot aantal vrienden en familieleden van de patiënt. Ryan had alleen de herinnering aan Samantha, die hij koesterde en waar hij veel kracht uit putte.

Bovendien was de Medi-jet uitgerust met medische apparatuur die onderweg van nut kon zijn, en het toestel beschikte over de mogelijkheid om patiënten te vervoeren die bedlegerig waren of in andere opzichten een speciale behandeling nodig hadden.

Drie ambulances, waarmee dr. Hobb en zijn medewerkers vanuit diverse plekken in en rond Los Angeles waren opgehaald, stonden naast elkaar bij het vliegtuig. Alle bagage werd aan boord van het vliegtuig gebracht.

Toen zijn koffer door iemand van het ambulancepersoneel naar de steward van de Medi-jet werd gebracht, bleef Ryan even staan. Hij tuurde naar het oosten en genoot van de roze, turkooizen en perzikkleurige kleurenpracht van de opgaande zon.

Toen betrad hij het vliegtuig, waarmee hij zijn wedergeboorte of zijn dood tegemoet zou gaan.

31

Ryan liep in een gele gloed, en geel knarste onder zijn schoenen, en de vervloeiende gele gloed van een herfstzonnetje verwarmde zijn huid.

In de gele verte riep iemand zachtjes zijn naam. De stem

kwam hem bekend voor. Hij kon zo gauw niet bedenken wie het was, maar hij vond het fijn om de stem te horen.

Hij liep een lange tijd van het geel in het geel. Dat er weinig variatie was, deerde hem niet, en ook vond hij het niet erg dat hij niet wist waar hij naartoe ging. En toen lag hij ineens op een zwarte bank, op zijn rug. Hij lag lekker, ondanks het feit dat de bank van ijzer was. Boven hem strekte zich een geel bladerdak uit, en om hem heen was een geel tapijt uitgespreid.

Toen hij inademde, ontdekte hij wat voor geur het geel had, en toen hij uitademde, vond hij het jammer om het geel uit zijn longen te laten ontsnappen.

Langzaamaan merkte hij dat iemand over hem heen gebogen stond, die zijn rechterhand vasthield en zijn pols nam.

Een oogverblindende gele zon priemde op honderden plekken door het bladerdak van gele espenbladeren. Het geel werd door het geel gepolijst tot een feller, nog helderder geel, waartegen de persoon die bij hem was donker afstak, en tegelijkertijd werd dezelfde persoon door een vage gele lichtkrans omgeven. Omdat Ryan geen details kon zien, wist hij niet wie degene was die bij hem stond.

Hij nam aan dat degene die zijn pols nam, dezelfde was die hem in het schitterende geel had geroepen, en een tijdje bleef hij rustig liggen, in een gelukzalige toestand, omdat hij wist dat deze persoon van hem hield.

Toen hij later zijn dankbaarheid wilde uiten, merkte hij dat hij geen woord kon uitbrengen, en dat deed hem denken aan zijn ontmoeting met William Holden, aan de oever van het donkere meer, toen hij ook niet in staat was iets te zeggen.

Plotseling kwam het hem voor dat de ander zich niet door de gele stralenkrans liet tooien, maar dat die persoon zich juist in het felle licht verborgen hield, en dat het een sluwe, berekenende figuur was, helemaal geen liefhebbende persoon maar eigenlijk de duistere gedaante die hij aan de andere kant van het meer had waargenomen en aan wie hij zich zou hebben overgeleverd als meneer Holden hem niet tijdig had gewaarschuwd.

De duim en de twee vingers die zijn pols opnamen, voelden koud aan, ijskoud, hoewel dat een ogenblik geleden nog niet zo was, en ze hielden hem hardhandiger vast dan eerst, ze knépen hem, en de vorm van een hoofd boog zich in de gele gloed naar hem toe, een gezicht, een gezicht, maar een gezicht dat uitsluitend bestond uit een opengesperde, hongerige muil...

Met een verstikte kreet greep Ryan zich aan de bedreling van het ziekenhuisbed vast en ging rechtop zitten, in een schemerige kamer waar de scherpe dennengeur van een schoonmaakmiddel hing.

De lakens en dekens roken naar bleekmiddel en wasverzachter. Ze kraakten en voelden gesteven aan.

In een verlicht hoekje van de kamer zat een man, die het boek weglegde dat hij aan het lezen was en overeind kwam. Hij droeg een witte broek en een wit shirt.

De voet van de lamp en de lampenkap glommen, roestvrij staal of glanzend nikkel. De vinyl bekleding van de stoel flonkerde als een plak avocado die met olijfolie besprenkeld was.

Alles in de kamer leek gelakt of nat te zijn: de blinkende witte tegels op de grond, de glimmende blauwe nachtkastjes, en ook de geverfde muren glommen als parelmoer.

Zelfs de schaduwen hadden een harde glans, alsof ze uit rookglas bestonden. Ryan begreep dat deze alomtegenwoordige glans veroorzaakt werd door de pijnstiller die hij toegediend had gekregen.

Hij had het gevoel dat hij volledig bij kennis was, dat hij een heldere, scherpe blik had en dat hij meer dan ooit de dingen doorzag, maar de toverachtige glans waarmee alles omgeven was deed vermoeden dat hij onder invloed van medicijnen was. Zo gauw hij zijn hoofd weer op het kussen legde, zou hij in slaap vallen.

Hij voelde zich hulpeloos en in gevaar.

Een troebele, ongastvrije chroomgele duisternis verdrong zich achter het raam, kenmerkend voor elke willekeurige grote stad bij nacht.

'Naar gedroomd?' vroeg de verpleegkundige.

Wally. Wally Dunnaman. Een van de zeven medewerkers van dr. Hobb. Hij was degene die Ryans borst en buik had geschoren.

'Ik heb een droge keel,' zei Ryan.

'De dokter wil liever niet dat u veel drinkt, omdat u morgenochtend wordt geopereerd. Ik kan u wel wat ijsschaafsel geven, dat u op uw tong kunt laten smelten.'

'Oké.'

Wally maakte de thermoskan open die op het nachtkastje stond en haalde er met een lange lepel – die blonk als zilver – een stukje ijs uit, fonkelend ijs, dat hij in Ryans mond liet glijden.

Nadat hij zijn patiënt drie flintertjes ijs had gegeven, deed hij de kan weer dicht en legde hij de lepel weg.

Wally Dunnaman nam Ryans pols en keek daarbij op zijn horloge.

De man was niet de liefdevolle verschijning geweest die hij in zijn gele droom had gezien, noch de met haat vervulde gestalte. Niets in dit vertrek, in dit ziekenhuis, had iets met de droom te maken.

Wally liet Ryans pols los en zei: 'U kunt maar beter gaan slapen.'

Ryan voelde dat de werkelijkheid van zijn droom overeenkwam met de werkelijkheid van dit vertrek, al kon hij niet goed uitleggen hoe dat zat. De ene werkelijkheid stond niet boven de andere. Hij voelde diep vanbinnen dat dat waar was, hoewel hij er niets van begreep.

'Probeert u maar wat te slapen,' zei Wally.

Als slaap een kleine dood was, zoals een dichter het ooit had verwoord, zou dat bij deze slaap meer dan ooit het geval zijn. Hij wilde er niet aan toegeven.

Toch liet hij zijn hoofd in het kussen zakken, en hij was niet in staat zich weer op te richten.

Hulpeloos en in gevaar.

Hij had een fout gemaakt. Hij snapte niet goed waar hem dat in zat, maar hij voelde dat het gewicht ervan op hem drukte.

Terwijl hij zijn best deed zijn ogen open te houden, kreeg elk glanzend oppervlak een intense gloed en begon oogverblindend te schitteren.

Klokken. De klokken die voorspeld waren. Die klokken.

Beierende klokken, traag en zwaar, een ernstige monodie van klokken haalde Ryan uit zijn slaap.

Eerst dacht hij dat hij ze in zijn droom had gehoord, maar het kabaal hield aan toen hij de bedreling met beide handen omklemde en probeerde overeind te komen.

De duisternis had de wereld achter het raam nog steeds in haar greep, en de verpleegkundige stond aan deze kant van het glas, keek naar buiten, omlaag, naar de golven van geluid die omhoogzweefden.

Enorme zware klokken deden de lucht trillen, alsof ze de avond wilden slopen. Er lag een weemoedige dreiging in verscholen.

Ryan zei een paar keer iets voordat Wally Dunnaman hem hoorde en zich naar het bed omdraaide. De man zei met stemverheffing: 'Hiertegenover staat een kerk.'

Toen Ryan deze kamer werd binnengeleid, had hij de kerk gezien. De klokkentoren was nog hoger dan deze kamer, die op de derde verdieping lag.

'Om deze tijd horen de klokken helemaal niet te luiden,' zei Wally. 'En zeker niet zo hard. Er brandt niet eens licht in de kerk.'

De vreemde glanzende schaduwen leken door het gebeier te trillen en te kreunen en te steunen. Het was een hels, aanhoudend kabaal.

Ryan werd bang van het lawaai. De ramen en muren en zijn botten trilden ervan. Het geluid perste zich door zijn bloed en was er de oorzaak van dat zijn hart met mokerslagen begon te bonken. Dit opgezwollen hart was nog van hem, door ziekte aangetast, en hij was bang dat het door dit donderende klokkengeweld zou bezwijken.

Hij dacht aan de woorden die bij het ontwaken bij hem op waren gekomen: *Klokken. De klokken die voorspeld waren. Die klokken.*

Wanneer voorspeld, en door wie? En welke betekenis zat hierachter?

Die vragen zou hij in elk geval voor een deel kunnen beantwoorden, dacht hij, als hij niet meer gehinderd werd door het slaapmiddel, dat zijn bloed vervuilde en zijn geest vertroebelde.

Daardoor glansde elk oppervlak en elke schaduw in de kamer zo intens. Bovendien had hij last van synesthesie: hij hoorde het klokgelui niet alleen, maar rook het ook. De geur van ijzerhydroxide, ijzeroxide, oftewel roest, spoelde in bittere golven over het bed.

Door het ononderbroken klokgebeier, massa's klokken die door elkaar heen klonken, verloor Ryan elk besef van tijd, en hij kreeg het gevoel dat hij op het punt stond zijn verstand te verliezen.

Uiteindelijk zei Wally Dunnaman met stemverheffing, om boven het kabaal uit te komen: 'Een politieauto beneden. Ah, en nog een!'

Onder de druk van de dreunende klokken liet Ryan zijn hoofd weer in het kussen vallen.

Hij was hulpeloos en in gevaar, gevaar, gevaar.

Wanhopig en ongericht probeerde hij greep te krijgen op zijn gedachten, die in flarden door zijn hoofd tolden, als potscherven waarvan hij één geheel probeerde te maken. Er was iets vreselijk fout gegaan, iets wat hij nog kon goedmaken, als hij eerst maar wist waar het om ging.

De klokken klonken nu niet meer zo agressief. Hun blinde woede zakte af tot boosheid, boosheid tot weerbarstigheid, en weerbarstigheid tot een laatste langgerekte kreun, die klonk alsof er een grote zware deur met verroeste scharnieren dichtsloeg.

Nu de klokken zwegen en het leek of hij door het slaapmiddel een fluwelen deken over zich heen kreeg, voelde Ryan tranen over zijn wangen glijden. Hij likte het zoute vocht op dat zich in zijn mondhoek verzamelde. Hij had de kracht niet om zijn tranen weg te vegen, en terwijl hij zichzelf zachtjes in slaap huilde, had hij niet meer de tegenwoordigheid van geest om zich daarvoor te schamen of zich erover te verwonderen.

Toen Ryan vlak na zonsopgang op een brancard naar de operatiekamer werd gereden, was hij klaarwakker en bang, maar hij legde zich neer bij de beslissing die hij had genomen.

De operatiekamer, die uit witte porseleinen tegels en roestvrij staal leek te bestaan, baadde in het licht.

Dr. Hobb betrad het vertrek in het gezelschap van zijn medewerkers, met uitzondering van Wally Dunnaman, die bij de operatie geen rol vervulde. Er was een anesthesist aanwezig, plus drie ok-verpleegkundigen, een chirurgassistent, en twee anderen, van wie Ryan zich de specialisatie en functie niet voor de geest kon halen.

Hij had alle medewerkers in de Medi-jet ontmoet en vond ze stuk voor stuk aardig, voor zover het mogelijk was mensen aardig te vinden die je open gingen zagen en vrolijk met je inwendige organen in de weer gingen alsof het om de vulling van een kerstkalkoen ging. Het was alleen maar logisch dat er enige afstand bestond tussen degenen die het mes hanteerden en degene die onder het mes ging.

Hobb was de enige die Ryan herkende; door de mutsen en groene operatiejassen en mondkapjes was het moeilijk te zien wie wie was. Voor hetzelfde geld waren het dubbelgangers, die tegen betaling de plaats van het oorspronkelijke team hadden ingenomen.

Nadat de anesthesist een ader in Ryans rechterarm had gevonden en een canule had ingebracht, vertelde dr. Hobb dat het donorhart net met succes was verwijderd en in een gekoelde zoutoplossing werd bewaard.

In de Medi-jet had Ryan te horen gekregen dat hij een vrouwenhart zou krijgen. Hij moest even wennen aan dat idee. Ze was zesentwintig, een onderwijzeres die een auto-ongeluk had gehad en aan ernstige hoofdwonden was overleden.

Haar hart had de juiste maat voor Ryan. Ook de immunologische factoren waren gunstig, wat de kans vergrootte dat alles goed zou gaan, niet alleen tijdens de operatie maar ook daarna. Zijn lichaam zou minder geneigd zijn het nieuwe orgaan af te stoten.

Om de kans op afstoting en andere complicaties zo klein mogelijk te maken, zou hij na de operatie achtentwintig medicijnen krijgen, die hij gedurende lange tijd moest blijven slikken. Van sommige zou hij zijn hele leven niet meer afkomen.

Terwijl Ryan voor de operatie in gereedheid werd gebracht, legde dr. Hobb het doel van de verschillende procedures uit, maar Ryan vond het niet nodig met zachte hand naar het begin van de operatie te worden geleid. Hij kon nu niet meer terug. Het begeerde hart was vrij, de donor was dood, en er voerde maar één pad naar de toekomst.

Hij deed zijn ogen dicht, sloot zich af voor het gemompel van het operatiepersoneel en probeerde zich Samantha Reach voor de geest te halen. Al vanaf zijn puberteit was hij op zoek naar perfectie, en die had hij nog maar één keer gezien – in haar.

Hij hoopte dat ze ook zo perfect was dat ze hem kon vergeven, hoewel hij wist dat het nog een hele klus zou worden om te bedenken hoe hij moest beginnen wanneer hij haar zou opbellen, wanneer hij weer voldoende aangesterkt en helder van geest was om te praten.

Met gesloten ogen zag hij haar op het strand, blonde haren en een gouden figuurtje, trillend licht, een verlokkelijke oase op de brede, zonovergoten zandvlakte.

Toen de slaap hem overmande, gleed hij weg in een zee, en de duisternis werd zwarter dan het diepste donker.

DEEL TWEE

Now comes the evening of the mind.
Here are the fireflies twitching in the blood.
DONALD JUSTICE, 'The Evening of the Mind'

32

Dat het een jaar geleden was dat hij een harttransplantatie had ondergaan, vond Ryan Perry geen reden om een feestje te houden. Dat hij nog leefde, was feestelijk genoeg.

'sMorgens werkte hij in z'n eentje in de garage en voerde wat onderhoudswerkzaamheden uit aan een glanzende Five Window Deuce Coupé uit 1932 die hij op een veiling had gekocht.

'sMiddags nestelde hij zich in een fauteuil met voetenbankje, in de kleinste van de twee woonkamers, en las verder in de eerste roman van Samantha.

De kamer was als solarium ingericht en paste qua sfeer perfect bij het boek. Hoge ramen boden uitzicht op een hemel van dons, een slap kussen dat was gevuld met de zachte vochtige veertjes van grauwe ganzen. De ragfijne regen vormde mistflarden, die aan bomen en struiken bleven hangen.

De palmbomen en varens die in de kamer stonden, wierpen webachtige patronen op de kalkstenen vloer. Het rook naar bladeren en vruchtbare aarde, wat over het algemeen aangenaam was, hoewel er van tijd tot tijd een lichte stank hing, misschien van rottende mosplantjes of wortels. Vreemd genoeg stonk het alleen maar wanneer hij passages in het boek las die hem zeer aangrepen.

Ze bediende zich in haar boek van een mild soort humor, en een van haar centrale thema's bleek de liefde te zijn, wat hij al had voorspeld toen hij het lange bericht op haar voicemail achterliet, voordat hij geopereerd zou worden. Toch sneed ze in het verhaal ook ernstige thema's aan, en het geheel dat ze had gefabriceerd, leek duisterder dan de elementen waaruit het was opgebouwd.

Ryan ging helemaal op in het boek, en hoewel het vlot en helder geschreven was, racete hij niet door het boek, maar proefde elke zin. Dit was de tweede keer binnen vier dagen dat hij het boek las.

Winston Amory duwde een trolley voor zich uit, met daarop een zilveren koffiekan die met een waxinelichtje op temperatuur gehouden werd, en een klein schaaltje met amandelkoekjes erbij.

'Omdat u niet aan de tafel zat, meneer, ben ik zo vrij geweest aan te nemen dat u liever een beker dan een kopje zou willen.'

'Uitstekend, Winston. Dank je.'

Nadat hij koffie had ingeschonken, zette Winston een dienblad met de beker op het tafeltje naast Ryan neer.

Verwijzend naar zijn vrouw zei Winston: 'Penelope zou graag weten of u de maaltijd zoals gewoonlijk om zeven uur wilt gebruiken.'

'Doe vanavond maar iets later. Acht uur zou helemaal geweldig zijn.'

'Dan maken we er acht uur van, meneer.' Hij knikte even, zijn gebruikelijke ingehouden buiging, en verliet vervolgens met rechte rug en schouders het vertrek.

Winston voerde het bewind over het huis en stuurde het huishoudelijk personeel zeer professioneel en beleefd aan, maar Ryan verdacht hem en Penelope ervan hun Engelse afkomst ietwat te overdrijven, van hun accent tot hun maniertjes en hun fanatieke hang naar correcte omgangsvormen en protocollen. In voorgaande betrekkingen hadden ze gemerkt dat Amerikanen hier zeer gecharmeerd van waren. Ryan stoorde zich zo nu en dan aan hun manier van doen, maar meestal vond hij het vermakelijk, en al met al was het de moeite waard, want ze deden hun werk buitengewoon goed, en hij vertrouwde hen voor honderd procent.

Vlak na de operatie, voordat hij naar huis kwam om te revalideren, had hij Lee en Kay Ting ontslagen, samen met de rest van het huishoudelijk personeel. Ze hadden allen twee jaar loon meegekregen, een regeling die geen enkele klacht had opgeleverd. Bovendien had hij ieder van hen een aanbevelingsbrief meegegeven. Hij had niet gezegd waarom hij iedereen de laan uit stuurde.

Hij had geen enkele aanwijzing dat ze hem verraden hadden, maar ook geen bewijs dat hen helemaal vrijpleitte. Hij had in alle rust en veiligheid thuis willen komen.

Wilson Mott had zo'n uitvoerig rapport geschreven over Winston en Penelope Amory, en over de andere nieuwe werknemers, dat Ryan het gevoel had alsof hij hen van haver tot gort kende. Hij koesterde geen wantrouwen tegenover hen, en ze gaven hem geen enkele aanleiding om te twijfelen aan hun trouw. Het jaar was zonder vreemde incidenten voorbijgegaan.

Nu hij voorzien was van koffie en koekjes, ging hij weer zo op in Sams roman dat hij alle besef van tijd verloor, en toen hij aan het eind van een hoofdstuk opkeek, merkte hij dat het daglicht in deze vroege wintermaand taande, en dat de schemering het schamele restje van de regenachtige, mistige dag opslokte.

Als hij een paar minuten later van zijn boek had opgekeken, had hij misschien niet de gestalte gezien die zich aan de zuidkant van het huis op het gazon ophield.

Aanvankelijk dacht hij dat het om een schaduw van mistflarden ging, omdat het op een monnik leek die een pij met capuchon droeg, terwijl er in de wijde omtrek geen klooster te bekennen was.

Toen hij beter keek, zag hij dat het geen pij maar een zwarte regenjas was. Door de capuchon en de schemering, en de afstand van meer dan tien meter, ving hij niet meer dan een glimp van het bleke gelaat op.

De bezoeker – het woord *indringer* leek hier meer op z'n

plaats – keek kennelijk naar het hoge raam waarachter Ryan zich in zijn fauteuil verschanst had.

Toen hij zijn boek weglegde en uit zijn stoel overeind kwam om naar het raam te gaan, kwam de gedaante in beweging. Tegen de tijd dat Ryan bij het raam stond, was er geen spoor meer van de indringer te zien.

Het enige wat buiten in de motregen bewoog, waren de mistflarden die als reuzenslangen over het gazon voortkropen.

Omdat er het afgelopen jaar niets bijzonders was gebeurd, was Ryan geneigd het visioen af te doen als een zinsbegoocheling, veroorzaakt door het schemerdonker.

Maar toen dook de gedaante weer op, tussen de drie Himalajaceders, die met hun hangende takken deden denken aan reusachtige monniken die stonden te wachten tot er een plechtige ceremonie zou beginnen. Langzaam kwam de gestalte uit het duister tevoorschijn en bleef toen staan, weer met het gezicht in de richting van het solarium gekeerd.

Het werd met de minuut donkerder, zodat het gezicht steeds minder goed te zien was, hoewel de indringer zich nu een paar meter dichter bij het huis had gewaagd.

Net toen Ryan besefte dat het misschien niet zo verstandig was om in het volle licht voor het raam te gaan staan, draaide de gestalte zich om en trok zich terug. De figuur leek niet te lopen maar over het gras te zweven, als uit donkere mist opgetrokken.

De troebele schemering ging door de mist en de regen al snel over in de nacht. De indringer liet zich niet meer zien.

Het tuinpersoneel werd op regendagen volledig doorbetaald, en had vandaag niet gewerkt. Maar het zou kunnen dat Henry Sorne, het hoofd van de hoveniers, toch even was komen kijken om de drainage van het gazon te controleren, want bij voorgaande stormen waren een paar buizen met blaadjes verstopt geraakt.

Henry Sorne was het niet. De contouren, de gracieuze

manier van bewegen in die zware jas, en ook de houding waarin de figuur naar hem had gekeken, gaven hem het stellige idee dat de indringer een vrouw was.

Penelope Amory en haar naaste medewerkster, Jordana, waren de enige vrouwen die bij Ryan in dienst waren. Geen van tweeën zouden ze een reden hebben om het gazon te gaan inspecteren, en de twee vrouwen leken hem er ook niet het type naar om op een regendag een eindje te gaan wandelen.

De tuin was ommuurd. De bronzen toegangspoort ging automatisch dicht wanneer je erdoor naar binnen was gereden, en kon niet per ongeluk open blijven staan. En niemand kon gemakkelijk over de muren of de hekken komen.

De twee toegangshekken voor voetgangers konden niet alleen vanuit het huis geopend worden, maar ook door het intoetsen van de juiste code op een paneeltje ter plekke. Het hek van de oprijlaan kon ook met een afstandsbediening worden bediend. Naast het personeel had maar één persoon ooit zo'n afstandsbediening gehad.

In het raam van het solarium zag Ryan nu alleen nog maar zijn eigen weerspiegeling. Hij fluisterde: 'Samantha?'

Na het eten nam Ryan het boek van Sam mee naar boven, met de bedoeling in bed nog een paar hoofdstukken te lezen, misschien tot hij in slaap viel, hoewel hij betwijfelde of hij van haar woorden slaperig zou worden, ook niet nu hij het boek voor de tweede keer las.

Zoals gewoonlijk had Penelope de quiltsprei afgehaald en de dekens teruggeslagen, en had op zijn verzoek een lampje aan gelaten.

Boven op zijn opgeschudde kussens lag een zakje van cellofaan, dat met een rood strikje was dichtgebonden. Er zat snoep in. Penelope deed zulke dingen nooit.

Dit was niet de traditionele pepermunt of de twee chocolaatjes die je in hotels vaak op je kussen aantrof. In het zakje zaten kleine witte hartjes, met in rode letters een korte romantische wens, snoepgoed dat alleen in de periode voor Valentijnsdag te koop was. Het duurde geen maand meer voor het Valentijnsdag werd.

Verbijsterd pakte Ryan het zakje van het kussen. Hij zag dat op alle hartjes dezelfde wens stond: WEES DE MIJNE.

Uit zijn jeugd wist hij dat er normaal gesproken diverse wensen op stonden, zoals JIJ BENT LIEF, KUS ME, en IK HOU VAN JOU.

Om een zak met snoepjes te vullen waar alleen WEES DE MIJNE op stond, zou je heel wat zakjes moeten kopen om een flinke hoeveelheid van die hartjes te verzamelen.

In de badkamer ging hij aan de toilettafel zitten, trok het strikje los, deed het zakje open en gooide de hartjes op het zwartgranieten blad. Op alle hartjes die met de spreuk omhooglagen, stond dezelfde wens.

Een voor een draaide hij de andere om, en steeds zag hij hetzelfde staan: WEES DE MIJNE.

Hij staarde verbijsterd naar de hartjes, meer dan honderd bij elkaar, en besloot er geen te proeven.

Hij stopte ze terug in het zakje, draaide het cellofaan dicht en deed het lintje er weer om.

Het was vast een cadeautje om te vieren dat het een jaar geleden was dat hij was geopereerd, maar hij snapte niet goed waarom juist die wens was uitgekozen. Hij mocht er niet van uitgaan dat het snoepgoed een onschuldig gebaar was dat met de beste bedoelingen gegeven was.

Hij maakte zijn blik los van de opvallende rode spreuken en keek in de spiegel, maar was niet in staat zijn eigen emoties te peilen.

33

Ryan zat in bed te lezen. Even over tweeën had hij Samantha's boek voor de tweede keer uit. Zo laat had hij het eigenlijk niet willen maken.

Een paar minuten lang keek hij naar de achterflap, waar de foto van de schrijfster op stond. Op foto's kwam ze nooit zo goed uit.

Hij legde het boek weg en liet zich in de kussens zakken.

Tot drie maanden na de operatie had hij veel last gehad van de bijwerkingen van de achtentwintig medicijnen die hij slikte, en zo nu en dan had hem dat zorgen gebaard. Maar nadat de doses waren aangepast en enkele medicijnen waren vervangen, herstelde hij zo snel dat dr. Hobb hem 'mijn superpatiënt' noemde.

Na een jaar was er nog geen enkele aanwijzing dat zijn lichaam het hart afstootte: hij had geen last van lusteloosheid, vermoeidheid, koorts, koude rillingen, duizeligheid, diarree of misselijkheid.

Myocardiale biopsie bleef de aangewezen manier om te controleren of het lichaam het hart al dan niet afstootte. Twee keer in het afgelopen jaar had Ryan de procedure poliklinisch ondergaan. In beide gevallen bleek het lichaam het nieuwe hart te accepteren.

Om in conditie te blijven, wandelde hij veel, kilometerslang. De afgelopen maanden gebruikte hij zijn hometrainer ook veel, en hij oefende met het tillen van lichte gewichten.

Hij was slank en voelde zich fit.

Aan zijn voorspoedige herstel te oordelen behoorde hij tot de kleine groep gelukkigen die van de harttransplantatie nauwelijks meer last hadden dan van een bloedtransfusie. Het grootste risico vormde de toegenomen bevattelijkheid voor ziektes, omdat hij immunosuppressiva slikte.

Toch had hij een kentering verwacht, een omslag van het tij, het aanbreken van een onbekende, duistere tijd. De gebeurtenissen die voor de harttransplantatie hadden plaatsgevonden, leken nog niet afgesloten te zijn.

Nu had hij dus snoephartjes gekregen, met een simpele en toch cryptische spreuk erop. En hij had iemand in de regen op het gras zien lopen.

Hij dimde het lampje naast zijn bed. Zelfs nu er een jaar weinig bijzonders gebeurd was, liet hij 's nachts liever een lichtje branden.

Zijn suite had twee balkons. Beide balkondeuren waren acht centimeter dik, met staaldraad verstevigd, en voorzien van dubbele veiligheidssloten. Als het alarm was ingeschakeld, konden ze niet worden geopend zonder dat er een sirene ging loeien.

De trap in huis leidde van de eerste verdieping omhoog naar een overloop, waar ook de lift op uitkwam. Op de deur van de suite zat een veiligheidsslot dat alleen van binnenuit open- en dichtgedaan kon worden.

Als insluipers zich toegang tot het huis hadden verschaft voordat het alarm werd ingeschakeld, konden ze toch niet in de suite komen.

In een verborgen kluis in zijn inloopkast bewaarde Ryan een 9mm-pistool en een doos met munitie. Vanavond, voordat hij naar bed ging, had hij het pistool geladen. Het wapen lag nu in zijn nachtkastje, in een laatje dat een eindje openstond.

Hij had het allemaal op een rijtje. Dat hij in de maanden voor zijn harttransplantatie bang was geweest dat er een complot tegen hem gaande was, kwam niet doordat hij in de war was omdat het bloed niet snel genoeg door zijn lichaam werd gepompt, en ook niet door de bijwerkingen van de medicijnen, maar was te wijten aan het feit dat hij zijn hele leven lang al wantrouwend jegens anderen was geweest. Wanneer je er al op jonge leeftijd achter kwam dat je je ouders niet kon vertrouwen, werd wantrouwen een integraal onderdeel van je levenshouding.

Als dat waar was, moest hij proberen niet toe te geven aan weer een aanval van paranoia. Misschien moest hij daarom eerst maar het pistool in de kluis terugleggen en daar niet tot de volgende dag mee wachten.

Toch liet hij het wapen in het laatje liggen.

Er klonken geen onverwachte klopgeluiden. Met zijn rechteroor op het kussen hoorde Ryan zijn goed werkende hart traag en gestaag bonzen.

Hij sliep in en werd niet door dromen geplaagd.

Hij werd de volgende morgen laat wakker, en via de intercom liet hij mevrouw Amory weten dat hij de lunch om 13.00 uur in het solarium wilde gebruiken.

Nadat hij zich had gedoucht, geschoren en aangekleed, borg hij het pistool en het zakje met snoephartjes in de verborgen muurkluis op.

De storm van de vorige avond was overgewaaid. Maar vanuit het noordwesten kwam een nieuw front opzetten. In de loop van de middag werd regen verwacht.

Toen Penelope hem zijn lunch in het solarium kwam brengen, vroeg Ryan of zij de vorige avond snoep op zijn kussen had gelegd. Hij vertelde er niet bij dat het hartjes waren.

Ze mocht haar Engelse maniertjes dan goed kunnen aanzetten zonder ooit uit haar rol te vallen, toch leek ze niet het type dat met een stalen gezicht een leugen kon vertellen zonder dat het op de een of andere manier te zien was. Ze leek door de vraag in verwarring gebracht, en net zo ontsteld als Ryan bij het idee dat iemand in zijn eigen huis als een hotelgast zou worden behandeld.

Na de lunch, toen ze terugkwam om af te ruimen, zei ze dat ze het snoepincident met Jordana en Winston had besproken, en dat ze tamelijk zeker durfde te stellen dat ze geen van beiden verantwoordelijk waren geweest voor dit misschien goedbedoelde maar onvergeeflijke voorval. Ze had niet met Ricardo gepraat, het hulpje van Winston, omdat hij de vorige dag vrij was geweest en het dus niet gedaan kon hebben.

Er was wel een onderhoudsmonteur langs geweest die op de tweede verdieping de filters van de airco had vervangen. En er was een monteur geweest die de koelkast in zijn slaapkamer had gerepareerd. Mevrouw Amory zou graag van hem vernemen of ze contact moest opnemen om hen nader aan de tand te voelen.

De doordringende blik die in haar grijze ogen lag, en de manier waarop ze haar lippen op elkaar perste, deden vermoeden dat ze dit incident als een ondermijning van haar gezag en als een persoonlijke belediging opvatte, en dat ze het misbaksel dat hiervoor verantwoordelijk was, hoogstpersoonlijk tot aan de poorten van de hel zou opjagen en hem zo stevig de oren zou wassen dat hij nog liever in de vlammen van de verdoemenis geworpen zou worden.

'Het is in je te prijzen,' zei Ryan sussend, 'dat je er zo op gebrand bent een verklaring te zoeken. Maar zo belangrijk is het nou ook weer niet, Penelope. Als het maar binnen deze muren blijft. Het is vast als grapje bedoeld, meer niet.'

'U kunt gerust van me aannemen dat ik die heren de volgende keer geen moment uit het oog zal verliezen,' zei ze.

'Dat neem ik zonder meer van je aan,' zei hij. 'Zonder meer.'

Toen ze hem alleen had gelaten, ging hij weer in zijn lievelingsstoel zitten en sloeg hij het boek van Samantha open om er een derde keer aan te beginnen.

Om kwart over twee vielen de eerste spetters uit de hemel. Net als de vorige dag was de natuur in een weinig inspirerende bui, en het begon saai te motregenen.

Zo nu en dan keek Ryan op van zijn boek om zijn blik

over het gazon aan de zuidkant van het huis te laten gaan. Dat deed hij minder vaak dan hij zich had voorgenomen. De monnikachtige figuur zou hem een halfuur of langer ongemerkt in de gaten gehouden kunnen hebben.

Hij vond het verhaal, de personages en de stijl nog net zo betoverend, maar nu hij het boek voor de derde keer las, was hij op zoek naar iets wat hij nog nooit in een roman gevonden had. Steeds wanneer hij zich door het verhaal liet meevoeren, was hij weer bij Samantha en hoorde hij haar stem, iets wat zowel blijdschap als droefenis bij hem teweegbracht.

Ook hoopte hij uiteindelijk te kunnen begrijpen waarom de dingen tussen hen waren zoals ze waren. Op de dag dat hij haar verteld had dat hij een harttransplantatie had ondergaan, had ze haar boek afgemaakt, dus had ze er nooit in kunnen verwerken waarom ze van elkaar vervreemd waren. Bovendien schreven mensen geen complete romans om de ander iets duidelijk te maken, want dan stuurden ze wel een briefje of belden even op. Toch had hij tijdens zijn eerste lezing al na drie hoofdstukken het idee gekregen dat dit boek op de een of andere manier licht kon werpen op de huidige staat van hun relatie.

Samantha's eigen stem en stijl waren onmiskenbaar in het boek verweven. Het verhaal weerspiegelde haar gevoeligheden, en ze had diverse passages geschreven waartoe Ryan haar nooit toe in staat had geacht. Ze lieten een heel andere Samantha zien, een Samantha zoals ze zich ontwikkeld kon hebben als bepaalde gebeurtenissen nooit hadden plaatsgevonden.

Hierdoor kreeg hij het idee dat hij haar nooit echt gekend had. Als hij het weer goed wilde maken, moest hij allereerst proberen haar te begrijpen, en door dit boek te lezen kwam hij al een heel eind.

Toen het schemerig werd, legde Ryan het boek neer en keek hij naar buiten, naar het gazon en de bomen. De muur waarmee het terrein was omzoomd, was begroeid met weelderige bougainville, wat een doornige hindernis vormde voor elke indringer die er snel overheen wilde klimmen. Niemand stond in de regen naar hem te loeren.

Hij kwam overeind uit zijn stoel en liet de schemerlamp branden, om de indruk te wekken dat hij zo weer terug zou komen.

Vanachter een raam in een hoek van de kamer, tussen twee koninginnenpalmen, waar de grote bladeren hem afschermden van het schijnsel van de lampen aan het hoge plafond, hield hij de beregende tuin in de gaten.

Ryan had geen idee wie de vrouw was die hij gezien had, maar het leek hem sterk dat ze snel weer zou komen opdagen, want ze wist dat hij haar gezien had. Maar er waren in het verleden wel vreemdere zaken voorgevallen.

Terwijl het regende, verduisterde de zachtaardige hand van de schemering de hemel, en het zou niet lang meer duren voor de nacht het licht zou uitdoen. De in monnikspij geklede figuur liet zich niet meer zien.

Na het eten trok Ryan zich terug in zijn suite op de tweede verdieping en deed het veiligheidsslot op de deur. Met een angstig voorgevoel liep hij meteen door naar zijn slaapkamer.

De sprei was afgehaald en de dekens waren teruggeslagen, zoals de bedoeling was. En deze keer lag er niets op zijn kussens.

Hij had raar staan kijken toen hij het zakje met snoephartjes had aangetroffen, maar toch verwachtte Ryan op de een of andere manier dat dit incident misschien een nieuwe serie mysterieuze gebeurtenissen zou inluiden, waardoor hij weer geplaagd zou worden door een wirwar van irrationele denkbeelden, net als meer dan een jaar geleden. Achteraf bleek alles toen op toeval gebaseerd te zijn geweest en had het hem alleen parten gespeeld omdat zijn bloedcirculatie niet optimaal was geweest, en later als gevolg van de bijwerkingen van zijn medicijnen.

Hij controleerde of de balkondeuren op slot zaten. Op elk ervan zat een standaard veiligheidsslot, dat vanbinnen met een draaiknop en vanbuiten met een sleutel open- en dichtgedaan kon worden. Bovendien waren de deuren beide uitgerust met een extra slot, dat alleen vanbinnen met een draaiknop afgesloten kon worden, en niet vanbuiten. Beide deuren waren met dit slot vergrendeld.

Nadat hij zijn tanden had gepoetst, naar de wc was gegaan en zijn pyjama had aangedaan, overwoog Ryan het pistool uit de kluis te halen, maar omdat hij vond dat hij zich niet moest aanstellen en zich niet door zijn fantasie moest laten meeslepen, ging hij ongewapend naar de slaapkamer.

Op zijn kussen lag een sieraad, een gouden ketting met een gouden hartje.

34

Ryan drukte op de verborgen schakelaar in de inloopkast. Een paneel schoof opzij, waardoor de voorkant van de muurkluis zichtbaar werd, honderdtien vierkante centimeter staal.

Gehaast toetste hij de code in op het verlichte paneeltje. Toen het woord TOEGANKELIJK op het lcd-scherm verscheen, deed hij de deur open, pakte het 9mm-pistool, sloot de deur en dacht even na, met het wapen in beide handen, de loop op het plafond gericht.

De geribbelde greep voelde ruw aan. Het wapen leek te licht voor iets wat zo dodelijk was.

Hij wilde niemand vermoorden, maar hij was niet van plan om zich over te geven zonder enige vorm van verzet te bieden.

Op blote voeten, in pyjama, ging hij de inloopkast uit, liep door de slaapkamer en betrad de aangrenzende alkoof. Hij zette een voet over de drempel en deed met zijn elleboog het licht aan.

Het amboinahouten art-decobureau. Boekenplanken. Audiovisuele apparatuur. Barretje, compleet met koelkast. Bij de deur naar het eerste balkon zag hij dat het extra veiligheidsslot nog steeds dichtzat. Niemand was hierlangs naar buiten gegaan.

Twee ramen boden uitzicht op het balkon. Hij trok de luxaflex van het ene raam omhoog, daarna van het andere raam. Hij verwachtte eigenlijk aan de andere kant van het raam een bleek gezicht onder een capuchon te zien, een troebele blik in de ogen, een boosaardige grijns, de gedaante die op de oever van het zwarte meer in zijn richting was gelopen. Maar niemand stond hem op te wachten, en beide ramen bleken vanbinnen afgesloten te zijn.

Naast de alkoof lag een badkamertje zonder ramen. Niemand te bekennen. Hij ving een glimp van zichzelf op in de spiegel, zijn lippen in een dunne, grimmige plooi geperst, een wilde blik in zijn ogen. En wat was het een groot pistool.

Hij liep terug naar de slaapkamer en inspecteerde de deur van het tweede balkon. Ook daarvan zat het extra veiligheidsslot vergrendeld en was er niemand door naar buiten geglipt.

Drie ramen, waarvan een niet open of dicht kon. De andere twee zaten op slot. Hij schrok toen de regen door een windvlaag tegen het glas striemde.

Onder het bed was de enige plek waar iemand zich kon verstoppen. Hoewel alleen iemand met anorexia onder het lage kingsize bed met houten ombouw paste, ging Ryan toch op zijn knieën zitten om poolshoogte te nemen. Doordat er door het personeel piekfijn werd schoongemaakt, lag er geen enkel pluisje.

De hal. De voordeur. Het veiligheidsslot was vergrendeld.

De badkamer. Een grote open ruimte. De marmeren vloer voelde koud aan onder zijn blote voeten. Het enige wat bewoog, was Ryans zenuwachtige spiegelbeeld. Eén wc-deur, een andere van de linnenkast. In beide ruimtes niemand te zien.

In zijn eigen kleerkast zaten geen losse planken, alleen laden waar zijn gevouwen kleren in opgeborgen konden worden. Kleren die moesten uithangen, waren achter kastdeuren uit het zicht onttrokken.

Tussen de pakken en shirts zou iemand zich verborgen kunnen houden. Ryan trok alle deuren open, maar vond geen indringer.

Als iemand het kettinkje op het kussen had achtergelaten nádat Ryan de deur van de suite op slot had gedaan, moest die persoon hier samen met hem aanwezig zijn geweest. Maar er was niemand, en geen van de drie uitgangen was van het slot geweest.

Hij liep terug naar het bed, met het pistool langs zijn zij, en keek wezenloos naar het hangertje.

Een roffelend geluid op zolder, alsof er ratten boven zijn hoofd rondtrippelden. Hij keek omhoog. Geen ratten, maar regen. Op het leien dak. Regen.

Als iemand vanaf het balkon was binnengekomen, via een van de deuren of ramen, zouden er regendruppels op de vloer te zien zijn, en dan zou Ryan die met zijn blote voeten gevoeld hebben.

Niemand was hier geweest. Iemand was hier geweest. Onzin.

Eerst durfde Ryan het kettinkje niet te pakken, alsof hij bang was dat het behekst was en er een vloek op hem zou neerdalen als hij het sieraad aanraakte, maar uiteindelijk kon hij zijn nieuwsgierigheid toch niet bedwingen.

Het gouden hartje lag te glimmen op het kussen. Hij pakte de ketting en zag dat er op de achterkant van het hartje drie woorden stonden gegraveerd: WEES DE MIJNE.

Het was geen medaillon, zag hij tot zijn opluchting, want anders had hij het open moeten maken, en dan zou hij vast iets hebben gezien wat hij liever niet wilde zien.

WEES DE MIJNE.

Toen hij over die woorden nadacht en het beeld van de kleine snoephartjes bij hem bovenkwam, werd hij geplaagd door een herinnering: de openstaande muurkluis, waaruit hij gejaagd het pistool tevoorschijn had gehaald.

Pas toen drong het tot hem door wat hij daar had zien liggen. Hij luisterde naar de regenratten en voelde dat het lot aan zijn botten knaagde.

Als zijn vertraagde herinnering geen fantasie bleek, was het normale verloop van het afgelopen jaar als een valluik met een doorgeroeste veer die net was gebroken, zodat het luik was opengeklapt.

Hij wilde weten of zijn herinnering klopte, legde het hangertje op het nachtkastje, omklemde het pistool en liep terug naar de inloopkast, niet gehaast maar langzaam, alsof hij ter dood gebracht zou worden.

Het schuifpaneel stond nog open, de kluis zat dicht. Toen hij het pistool eruit had gepakt en de deur had dichtgedaan, was de kluis automatisch op slot gegaan. Op het schermpje gloeide nu het woord BEVEILIGD.

Gezien de omstandigheden kwam het woord tamelijk wrang over.

Toen hij de code weer had ingetoetst, verscheen het woord TOEGANKELIJK op het scherm. Na een lichte aarzeling trok hij de stalen deur open.

In de kluis bewaarde hij vierduizend dollar, voor noodgevallen, plus twee dure horloges en twee diamanten manchetknopen, die hij nooit droeg. De spullen lagen keurig op hun plaats.

Ook stond er in de kluis altijd een sieradendoosje waarin de verlovingsring van $85.000 zat, al op maat gemaakt voor Samantha, de ring die ze nog niet had willen accepteren.

Het doosje stond er nog, en toen Ryan het opendeed, zag hij de ring flonkeren.

De vorige nacht had hij ook de snoephartjes in de kluis gelegd. Het zakje van cellofaan met het strikje eromheen was verdwenen.

Dit hadden zijn ogen wel geregistreerd, maar toen hij enkele minuten geleden in alle haast het pistool had gepakt, was het feit toch niet goed tot hem doorgedrongen.

Wat hij eerst niet had gezien, maar nu wel, was dat de doos met de 9mm-kogels verdwenen was. Hij hoefde de kleine kluis niet te doorzoeken, want de grote, zware doos met kogels kon onmogelijk onder of achter de andere spullen verstopt liggen.

Ryan snapte eerst niet waarom een indringer die de kluis had weten open te maken, wel de kogels maar niet het pistool had meegenomen. Want nu beschikte hij over tien kogels waarmee hij zich kon verdedigen.

Hoewel. Ach ja. Natuurlijk.

Hij haalde het magazijn uit het pistool. De tien kogels zaten er niet meer in.

Omdat Ryan altijd geloofde dat het beter was om zelf actie te ondernemen dan lijdzaam af te wachten, was hij halsoverkop naar de indringer op zoek gegaan. Hij had alle kamers doorzocht, had deuren opengetrokken, gewapend met een pistool dat geen enkel nut had. Hij had de indringer niet kunnen vinden, maar nu was hij in zijn trots gekrenkt en geraakt door de hoon die zijn tegenstander bij wijze van spreken als een kogel op hem had afgevuurd.

35

Ryan toetste de zevencijferige code van de kluis in. Hij wiste de huidige code en voerde een nieuwe in, gebaseerd op een datum die alleen voor hem enige betekenis had.

Hij verwachtte niet dat dit veel nut had. Hij had als enige de vorige code geweten, maar kennelijk was het iemand anders toch gelukt om de kluis open te krijgen.

Het paneel om bij de kluis te komen, kon geopend worden met een verborgen schakelaar, die geïntegreerd was in de dimmer waarmee de verlichting in de kast geregeld kon worden.

Hoewel het leek alsof het afdekplaatje van de dimmer met twee schroeven aan de muur bevestigd was, waren de schroefkoppen nep. Ze zaten er alleen om ongenode gasten op het verkeerde been te zetten.

Als je de dimmer omhoogschoof, ging de verlichting in de kast feller branden, en als je hem omlaag schoof, werd het licht gedimd. Wanneer de schakelaar op de hoogste stand stond, kon je het afdekplaatje omhoog en naar beneden drukken. Om het paneel open te schuiven, moest je het plaatje drie keer omhoogdrukken, twee keer naar beneden, en daarna weer twee keer omhoog. Daar was zo veel kracht voor nodig dat het geheime mechaniek niet toevallig door iemand van het huishoudelijk personeel ontdekt kon worden.

Een plaatselijk beveiligingsbedrijf, doorgelicht en aanbevolen door Wilson Mott, had de kluis geïnstalleerd, plus een grotere op de begane grond. Het was een erkend bedrijf, dat al geruime tijd bestond en een goede service bood. Ryan dacht niet dat iemand van die firma eropuit was om hem te treiteren.

Treiteren was hier het juiste woord, want als het de bedoeling was om hem uit de weg te ruimen, zou dat allang gebeurd kunnen zijn.

Treiteren was een vorm van geweld, en iemand die er plezier in schepte om hem te treiteren, zou met gemak van dit psychologisch geweld kunnen overstappen op fysiek geweld en misschien zelfs niet voor moord terugdeinzen.

Hij legde het lege pistool in de kluis. Misschien had de indringer het pistool onklaar gemaakt. Ryan had te weinig verstand van wapens om te kunnen zien of er op de een of andere manier mee geknoeid was.

Voordat hij een nieuwe doos kogels kocht, zou hij het pistool laten onderzoeken door iemand die er verstand van had. Hij wist niet of een pistool in je hand kon exploderen als ermee geknoeid was, maar hij was niet van plan om daar proefondervindelijk achter te komen.

Hij zou natuurlijk een nieuw pistool kunnen aanschaffen. Maar het was wettelijk verplicht om dan een wachttijd in acht te nemen, en Ryan had zo'n vermoeden dat zijn belager niet zou wachten tot die wachttijd was afgelopen.

Toen hij de kluis dichtdeed en het paneel dichtschoof, drong het tot hem door dat de indringer misschien niet alleen de code van deze kluis had ontdekt, maar misschien ook achter een ander geheim van het huis was gekomen.

In de slaapkamer pakte hij een elektronische sleutel die op het nachtkastje lag. Hij liep naar een schilderij van twee bij twee meter, dat vlak tegen de muur op het zuiden hing, en hield het afgeplatte deel van de sleutel bij een van de ogen van een tijger in het schilderij. Achter die plek zat afleesapparatuur, waarmee de deur achter het schilderij geopend kon worden.

In de meeste huizen van deze omvang was een *panic room* aanwezig, een beveiligde ruimte waarin de bewoners zich konden terugtrekken in geval van een roofoverval of andere bedreigende omstandigheden. Deze ruimte mat drieënhalf bij vijf meter.

De deur die door het schilderij was afgedekt, ging naar binnen open. Ryan stapte over de verhoogde drempel en betrad het brandvrije vertrek, dat van gietbeton was gemaakt, versterkt met staalplaat van 7 mm, en dat voorzien was van een hoogwaardige laag geluiddempend materiaal.

Er was een aparte telefoonlijn aangelegd, en een afzonderlijke stroomvoorziening en luchttoevoer en -afvoer, waardoor de ruimte een op zichzelf functionerend geheel was. Als de stroom van het huis werd uitgeschakeld, door inbrekers of door de politie, voor het geval het huis belegerd was, merkte je daar in de panic room niets van.

Ingeblikt eten, flessen met water, een toilet, een extra chemisch toilet, en andere benodigdheden maakten het mogelijk dat men hier een aantal dagen achter elkaar kon doorbrengen. Ook stonden er twee stoelen en een bed.

Op het bed lag het cellofaan zakje met hartjes.

36

Op zijn slippers, met een badjas over zijn pyjama, rende Ryan vier trappen naar beneden, naar de begane grond. Overal deed hij het licht aan. Hij ging rechtstreeks naar de dienstgang. Aan het eind daarvan lag het washok.

Een van de vertrekken die op die gang uitkwamen, de kamer waar hij nu naartoe wilde, zat altijd op slot. Ryan had de sleutel. In een hoek van dit vertrek stond een brede, hoge, zwartmetalen kast, ook op slot, die voor het gemak met dezelfde sleutel geopend kon worden.

In de kast stonden rekken met opnameapparatuur, waarmee de beelden van de beveiligingscamera's in en rond het huis op magnetische banden werden vastgelegd. Met twintig buitencamera's werd het huis met het omliggende terrein in de gaten gehouden. Nog eens zeven hielden zicht op de gangen in huis. In de kamers zelf waren geen camera's aangebracht.

Hij deed een monitor aan, waarop een menu verscheen dat hij met een afstandsbediening kon bedienen. Hij was met name benieuwd naar de beelden van de camera op de tweede verdieping, want iedereen die naar Ryans suite wilde, via de trap of de lift, moest hierlangs.

Nadat hij de juiste camera had geselecteerd, moest hij de datum en het tijdstip invoeren, op de seconde nauwkeurig, waarop de band gestart moest worden. Hij koos vandaag, dit uur, dertig minuten eerder.

Op het scherm verscheen de overloop van zes bij vier meter die voor zijn suite lag. De datum was linksonder aangegeven. Rechtsonder gaf een digitale klok het tijdstip aan: uren, minuten en seconden.

Nieuwsgierig speelde Ryan de band versneld af, zodat hij in een kwartier alles voorbij zag komen wat er in het afgelopen halfuur had plaatsgevonden.

Al vrij snel nadat de band was gestart, zag hij zichzelf de trap op komen. Hij liep naar de deur van de suite, met Samantha's boek in zijn handen, op weg naar de slaapkamer.

Om opnamecapaciteit te sparen, nam de camera geen doorlopend geheel op, maar werd er elke halve seconde een foto genomen. Op het scherm bewoog Ryan zich houterig, als een figuur in een zelfgemaakt tekenfilmpje op een kladblok.

Toen hij de slaapkamer was binnengegaan, had hij eerst het bed geïnspecteerd om te zien of er weer een cadeautje was achtergelaten. Toen er niets op het kussen bleek te liggen, had hij zijn tanden gepoetst en had hij voorbereidingen getroffen om te gaan slapen.

Minutenlang was er niets op het scherm te zien. Niemand die de suite na hem had betreden.

Dit betekende dat een eventuele indringer al in de suite moest zijn geweest voordat hij de kamer binnenkwam.

Waarschijnlijk had de persoon in kwestie zich in de alkoof verborgen gehouden.

Toen Ryan in de badkamer was, had de gulle gever – nu nog anoniem, maar hij zou zo achter diens identiteit komen – het kettinkje op het kussen gelegd en had de suite verlaten, waarbij de deur op de een of andere manier vanbinnen op slot was gedraaid.

Maar de videoband ondersteunde die theorie niet. Niemand kwam uit de suite tevoorschijn, behalve Ryan zelf, die deze keer een badjas over zijn pyjama droeg, snel naar de trap liep, om beneden deze videoband te bekijken.

Nadat hij het kettinkje had gevonden, had hij de suite grondig doorzocht. Hij had zelfs op plekjes gekeken waar alleen een klein kind zich had kunnen verbergen.

Nu bekeek hij de beelden van de camera die op het balkon gericht stond, ook van hetzelfde halfuur. Buiten brandde een lamp, die zo veel licht gaf dat de beelden bijna net zo helder waren als overdag. Er kwam niemand door de balkondeur of een van de twee ramen naar buiten.

Ook op de beelden van het andere balkon zag hij niemand naar buiten komen, door de deur of door een van de ramen.

Blijkbaar had niemand de suite verlaten, maar toen hij eerder in elk hoekje van de suite had gekeken, had hij niemand aangetroffen.

Als hij op de beelden van de bewakingscamera's moest afgaan, kon het gouden kettinkje alleen maar door pure magie op het kussen zijn beland.

Maar in dat geval was er meestal een cruciale factor in het spel waarmee men geen rekening had gehouden. Ryan pijnigde zijn hersenen om te bedenken wat hij over het hoofd gezien kon hebben, maar zowel zijn verstand als zijn fantasie liet hem in de steek.

Hij raakte gefrustreerd, stond op het punt de monitor uit te doen, maar besloot nog even de beelden te bekijken die de vorige dag bij het vallen van de avond van het gazon aan de zuidkant waren gemaakt, toen hij in het solarium had zitten lezen en gezien had dat er iemand naar hem stond te kijken. Twee camera's bestreken dat deel van de tuin.

Alle opnamen werden dertig dagen lang bewaard en daarna gewist, tenzij er anders werd besloten.

De eerste camera, die op een van de buitenmuren van het huis was geplaatst, liet ongeveer dezelfde hoek van de tuin zien waar Ryan vanuit het solarium zicht op had gehad. Op de beelden was de dicht bewolkte grauwe hemel te zien, de motregen, de treurige bomen, de over het gras glijdende mist, het natte gras waar de indringer met de capuchon overheen had gezweefd.

Hij liet de band lopen vanaf het moment dat de schemering inzette. Op het beeldscherm was te zien dat het waterige licht uit de dag verdween en dat de nacht viel, maar de indringer kwam niet opdagen.

Ryan kon zijn ogen haast niet geloven en bekeek de band opnieuw, deze keer niet versneld maar in normaal tempo, waardoor er geen eind aan leek te komen. De lucht, regen, bomen, mist, het wisselende licht dat langzaam uitdoofde. Maar geen enkele gedaante – dreigend of anderszins – verscheen in beeld.

De tweede camera was bevestigd aan de stam van een Indiase laurierboom en liet beelden zien van hetzelfde deel van de tuin, maar dan vanuit een andere hoek. De drie Himalajaceders, waartussen de duistere figuur de tweede keer was verschenen, stonden midden in beeld.

De schemering zette in, het werd donker, maar geen enkel fantoom liet zich onder de majestueuze takken van de ceders zien.

Verdomme. De vorige avond had hij wel degelijk iets gezien. Het was echt geen hallucinatie geweest. En het kwam ook niet door de regen en de mist, of door de weerspiegeling in het raam van een of andere palmboom of varen die in het solarium stond. Hij had iemand gezien die gekleed was in een regenjas met capuchon, mogelijk een vrouw, een gestalte die bewoog en nat was en écht.

Degene die buiten op het gras naar hem had staan loeren, was net zo echt geweest als de snoephartjes, net zo echt als de gouden ketting met het hart dat nu...

Waar had hij de ketting gelaten?

Op het nachtkastje. Ja. Nadat hij het sieraad had gepakt en de inscriptie had gelezen, had hij het op het nachtkastje gelegd. Later, toen hij de snoephartjes in de panic room had gevonden, had hij die erbij gelegd.

Ryan zette de monitor uit, deed de kast op slot, verliet het vertrek, deed de deur op slot, en liep met een bang voorgevoel terug naar de suite.

Op het nachtkastje zag hij alleen de lamp en de wekker staan. Het zakje snoep en de ketting waren verdwenen.

Een koortsachtige, zeer grondige zoekactie in de suite leverde niets op.

Ook toen hij uiteindelijk de nieuwe code van de kluis intoetste en de deur opendeed, vond hij de ketting en de hartjes niet. Wel zag hij dat nu ook het pistool was verdwenen.

37

Omdat Ryan zich in zijn suite niet meer veilig voelde, wilde hij daar niet gaan slapen.

Hij overwoog naar een van de logeerkamers te gaan, of om zich terug te trekken op een plek waar niemand hem zou zoeken, zoals in het washok. Maar als hij in zijn suite op de tweede verdieping niet veilig was, zou hij nergens in dit huis veilig zijn.

Heel even overwoog hij zijn intrek in een hotel te nemen,

maar zijn privacy was dermate aangetast dat hij verontwaardigd was, en dat gevoel zwol aan tot een gerechtvaardigde woede. Hij had nota bene een harttransplantatie overleefd en was niet van plan nu als een bang kind op de vlucht te slaan voor een kwelgeest, die hem met misplaatste grappen bestookte, grappen die weliswaar zeer professioneel waren uitgevoerd, maar eigenlijk te flauw voor woorden waren. Meer iets voor die waardeloze griezelfilms, waardoor tienermeisjes gaan gillen van angst en opwinding.

Nu hij geen pistool meer had, liep hij de alkoof binnen om een mes te pakken.

De koelkast van het barretje bevatte niet alleen frisdrank en flesjes water, maar ook vers fruit en een aantal kaasjes.

In een la lag wat keukengerei, waaronder bestek, een fruitmesje, een standaard keukenmes met een lemmet van twintig centimeter en een puntig mes met kartelrand.

Hij koos het keukenmes, liep ermee naar de slaapkamer en legde het onder het kussen naast hem, het kussen waar Samantha nu al een hele tijd niet meer op gelegen had.

Vervolgens kroop hij in bed, nestelde zich rechtop in zijn eigen kussens, zette de tv aan, met het geluid uit. Hij keek naar een sitcom die ook zonder geluid nauwelijks de moeite waard was.

Hij kwam tot een verontrustende conclusie. Als er een complot gaande was om hem nu geestelijk en uiteindelijk misschien ook wel lichamelijk kapot te maken, dan was het complot van vóór zijn transplantatie, dat hij als een waanbeeld had afgedaan, misschien ook wel echt.

Waar hij destijds van uit was gegaan, was dat hij vergiftigd was en daardoor cardiomyopathie had gekregen. Als dat inderdaad waar was, bestond er een kans dat hij nu weer vergiftigd zou worden en dat zijn nieuwe hart net als zijn oude hart aangetast zou worden.

Als dat waar was, zou hij nu waarschijnlijk al vergiftigd zijn. Omdat hij zijn nieuwe personeel volledig vertrouwde, had hij gegeten en gedronken wat zij hadden opgediend.

Hij vroeg zich af hoe lang het duurde voordat de vergiftigingsverschijnselen zich zouden openbaren.

Het zou natuurlijk kunnen dat het personeel onschuldig was. Misschien was er een vreemdeling die steeds naar binnen sloop en de ingrediënten voor Ryans maaltijden vergiftigde zonder dat de Amory's of iemand anders van het huishoudelijk personeel daarvan op de hoogte was.

Er was nog een andere mogelijkheid waar hij rekening mee moest houden. Als hij zich het vermeende complot en de vergiftiging vóór zijn operatie ingebeeld had, zou het goed kunnen dat de huidige voorvallen ook alleen maar in zijn fantasie bestonden.

Want per slot van rekening had hij geen enkel bewijs – geen videobeelden van de duistere gedaante op het gazon, geen ketting met hartje, geen snoepgoed – om aan te tonen dat deze recente, irritante incidenten werkelijk hadden plaatsgevonden.

Voor de operatie had hij op voorschrift van dr. Gupta drie verschillende medicijnen geslikt. Na de transplantatie nam hij er achtentwintig. Als één of een combinatie daarvan als bijwerking paranoïde waandenkbeelden en hallucinaties kon oproepen, liep hij wat dat betreft een groter risico dan een jaar geleden.

Maar hij wist dat zijn fantasie niet met hem op de loop was gegaan. Dat wíst hij gewoon.

Zijn angst was nu omgeslagen in woede, en hij was vastbesloten niet de prooi maar de jager te zijn. Hij kon zich niet van de kwestie losmaken en bleef er met wisselende intensiteit aan denken, op zoek naar dat ene losse draadje, waardoor hij het mysterie eindelijk zou kunnen ontrafelen.

Verbijstering ging over in frustratie, tot hij de aandrang voelde om het van ergernis uit te schreeuwen. Hij pakte het boek van Samantha om zijn gedachten tot rust te brengen.

Eerder die dag was hij bij het zevenentwintigste van de

zesenzestig hoofdstukken gebleven. Hij las het boek nu voor de derde maal. Sams stijl was zo betoverend dat hij al na één alinea helemaal door het verhaal werd meegesleept.

Toen ze nog met het boek bezig was, had ze het eens met hem over subtekst gehad: de onderliggende, impliciete betekenis van het verhaal, die de schrijver nooit expliciet verduidelijkte. Niet alle romans bevatten een subtekst, misschien zelfs het merendeel van de boeken niet.

Volgens Samantha hoefden de lezers zich niet van de subtekst bewust te zijn om ten volle van het verhaal te genieten, want als het verhaal goed verteld werd, zouden ze de impliciete betekenis op een onderbewust niveau meekrijgen. De emotionele impact van de subtekst was vaak zelfs groter wanneer de lezer het niet onder woorden kon brengen, wanneer het hem overviel, zonder dat hij nu precies begreep hoe dat kon.

Sam zei dat subtekst op verschillende niveaus in het verhaal verwerkt kon zijn. Impliciete betekenissen konden als dunne laagjes over elkaar heen vallen, zoals bij filodeeg, dat vaak gebruikt wordt bij desserts uit Griekenland en het Midden-Oosten.

Ryan dacht dat hij de eerste laag subtekst van haar roman had begrepen. Maar hij voelde dat er nog meer lagen in verscholen lagen, waarvan hij de betekenis niet kon afleiden.

Het hield hem bezig, omdat hij vermoedde dat het boek op een verborgen niveau een verklaring bevatte waarom ze nog steeds niet samen waren, terwijl ze wel van elkaar hielden. Waarom ze geen enkele keer op zijn huwelijksaanzoek was ingegaan. En waarom dat misschien nooit zou gebeuren.

Maar die openbaring lag zo diep verborgen, dat hij het gevoel kreeg een visser te zijn die een lijn zonder haak of aas had uitgegooid, om een vis te vangen die nooit iets at.

Uiteindelijk legde hij het boek weg en ging hij weer tv-kijken. Het geluid stond nog steeds uit. Ruiters denderden over verlaten vlaktes, over paarse saliestruiken, langs rode rotspartijen, onder een immense hemel, ondertussen wild om zich heen schietend, maar zonder het hoefgetrappel of het geknal van pistolen, zonder één enkele woeste menselijke kreet.

Hij luisterde naar de geluiden van het huis, wachtte op een voetstap, op het geruis van kleren, op de klik van zijn gestolen pistool als de haan gespannen werd, op een stem die zijn naam fluisterde, een stem die hij rationeel niet kon thuisbrengen, maar diep in zijn hart wel.

Hij was al zo lang gewend aan de angst voor de dood dat hij er niet door wakker bleef. Uiteindelijk werd hij slaperig.

Hij hoopte dat hij zou dromen. Hij had al een jaar geen droom meer gehad. Hij zou zelfs blij zijn met nare dromen, vanwege de structuur die ze aan de slaap gaven.

38

Op de poster in de boekwinkel stond een foto van Samantha, plus de voorkant van haar roman. Met grote letters werd aangekondigd dat ze hier 's middags van twaalf tot twee haar boek zou komen signeren.

Ryan had de aankondiging al een paar dagen eerder zien hangen. Eerst had hij zich voorgenomen er niet naartoe te gaan, maar diep vanbinnen wist hij dat hij dat toch zou doen.

Nu had hij het boek bij zich dat hij meteen op de dag van verschijnen had gekocht. Het was hem om meer dan een handtekening te doen.

Hij zag dat er nu een sticker op de poster was geplakt: NEW YORK TIMES BESTSELLER!

Het was hem ontgaan dat het boek zo'n groot succes was.

Verschillende emoties welden bij hem op, niet een voor een, maar als een grote golf. Hij was trots op haar, zo trots dat hij het liefst elke voorbijganger zou willen aanklampen om te vertellen hoe uniek en hoe aardig ze was, en dat ze het succes meer dan verdiend had. Hij vond het jammer dat hij niet bij haar was geweest toen ze van haar succes te horen had gekregen, of toen haar eerste lovende recensie was verschenen, en hij werd bevangen door een schuldgevoel dat hij niet kon benoemen. Maar ook kwam er een gelukzalig gevoel bij hem op dat sterker was dan hij de laatste tijd had ervaren.

Op de sticker die op de poster was geplakt, stond de nieuwste bestsellerlijst van *The New York Times Book Review*. Van de vijftien titels was de negende met rood omcirkeld. Het was voor het eerst dat Sam op de lijst verscheen, en ze was meteen in de top tien beland.

'Potverdorie,' zei hij. 'Wat goed, zeg.' Hij grijnsde. 'Vreselijk goed. Dus het is je toch gelukt.'

Ryan was zo opgewonden dat hij een manier wilde bedenken – de beste manier – om dit moment, deze triomf, te memoreren. Maar toen besefte hij dat Sam natuurlijk allang wist dat ze op de bestsellerlijst stond, en dat ze dit succes en ongetwijfeld vele andere al had gevierd.

Tien minuten voor het einde van de signeersessie kwam hij bij de boekhandel aan. Hij keek door de winkelruit naar binnen en zag een rij mensen staan wachten bij de tafel waarachter Samantha zat. Hij wist dat ze nooit zou ophouden voordat ze alle boeken gesigneerd had.

Zelfs van deze afstand, nu hij naar Sam keek, merkte hij dat zijn nieuwe hart over alle capaciteiten beschikte die het oude ook had gehad.

Plotseling was hij bang dat ze op zou kijken en hem zou zien staan, naar binnen loerend, en dat ze hem zielig zou vinden. Hij draaide zich om.

Hij dacht erover terug te gaan naar zijn auto, die hij op

het parkeerterrein van het winkelcentrum had neergezet, om daar eerst een halfuur te wachten voordat hij hier weer naartoe zou gaan. Maar als hij dat deed, liep hij haar misschien mis.

Hier en daar in het onoverdekte winkelgebied stonden bankjes, waar het vermoeide winkelpubliek tussen de bedrijven door op krachten kon komen. Reusachtige terracotta bloempotten met rode hanggeraniums stonden vlak bij de bank waarop Ryan had plaatsgenomen.

Hij ging in Samantha's boek zitten lezen, maar na een paar minuten merkte hij dat hij zich niet kon concentreren. Hij was onrustig omdat hij haar zo meteen zou ontmoeten. Bovendien had hij zo veel respect voor haar werk, zelfs bij deze derde lezing – vooral omdat het boek een derde lezing waard was – dat hij het verhaal alle aandacht wilde geven.

Terwijl het regenseizoen van Californië – vier maanden lang – in volle gang was, en er morgen weer een storm voorspeld was, was het waardeloze weer nu kortstondig onderbroken door een opklaring. Een onbewolkte hemel, zo helder en glad als glas, wierp zilveren zonnestralen op de kust in het zuiden.

Ryan zag kleine vogels kruimels zoeken op het terras van een restaurant. Een paar honden van diverse rassen werden aangelijnd uitgelaten, vrolijk blaffend tegen alles en iedereen. Hij zag een duobuggy met twee roze baby's erin, met gehaakte mutsjes op, geel-blauwe jasjes aan en gele slofjes met blauwe pompons.

Hij probeerde de problemen van de afgelopen twee dagen van zich af te zetten en was blij dat hij nog in leven was. Hij wist niet welke problemen hij allemaal nog op zijn pad zou tegenkomen, maar hij besloot zich er niets – althans niet al te veel – van aan te trekken.

Om 2.40 uur verliet Samantha de boekwinkel, in het gezelschap van een opgewekt ogende vrouw met rode schoenen, een jurk met Schotse ruit, en een weelderige, springerige bos kastanjebruine krullen. De vrouw sprak met veel gebaren, en van een afstandje was het daardoor net of ze Shakespeare stond te declameren.

De moed zakte Ryan in de schoenen bij de gedachte Sam te moeten benaderen in het gezelschap van haar pr-agent of iemand van de uitgeverij. Maar het werd hem al snel duidelijk dat de vrouw de bedrijfsleider van de boekwinkel was, of in elk geval een medewerkster, want nadat ze Sam een hand had gegeven en haar twee keer op de schouder had geklopt en een gebaar maakte alsof ze een lasso boven haar hoofd liet ronddraaien, ging ze weer naar binnen.

Sam had Ryan nog niet opgemerkt en kwam zijn kant op. Ze rommelde in haar tas; misschien zocht ze haar autosleutels.

Ze droeg een exclusief zwart broekpak en een witte blouse met zwarte biesjes. De verzorgde, elegante, modieuze outfit stond haar erg goed, en ze bewoog zich zelfverzekerd. Als hij haar onverwacht in de verte had zien lopen, zou hij haar aan die energieke tred hebben herkend.

Hij stapte op haar af maar was elke openingszin kwijt die hij had ingestudeerd en kon alleen maar 'Sam' zeggen. Net toen ze een tinkelende bos sleutels uit haar tas haalde, keek ze op.

Ze hadden elkaar al meer dan tien maanden niet meer gezien, en hadden elkaar in zeven maanden niet meer gesproken.

Hij wist niet hoe ze zou reageren en had zich ingesteld op een moeizame glimlach of een ongemakkelijke grimas, een paar gehaaste woorden en een snelle afwimpeling.

In plaats daarvan zag hij een blik in haar ogen die hem nog dieper raakte dan woede of afkeer dat had kunnen doen. Misschien was het niet echt medelijden waarmee ze hem bekeek, maar het kwam er wel dicht bij in de buurt.

Hij was dankbaar dat hij haar zag glimlachen. Haar glimlach was wel hartverwarmend, maar had ook iets onmiskenbaar weemoedigs. 'Ryan.'

'Dag, Sam.'

'Tjonge. Jij hier. Hoe gaat het?'

'Met mij goed. Ik voel me prima.'

Ze zei: 'Je ziet er net als altijd uit.'

'Dat zou je niet zeggen als je wist wat voor litteken ik hier heb zitten,' verzekerde hij haar, daarbij op zijn borst kloppend. Omdat hij onmiddellijk besefte dat hij de verkeerde toon te pakken had, voegde hij er snel aan toe: 'Gefeliciteerd met je boek.'

Ze knikte bedeesd. 'Tot nu toe heb ik alleen maar bewezen dat ik in elk geval minstens een eendagsvlieg ben.'

'Jij bent meer. Jij hebt het helemaal in je, Sam. Je bent toch al met je tweede boek bezig?'

'Dat wel. Zeker.' Ze haalde haar schouders op. 'Maar je weet maar nooit.'

'Je staat wel mooi op de lijst, op negen.'

'Ik heb gehoord dat ik volgende week op zeven sta.'

'Wat geweldig. Straks sta je nog op nummer een.'

Ze schudde haar hoofd. 'John Grisham hoeft zich nog lang geen zorgen te maken.'

Hij liet het boek zien dat hij bij zich had en zei: 'Ik heb het al twee keer gelezen, en lees het nu voor de derde keer. Ik wist dat het een goed boek zou worden, Samantha, maar ik had nooit verwacht dat het zo...'

Hij zocht naar de juiste lovende bewoordingen en koos surfjargon, de enige taal waarin hij zijn bewondering goed kon overbrengen.

'... als een superbreker zou zijn, als een voortdenderende massa pure energie.'

De weemoed in haar glimlach klonk ook door in haar lachje. 'Dat zetten we dan op de achterflap.'

Hij zou haar het liefst in zijn armen nemen maar wilde niet het risico lopen dat ze in zijn omhelzing zou verstijven en van hem terugdeinsde, en daarom wees hij naar de bank bij de hanggeraniums en zei: 'Zullen we daar even gaan zitten? Ik zou het graag even met je over je boek hebben.'

Hij verwachtte een smoes dat ze naar een volgende afspraak moest, maar ze zei: 'Prima. Lekker in de zon.'

Ze namen op het bankje plaats en draaiden zich naar elkaar toe. Hij bladerde door de roman en zei: 'Je hebt me nooit iets laten lezen toen je er nog mee bezig was, dus ik had geen idee dat het zo...'

'Ik laat nooit iets lezen als het nog niet af is. Aan niemand. Ik wou dat het anders was. Het is een eenzaam proces.'

'Ik heb over de subtekst nagedacht.'

'Daar moet je nooit te veel over nadenken. Anders verdwijnt de magie.'

'Dit boek is gemaakt van filodeeg,' zei hij.

'Vind je?'

'Absoluut. Vol verborgen betekenissen. Ik denk niet dat ik ze ooit allemaal zal kunnen doorgronden.'

'Als je ze maar aanvoelt. Dat is genoeg.'

'Laat dat van dat filodeeg maar zitten.'

'Ik vond die vergelijking net gebakken lucht.'

Hij zei: 'Het lijkt meer op de zee. Talloze stromingen boven elkaar. Zonnevissen in de ene golfstroom, en daaronder grote zwermen lichtgevend plankton, daaronder krill, en zo gaat dat maar door. Lichtbundels vallen door de lagen heen, maar er ontstaan ook schaduwen. En in de diepte zit iets van jou verborgen, een mysterieus ander wezen. Ik bedoel... een andere kant van jou, die ik nooit gezien heb.'

Ze reageerde niet onmiddellijk, en even was hij bang dat hij haar beledigd had, of dat hij zulke onzin verkocht had dat ze het gênant vond, maar toen zei ze: 'Welke kant dan?'

'Weet ik niet. Ik kan het nog niet goed onder woorden brengen. Maar ik heb het idee dat als me dat wel lukt, als ik die kant van jou wel weet te doorgronden... dat ik dan weet waarom je nooit op mijn huwelijksaanzoek bent ingegaan.'

Ze keek hem met zo'n tedere blik aan dat hij het bijna niet kon aanzien.

'Sam,' ging hij verder, 'is wat ik voel überhaupt mogelijk? Ligt er iets in dit boek verscholen dat aangeeft wat je in mij gemist hebt?'

'Dat zou kunnen, denk ik. Of eigenlijk bedoel ik: dat is inderdaad zo. Hoewel ik het boek niet speciaal geschreven heb om jou iets duidelijk te maken.'

'Dat snap ik.'

'Maar ik kom zelf zeker in het boek voor. Voor honderd procent, daar onder die lichtgevende plankton.'

De weemoed in haar glimlach werd alleen nog maar schrijnender.

Hij keek om zich heen en vroeg zich af of er iemand naar dit kleine drama stond te kijken. Sam was uitgegroeid tot een literaire bekendheid van enig formaat, en hij wilde haar niet in verlegenheid brengen door nu een scène te gaan schoppen.

Het winkelende publiek sloeg echter geen acht op hen. Kinderen giechelden om elkaar, verliefde stelletjes wandelden hand in hand voorbij, en alleen een aangelijnde Ierse setter keek afwachtend naar Ryan en Sam, alsof hij rook dat er iets aan de hand was, maar het beest werd vervolgens meegetrokken door een man in een korte kakibroek en met Birkenstocks aan zijn voeten.

'Weet je, Sam, ik zou zo graag van je horen wat het precies was wat je niet bij me kon vinden.'

'Toen we nog samen waren, heb ik geprobeerd je dat duidelijk te maken.'

Hij keek haar fronsend aan. 'Had ik dan zo'n plaat voor mijn kop?'

Met lichte spijt in haar stem zei ze: 'Zulke dingen zijn niet zo makkelijk bespreekbaar als slechte adem of tafelmanieren, Ryan. Het gaat om iets wat je niet even kunt bijleren omdat je toevallig weet dat ik daar prijs op stel. Het ergste zou nog zijn als je net doet alsof omdat je denkt dat ik dat wil.'

'Hoe moest ik dan weten waar het om draaide, hoe moest ik weten wat je nodig had? Via de subtekst?'

'Ja. Via de subtekst. De impliciete betekenis van hoe ik mijn leven leidde, wat ik voelde, wat belangrijk voor me was.'

'Sam, ik kan je niet meer volgen.'

Met een gekwetstheid waarvan haar weemoedige glimlach slechts een voorbode was geweest, zei ze: 'Dat weet ik, liefje. Dat weet ik maar al te goed, en dat gaat me aan mijn hart.'

Hij durfde het aan een arm naar haar uit te strekken. Ze pakte zijn hand, wat hij onnoemelijk fijn vond.

'Sam, als ik het boek maar vaak genoeg lees en uiteindelijk doorkrijg wat je in me miste, en als ik dat kan veranderen, op welke manier dan ook, zouden we het dan nog een keer opnieuw kunnen proberen?'

Ze verstevigde haar greep op zijn hand, alsof ze hem voor altijd vast wilde houden. Toch zei ze: 'Daar is het nu te laat voor, Ryan. Ik wou dat het anders was, maar zo liggen de zaken nu eenmaal.'

'Heb je... iemand anders?'

'Nee. Er is niemand anders meer geweest. Ik heb het afgelopen jaar geen enkel vriendje gehad, en ik voel me prima in m'n eentje. Ik wil ook niet anders. Misschien komt dat nog. Ik weet het niet.'

'Maar je hield van me. Dat weet ik zeker. Dat gevoel kun je toch niet zomaar van de ene dag op de andere stopzetten?'

'Dat gevoel is nooit verdwenen,' zei ze.

Die woorden zouden hem normaal gesproken gelukkig hebben gemaakt, maar hij werd er nu verdrietig van, omdat er uit haar stem een intens verdriet sprak. Ze sprak op dezelfde lijdzame toon waarmee weduwen over hun onlangs overleden echtgenoot spraken, en met dezelfde eenzaamheid.

'Ik hou van je,' zei ze. 'Maar ik ben niet verliefd op je.'

Gefrustreerd zei hij: 'Je speelt een woordspelletje.'

'Nee. Daar bestaat wel degelijk verschil tussen.'

'Maar niet zo veel dat het iets uitmaakt.'

'Alles maakt wat uit, Ryan. Alles.'

'Vertel me nou toch eens wat ik niet goed heb gedaan.'

Ze keek hem ontzet aan. 'Nee. O god, nee.'

Haar reactie leek niet in verhouding tot zijn vraag, want per slot van rekening had hij alleen maar gevraagd wat het nou precies was wat ze in hem miste.

Haar heftige reactie deed vermoeden dat ze een kwestie hadden aangesneden die een sleutelrol in hun relatie vervulde, het omslagpunt waarop alle licht verdween en alle hoop vervloog.

Als je computerprogramma's programmeerde en een bedrijf runde, leerde je gaandeweg die belangrijke omslagpunten te herkennen, zodat je in actie kon komen en maatregelen kon treffen om de neergaande lijn om te buigen en het bedrijf naar een succesvolle toekomst te leiden.

'Zeg nou alsjeblieft gewoon wat ik niet goed heb gedaan,' smeekte Ryan.

Ze hield zijn hand zo krampachtig vast dat het pijn deed. Haar nagels drukten zo hard in zijn huid dat die bijna begon te bloeden.

'Dus terwijl ik van je hou, zou ik dat moeten zeggen? Recht in je gezicht? Onmogelijk.'

'Maar als je van me houdt, wil je toch ook dat het weer goed komt tussen ons?'

'Dat lukt niet meer.'

'Jawel. We kunnen het weer goedmaken,' vond hij.

'Ik wil niet alles kapotmaken.'

'Wat wil je dan kapotmaken? Wat is er dan nog over als we het niet meer met elkaar willen proberen?'

'Dat jaar waarin we samen waren, toen alles nog goed was.'

'Dat kan niet meer stuk, Sam.'

'Juist wel. Als we hierover zouden gaan praten.'

'Maar als we nou...'

'En nu schieten we daar niets mee op. Met woorden valt er niets recht te zetten. En ook niet te voorkomen.'

Hij wilde wat zeggen, maar ze was hem voor. 'Nee. Ik wil van je blijven houden. Mijn herinneringen aan jou, toen ik nog verliefd was, zijn me dierbaar. Die wil ik voor altijd intact laten.'

Omdat Ryan zo onder de indruk was van de zuiverheid van haar hartstocht en het tot hem doordrong dat ze intens van hem gehouden had, meer dan hij misschien kon vatten, en omdat hij nog steeds niet snapte waar hij nu tekort was geschoten, welke fout hij had begaan, kwamen er maar twee woorden bij hem op.

Maar voordat hij die kon zeggen, hernam ze het woord. 'Zeg nou niet dat je me niet begrijpt. Niet weer.' Haar ogen glommen van verdriet, en haar stem trilde. 'Maar zo is het wel, hè? Dat heb ik maar te accepteren, en daarom vind ik het zo erg om het nog eens te moeten horen. Dat wordt me te veel, Lonkie.'

Ze trok haar hand terug, niet bozig maar stilzwijgend wanhopig. Ze stond op, aarzelde alsof ze zich bedacht en weer wilde gaan zitten, maar toen draaide ze zich om en liep weg.

Omdat Ryan bang was dat ze het op een lopen zou zetten als hij achter haar aan ging, bleef hij op het bankje zitten, in de glazige zon. De rode hanggeraniums waren zo bont als een Tiffany-lampenkap, de etalages vormden een wazige schittering, de stralen van een fontein glitterden als kristal en kletterden met een helder, breekbaar geluid in het water.

Uiteindelijk zag hij zes meter van hem vandaan een jonge Aziatische vrouw staan, voor de boekwinkel. Ze keek in zijn richting, waarschijnlijk ook al toen Samantha nog naast hem zat.

De vrouw hield vijf of zes lichtroze lelies vast. Er zat cellofaan omheen, dat met een blauw lintje was vastgebonden.

Omdat Ryan bang was dat ze een fan van Samantha was en misschien op hem af zou komen omdat hij met de schrijfster had zitten praten, kwam hij overeind. Het enige wat hij de vrouw te vertellen had, was dat hij het allemaal niet meer zag zitten, iets waar ze hem niet mee kon helpen.

39

De laatste vijf Californische winters waren extreem koud geweest. Men had zelfs wel eens een trui aangetrokken, al stelde het natuurlijk niks voor als je de winters van Maine of Michigan gewend was. Het zou nog twee uur duren voordat het donker werd, en het was op deze zaterdag druk in het winkelcentrum. De meeste mensen leken lekker van de zon te genieten en meer oog te hebben voor elkaar dan voor de etalages.

Vroeger zou Ryan het heerlijk hebben gevonden om naar de mensen te kijken, en hij zou er energie van hebben gekregen. Nu irriteerden ze hem alleen maar.

Na zijn hartoperatie had hij het een tijdje kalm aan moeten doen. Hij vermeed mensenmassa's, omdat hij immunosuppressiva slikte, waardoor hij extra vatbaar was voor verkoudheid en griep en er niet zo snel van zou herstellen. Als gevolg hiervan kwam hij weinig buiten, niet alleen op medische gronden, maar omdat hij voorlopig liever alleen wilde zijn.

De mensen die hier waren, verdrongen elkaar niet maar kuierden op hun gemak door het winkelcentrum. Toch kwamen ze op hem over als een verpletterend leger, een zoemende zwerm, bestaande uit buitenaardse wezens die hem zouden meevoeren naar hun bijenkorf, waaruit hij niet kon ontsnappen. Toen hij naar de parkeerplaats liep, kreeg hij last van claustrofobie, en bijna was hij in volle vaart naar een open ruimte gerend.

Bijna alle parkeerplaatsen waren bezet, en toch was het er rustig en stil. De meeste mensen die wilden gaan winkelen, waren er al, en nu het nog twee uur duurde voordat de winkels dichtgingen, wilde het overgrote deel nog niet naar huis.

Toen hij het vak had gevonden waar hij zijn Deuce Coupé had neergezet en in de richting van zijn auto liep, dacht Ryan aan de blik waarmee Samantha hem had aangekeken. Hij dacht eerst dat ze medelijden met hem had, maar nu hij zich zo rot voelde, vermoedde hij dat het anders zat.

Medelijden is pijn die je voelt wanneer je anderen ziet lijden, gekoppeld aan een verlangen om te hulp te schieten. Maar Samantha kon hem helemaal niet helpen; dat had ze hem duidelijk gemaakt. Wat hij in haar ogen had gezien, was meewarigheid, iets waar misschien tederheid bij kwam kijken, maar wat in feite medelijden met de hopelozen was, de mensen die niet bereikt of geholpen konden worden.

De zon stond hem tegen, de schittering van de autoraampjes, de hitte die van de geparkeerde auto's walmde, de geur van asfalt die van het wegdek opsteeg. Hij verlangde naar de koelte van zijn solarium.

'Hallo,' zei een stem achter hem. 'Hallo, hallo.'

Toen hij zich omdraaide, zag hij de Aziatische vrouw met de lichtroze lelies staan. Ze was in de twintig, tenger, buitengewoon knap, met lang glanzend zwart haar, niet puur Aziatisch maar met enkele Europese trekjes. Ze had grijsgroene ogen.

'U kent haar. U kent die schrijfster,' zei ze. Ze sprak Engels zonder enig accent.

Als hij bot tegen haar deed, zou de vrouw dat Sam indirect kwalijk nemen, en daarom zei hij: 'Ja, die ken ik wel. Of eigenlijk: kende.'

'Ze kan heel goed schrijven. Zeer getalenteerd.'

'Dat is absoluut een feit. Ik wou dat ik zo veel talent had als zij.'

'Zo invoelend geschreven,' zei de vrouw, die een stap dichterbij kwam en naar het boek keek dat hij bij zich had.

'Sorry, maar ik ben bang dat ik geen tijd heb,' zei Ryan. 'Ik moet ergens naartoe en ik ben al aan de late kant.'

'Een heel bijzonder boek, vol bijzondere inzichten.'

'Dat klopt. Maar nu moet ik gaan.'

Ze hield de lelies met beide handen vast en stak ze hem toe. 'Alstublieft. Ik zag het verdriet tussen u en haar. U hebt deze meer nodig dan ik.'

Overdonderd zei hij: 'O, nee, die kan ik niet aannemen.'

'Jawel, echt, neem ze maar,' zei ze. Ze drukte de bloemen zo wild tegen hem aan dat een van de bloemen brak en op de grond viel.

De scherpe geur van stuifmeel drong in zijn neus door. In verlegenheid gebracht zei Ryan: 'Nee, want weet u, ik ga ergens heen waar ik ze niet in water kan zetten.'

'Toe nou, hier, u moet ze meenemen,' zei ze, en als hij met zijn vrije hand niet het krakende cellofaan had vastgepakt, zou ze het boeket op de grond hebben laten vallen.

Hoewel hij de lelies nu had aangenomen, probeerde hij ze terug te geven.

Hij voelde iets schrijnen, een streep vuur in zijn linkerzij. Even later kreeg hij daar pijn, alsof zijn huid was opengereten. Pas op dat moment kreeg hij de stiletto in de gaten. Toen de bloemen en het boek uit zijn handen gleden, zei de vrouw: 'Ik kan u doodmaken wanneer ik maar wil.'

Verbijsterd greep hij naar zijn zij en wankelde achteruit, tegen een Ford Explorer aan.

Ze draaide zich om en liep met doelbewuste tred, zonder te rennen, naar het aangrenzende vak met auto's.

Het mes was zo scherp geweest dat het door zijn shirt was gegaan zonder rafels te maken, zoals een scheermes door een krantenpagina snijdt.

Zijn rechterhand zat onder het bloed. In paniek zocht hij naar de wond, die op een operatieve snee leek, ongeveer tien centimeter lang, te ondiep om gehecht te hoeven worden, geen fatale wond, alleen maar als waarschuwing bedoeld, maar diep genoeg om duidelijk zichtbaar te zijn.

Hij keek op en zag dat de tengere vrouw snel tussen de geparkeerde auto's door liep. Misschien wilde ze per auto vluchten.

Door de schrik had hij nog niets gezegd. Nu hij om hulp wilde roepen, merkte hij dat hij niet meer dan een piepgeluidje kon uitbrengen.

Ryan keek om zich heen, op zoek naar iemand die hem kon helpen. In de verte, op het hoofdpad van het parkeerterrein, zag hij twee auto's wegrijden. Ook zag hij drie mensen lopen, maar er was niemand in zijn buurt.

De vrouw met het mes verdween tussen de auto's, alsof ze door de hitte die van het wegdek walmde, oploste in de schittering van de autoruiten.

Ryan had zijn stem weer terug en stond binnensmonds te vloeken. Bij nader inzien leek het hem verstandiger om geen scène te schoppen. Bovendien was de vrouw al verdwenen.

Hij trapte per ongeluk op een paar lelies, toen hij naar het boek liep dat hij had laten vallen, en raapte het met zijn onbebloede hand op.

Toen hij bij zijn Ford Coupé uit 1932 stond en in zijn zakken naar zijn autosleutels zocht, transpireerde hij zo erg dat er druppels van zijn voorhoofd op de kofferbak vielen. Dat hij zo hevig zweette kwam niet omdat het zo'n zonnige dag was.

In de kofferbak zat een gereedschapsetje voor als hij pech onderweg kreeg. Er zat onder andere een verhuisdeken in, een paar schone zeemleren doeken, papieren handdoekjes en flesjes water.

Hij propte een doek door de scheur in zijn shirt en drukte die tegen de wond. Met zijn hand hield hij de doek op zijn plaats.

Nadat hij zijn bebloede hand met een flesje water had schoongemaakt, vouwde hij de verhuisdeken half open en drapeerde die over zijn stoel.

Een Chevy Tahoe passeerde hem, maar Ryan hield de auto niet aan. Hij wilde zo snel mogelijk naar huis.

Hij dacht terug aan wat de vrouw gezegd had: *Ik kan u doodmaken wanneer ik maar wil.*

Nu ze had toegeslagen, zou ze misschien terugkomen om hem hier alsnog te vermoorden.

De Ford *single overhead cam* 427, een motor die speciaal voor raceauto's ontwikkeld was, had zo veel power dat de auto altijd heftig trilde als hij stationair draaide. Er zat een Ford c-6-versnellingsbak in, met een koppelomvormer van 2500 toeren per minuut.

Bij het verlaten van het parkeerterrein kreeg Ryan de neiging ontzettend te gaan scheuren, alsof hij zich op het parcours van een grand prix bevond, maar het leek hem verstandiger om zich aan de maximumsnelheid te houden, omdat hij geen zin had om aangehouden te worden.

De auto was geen oldtimer maar een *hot rod*, geheel customized, zelfs uitgerust met een handsfree autotelefoon. Zijn mobiel ging, en ondanks de stemming waarin hij verkeerde, nam hij bijna automatisch op. 'Ja?'

De vrouw die hem had verwond, zei: 'Doet het zeer?'

'Wat wilt u van me?'

'Luistert u dan nooit?'

'Wat móét u van me?'

'Ik ben de stem van de lelies.'

Op ontstemde toon zei hij: 'Kunt u niet normaal praten?'

'Zij arbeiden niet, en spinnen niet.'

'Ik zei normaal. Is Lee daar? En Kay?'

'De Tings?' Ze lachte zachtjes. 'Denkt u nu werkelijk dat zij hier iets mee te maken hebben?'

'Dus u kent ze wel. Ja, u kent ze duidelijk wel.'

'Ik weet alles over u, wie u zoal ontslaat en wie u gebruikt.'

'Ze hebben twee jaar loon meegekregen. Ik heb ze heel behoorlijk behandeld.'

'Denkt u echt dat dit iets met de Tings te maken heeft omdat ik toevallig net zulke ogen heb als zij? Zij hebben er niets mee te maken.'

'Vertel me dan maar eens waar dit wel over gaat.'

'Dat weet u best.'

'Als dat zo was, zou ik u nooit zo dicht bij me in de buurt hebben laten komen.'

Hij stopte omdat het licht op rood sprong. De auto trilde, en onder de met bloed doordrenkte zeemleren doek stak de schrijnende snijwond in het ritme van de draaiende motor.

'Bent u echt zo achterlijk?' vroeg ze.

'Ik wil weten waar dit over gaat. Daar heb ik recht op.'

'U hebt er recht op om te sterven,' zei ze.

Hij moest onmiddellijk denken aan Spencer Barghest in Las Vegas en diens verzameling opgezette lijken. Maar hij had nooit kunnen aantonen dat er een verband bestond tussen dokter Dood en de gebeurtenissen van de afgelopen zestien maanden.

'Ik ben niet achterlijk,' zei hij. 'Ik weet dat u iets van me wilt. Iedereen wil iets van me. Ik heb geld, behoorlijk wat. Ik kan u net zo veel geld geven als u maar wilt.'

'Als u dan niet achterlijk bent,' zei ze, 'dan bent u ontzettend naïef. In het meest gunstige geval, althans.'

'Vertelt u nou maar wat u wilt,' zei hij.

'Uw hart behoort mij toe. Ik wil het terug.'

Haar verzoek was zo absurd dat Ryan even niet wist hoe hij moest reageren.

'Uw hart. Uw hart behoort mij toe,' zei ze nog eens, en toen begon ze te huilen.

Ryan vermoedde dat het geen zin had om met haar in discussie te treden, omdat ze waarschijnlijk krankzinnig was en gedreven werd door een obsessie die hij toch niet begreep.

'Uw hart behoort mij toe.'

'Oké,' zei hij zachtjes. Hij wilde dat ze bedaarde.

'Het is míjn hart, mijn dierbare hart, en ik wil het terug.'

Ze hing op.

Achter hem werd getoeterd. Het stoplicht was inmiddels weer op groen gesprongen.

Ryan zette de auto aan de rand van het trottoir neer en liet de auto stationair draaien.

Met *69 probeerde hij de vrouw terug te bellen. Uiteindelijk hoorde hij een ingesproken bericht van de telefoonmaatschappij, waarin verteld werd dat hij een nummer moest intoetsen omdat de verbinding anders verbroken werd.

Toen er weer een gaatje in het verkeer kwam, trok Ryan op.

De hemel was helder, een omgekeerde lege kom, maar volgens de weersverwachting zou het zondag tegen de middag gaan regenen en zou het op z'n vroegst maandagmiddag weer droog worden. Wanneer de kom vol was en overliep, zou ze terugkomen. Als het regende en het donker was, zou ze terugkomen, met een capuchon op. Ze zou zich als een spook voortbewegen en zou zich niet door sloten laten tegenhouden.

40

Ryan zette zijn Deuce Coupé in de garage. Tot zijn opluchting zag hij dat daar niemand aanwezig was. Toen hij was uitgestapt, trok hij de met bloed doordrenkte doek uit zijn shirt, legde die op de deken die over zijn stoel lag en drukte een schone doek op de wond.

Snel rolde hij de bebloede doek in de deken, pakte die onder zijn linkerarm en liep naar binnen. Hij nam de lift en kwam bij de suite op de tweede verdieping aan zonder iemand te zijn tegengekomen.

Hij legde de deken neer, met de bedoeling om die later in een vuilniszak te stoppen en weg te gooien.

In de badkamer ontsmette hij de wond en deed er jodium op.

Hij begon de stekende pijn bijna te waarderen, want hij merkte dat hij er helderder door kon denken.

Hij smeerde een dikke laag bloedstelpende crème op de ondiepe snijwond. Na een tijdje veegde hij het teveel aan crème af en deed er Neosporin op.

Het verbinden van de wond was zo'n simpele klus dat hij ondertussen alle tijd had om over het voorval na te denken en te verzinnen wat hem nu te doen stond.

De Neosporin dekte hij met een paar dunne gaasjes af. Met pleisters drukte hij de wond dicht, en hij plakte daar nog weer langere pleisters overheen, om ervoor te zorgen dat alles op zijn plek bleef zitten.

De steken waren overgegaan in een doffe, bonkende pijn.

Hij kleedde zich om en trok een zachte zwarte spijkerbroek aan, en een zwart sweatshirt met brede kraag.

In het barretje had hij enkele flessen wijn liggen. Hij maakte een tien jaar oude fles Opus One open en schonk een Riedel-glas bijna tot aan de rand vol.

Via de intercom liet hij mevrouw Amory weten dat hij de dekens van het bed deze keer zelf zou terugslaan, en dat hij het diner graag in zijn suite wilde gebruiken. Hij had zin in biefstuk en vroeg of de trolley om zeven uur voor zijn deur neergezet kon worden.

Om kwart voor vijf draaide hij het nummer van dr. Hobbs in Beverly Hills. Omdat het weekend was, verwachtte hij de doktersteletefoon aan de lijn te krijgen, wat inderdaad het geval was. Hij liet zijn naam en nummer achter en zei er met nadruk bij dat hij een harttransplantatie had gehad en dat dit een noodgeval was.

Hij ging aan het amboinahouten bureau zitten, deed de plasma-tv aan en zette het geluid af. Hij staarde naar gangsters uit de jaren dertig die met geluidloze mitrailleurs schoten, vanuit muisstille zwarte auto's om bochten scheurden zonder dat het gierende geluid van remmen of banden te horen was.

Toen hij zijn glas voor een derde had leeggedronken, hield hij zijn rechterhand op een afstandje voor zijn gezicht. Zijn vingers trilden nauwelijks meer.

Hij zette de tv op een andere zender en keek naar een atypisch zwijgzame Russell Crowe die als kapitein zijn geluidloze zeilboot door een ziedende maar stille storm loodste.

Elf minuten nadat Ryan een bericht op de voicemail had ingesproken, belde dr. Hobb terug.

'Sorry als ik u heb laten schrikken, dokter. Lichamelijk is er niets met me aan de hand. Maar ik zit wel met iets ernstigs, waarbij ik uw hulp dringend nodig heb.'

Bezorgd als altijd zei Hobb, zonder een spoortje irritatie: 'Ik ben altijd telefonisch te bereiken, meneer Perry. Bel me gerust als er iets is. Zoals ik eerder al heb gezegd, kunnen er opeens emotionele problemen ontstaan, ook al verloopt het herstel nog zo voorspoedig.'

'Ik wou dat het zo eenvoudig lag.'

'De telefoonnummers van de therapeuten die ik u vorig jaar gegeven heb, zijn nog steeds van kracht, maar als u die kwijt bent geraakt...'

'Het gaat niet om een emotioneel probleem, dokter. Het gaat om... ik weet niet goed hoe ik het moet zeggen.'

'Kunt u vertellen waar het over gaat?'

'Dat doe ik liever niet nu. Maar de kern van de zaak is: ik wil weten wie mijn hartdonor was.'

'Maar dat weet u toch, meneer Perry? Een onderwijzeres die een ongeluk heeft gehad en aan hoofdwonden is bezweken.'

'Ja, dat weet ik wel. Ze was zesentwintig, zou inmiddels zevenentwintig zijn en zou binnenkort achtentwintig worden. Maar ik heb een foto van haar nodig.'

Heel even zweeg Hobb. Hij maakte net zo weinig geluid als het schip van Russell Crowe dat door verstilde zeeën ploegde. De storm was zo heftig dat de bemanningsleden op hun posten werden vastgebonden omdat ze anders overboord zouden slaan.

Toen zei de cardioloog: 'Meneer Perry, de beste therapeut van die lijst is Sidney...'

'Geen therapeut, dr. Hobb. Een foto.'

'Maar meneer Perry...'

'Een foto en een naam, dr. Hobb. Ik smeek het u. Dit is van cruciaal belang.'

'Meneer Perry, sommige families vertellen de ontvanger van het nieuwe hart graag van wie het afkomstig was.'

'Meer vraag ik niet.'

'Maar... er zijn ook families die – net als de donor – anoniem wensen te blijven. Ze hoeven geen bedankje en willen hun verdriet graag in de privésfeer verwerken.'

'Dat begrijp ik, dokter. En normaal gesproken zou ik die wens eerbiedigen. Maar dit is een apart geval.'

'Met alle respect zou ik willen stellen dat het niet redelijk is om te...'

'Ik verkeer in een positie waarin ik met nee geen genoegen hoef te nemen. Dat is niet acceptabel. Gewoon niet acceptabel.'

'Meneer Perry, ik ben degene die haar hart van haar lichaam in het uwe heeft overgezet, en zelfs ik heb geen toegang tot haar naam. De familie is sterk aan privacy gehecht.'

'Er is vast wel iemand in de medische machinerie die weet hoe ze heette en die contact met haar familie kan opnemen.

Ik wil hen alleen vragen of ze mijn verzoek in overweging willen nemen.'

'Misschien wordt de naam geheimgehouden op verzoek van de donor zelf en vindt de familie het ongepast tegen de wil van de overledene in te gaan.'

Ryan zuchtte diep. 'U moet dit niet als een belediging opvatten, dokter, maar samen met de onkosten voor dc vluchten en de medische behandeling ben ik inmiddels een miljoen zeshonderdduizend dollar kwijt, en ik heb de rest van mijn leven dure nazorg nodig.'

'Ik vind dit heel onaangenaam. Zo ken ik u helemaal niet.'

'Nee, wacht. Begrijpt u me alstublieft goed. Elke cent die ik hieraan heb uitgegeven, was het helemaal waard, en ik heb niets te veel betaald. Want per slot van rekening ben ik door uw inspanningen nog in leven. Ik probeer het alleen maar in het juiste perspectief te plaatsen. Gezien alle kosten, die niet door enige verzekering gedekt werden, zou ik met alle plezier vijfhonderdduizend dollar aan de familie beschikbaar willen stellen als ze me de foto en de naam van de overledene zouden geven.'

'Mijn god,' zei Hobb.

'Misschien vatten ze het op als een belediging,' zei Ryan. 'U in elk geval wel, geloof ik. Misschien vervloeken ze me. En u misschien ook wel. Ik denk echt niet dat ik alles maar kan kopen wat in me opkomt. Het ligt anders. Ik sta met mijn rug tegen de muur. Iedereen die me verder kan helpen, iedereen die daartoe het fatsoen en het mededogen bezit, zal ik ontzettend dankbaar zijn.'

Dougal Hobb, het door de storm geteisterde schip en Ryan deelden een lange stilte, alsof de cardioloog de situatie mentaal opensneed om de zaak te onderzoeken.

Toen zei Hobb: 'Ik wil het wel proberen, meneer Perry, maar dan heb ik iets meer informatie nodig. Kunt u me wat meer over uw probleem vertellen?'

Ryan verzon een reden waar de arts zich misschien niet

in kon vinden, maar die hij misschien van een hogere orde achtte dan de absolute privacy waar de familie van de donor prijs op stelde.

‘Ik zit in een soort spirituele crisis, dokter. Dat zij is overleden en ik verder leef, terwijl zij ongetwijfeld een beter mens was dan ik. Ik ken mezelf goed genoeg om dat met zekerheid te durven stellen. En dat zit me niet lekker. Ik kan niet slapen. Ik ben aan het eind van mijn krachten. Ik wil haar graag op de juiste wijze eer betonen.’

Aarzelend zei de cardioloog: ‘U bedoelt toch niet dat u haar publiekelijk wilt eren.’

‘Nee, dokter. Dat klopt. De media hebben er nooit lucht van gekregen dat ik ziek was en geopereerd ben. Ik heb liever niet dat mijn gezondheidsproblemen aan de grote klok worden gehangen.’

‘U wilt haar dus op een andere manier eren, zoals men dat bijvoorbeeld in de katholieke kerk doet door een mis aan de persoon in kwestie op te dragen.’

‘Precies. Zoiets bedoel ik.’

‘Bent u katholiek, meneer Perry?’

‘Nee, dokter. Maar dat is wel precies wat ik in gedachten had.’

‘Ik ken iemand met wie ik contact zou kunnen opnemen,’ vertelde Hobb. ‘Hij heeft het volledige dossier van de donor in zijn bezit en zou de kwestie aan de familie kunnen voorleggen.’

‘Daar zou ik ontzettend blij mee zijn. U weet niet half hoe blij.’

‘Misschien zijn ze bereid een foto af te staan. Of zelfs een voornaam. Maar als de familie haar achternaam niet wil prijsgeven en ook niet wil dat u zelf contact met hen opneemt, zou u zich daar dan bij neer kunnen leggen?’

‘De foto zou al een ontzettende troost zijn. Ik ben blij met alles wat ze eventueel bereid zijn te doen.’

‘Dit is hoogst ongebruikelijk,’ zei Hobb, ‘al moet ik toegeven dat het wel eens eerder voorgekomen is. En toen hebben we het ook kunnen oplossen. Het hangt allemaal van de familie af.'

De vrouw met de lelies had Ryan willen kwellen, had zijn zenuwen aan flarden willen snijden voordat ze zijn hart met een scherp mes zou doorboren. Voordat ze weer zou toeslaan, zou ze hem waarschijnlijk een dag rust gunnen, zodat hij goed tot zich door kon laten dringen dat iemand hem had toegetakeld en dat hem nog meer te wachten stond.

De nacht en de regen waren haar bondgenoten. Over vierentwintig uur zouden die weer aan haar zijde staan.

'En nog iets, dokter. De foto en wat de familie verder maar bereid is af te staan... ik wil alles graag zo snel mogelijk hebben. Twaalf uur of korter zou ideaal zijn.'

Misschien scherpte Dougal Hobb zijn scalpel aan die woorden, maar hij liet daar niets van blijken. Na een ogenblik gezwegen te hebben, zei hij alleen maar: 'Een spirituele crisis kan jaren duren, zelfs een heel mensenleven. Tijd speelt in dat geval meestal geen rol van betekenis.'

'In mijn geval ligt het anders,' zei Ryan. 'Dank u voor uw hulp en inlevingsvermogen, dokter.'

41

De filet mignon was mals als boter.

Onder het eten dacht Ryan na over de vrouw die hem had aangevallen, en hoe vaardig ze het mes had gehanteerd. Ze had hem met de lelies misleid en had waarschijnlijk precies de wond toegebracht die ze voor ogen had.

Als ze dieper had gesneden, zou hij medische hulp nodig

hebben gehad. De wond was zo ondiep dat hij hem zelf kon verbinden. Kennelijk was ze daarvan uitgegaan.

Misschien ontpopte ze zich uiteindelijk wel tot een moordenares, maar voorlopig zou ze hem waarschijnlijk alleen willen verwonden zonder dat het hem fataal werd. Ze wilde dit spelletje rekken, om hem zo veel mogelijk te kwellen voordat ze hem echt zou openrijten, als dat tenminste het enige was wat ze in gedachten had.

Het zelfvertrouwen en de vaardigheid waarmee ze het mes had gehanteerd, zou ze op straat opgepikt kunnen hebben, maar Ryan vermoedde dat ze niet zomaar een onbeduidend crimineeltje was. Het bloederige gedoe bij het winkelcentrum was geen slachtpartij geweest, maar meer een stilettoballet.

De ontmoeting met haar had hij heel vervelend gevonden, maar toch was hij blij dat het voorval zich had voorgedaan. Want pas de vorige avond had hij durven nadenken over de mogelijkheid dat deze nieuwe incidenten – de duistere gestalte in de regen, die niet door de beveiligingscamera's was waargenomen, de kleine snoephartjes en de ketting met het gegraveerde gouden hartje, die spoorloos verdwenen waren – niet door zijn fantasie werden ingegeven, net zoals de vreemde gebeurtenissen van meer dan een jaar geleden, en dat ze misschien niet het gevolg waren van het feit dat hij achtentwintig medicijnen per dag slikte.

Eigenlijk had hij die mogelijkheid in een eerder stadium verworpen, op grond van het feit dat hij geen objectieve kijk op de zaak had en dus geen betrouwbaar oordeel kon vellen. Nu hij in zijn linkerzij was gestoken, waren zijn twijfels voorgoed verdwenen.

Na het eten duwde hij de trolley met de vuile vaat naar de gang en informeerde mevrouw Amory via de intercom dat ze de spullen kon komen ophalen.

Hij deed een uur over zijn tweede glas Opus One en bladerde Samantha's boek door, hier en daar een passage lezend, zoals een ander die in een crisis verkeerde misschien de Bijbel opsloeg, in de hoop door een goddelijke hand geleid te worden.

Om negen uur liep hij naar het Crestronpaneel dat in de muur van de hal was ingebouwd en bekeek de beelden van de beveiligingscamera's die op de gangen en trappen in het huis gericht stonden, en toen hij slechts duisternis zag, nam hij aan dat de Amory's zich voor de nacht in hun eigen woongedeelte hadden teruggetrokken.

Op de onderste verdieping van het huis, in de dienstgang die naar het washok leidde, deed hij de deur van het vertrek open waar de beelden van de beveiligingscamera's opgeslagen werden en waar hij de vorige avond nog geweest was. Zachtjes deed hij de deur achter zich dicht. Hij maakte de hoge, metalen kast open waarin de recorders stonden en zette het beeldscherm aan.

Toen hij de vorige avond de beelden had bekeken, was hij van slag geraakt toen hij de duistere gestalte niet op de banden had kunnen terugvinden. Toen had hij natuurlijk nog niet de stilettodiva ontmoet en zocht hij de verklaring voor zijn bijzondere ervaringen in de bijwerkingen van zijn medicijnen.

Met die verklaring in zijn achterhoofd had hij de videobanden niet met een analytisch oog bekeken. Hij was op zoek geweest naar wat duidelijk niet te zien was, terwijl hij misschien beter had kunnen kijken naar wat er wél te zien was.

Hij bekeek de opnamen die de eerste buitencamera meer dan achtenveertig uur geleden van het zuidelijk deel van het gazon gemaakt had. Hij spoelde de band op normale snelheid af, omdat bepaalde details bij een hogere snelheid niet te zien waren.

Weer zag hij de motregen, de mistslierten die over het gras zweefden, de himalayaceders en de schemering, maar er kwam geen duistere gedaante in beeld, hoewel Ryan er zeker van was dat hij die nacht twee keer iets gezien had.

Ineens viel hem iets op toen hij naar de mistflarden keek die traag over het gras zweefden. Toen hij de band terugspoelde en nog eens keek hoe de schemering de laatste resten van de dag verjoeg, verspróng de mist op een gegeven moment. Daarna gleden de mistflarden op precies dezelfde manier over het gras als een ogenblik daarvoor.

Hij spoelde de band een minuut terug, drukte op PLAY en merkte dat een deel van de opnamen herhaald werd, wat betekende dat er iets gewist was. Een tijdje daarna gebeurde hetzelfde, rond het tijdstip waarop hij de donkere gestalte tussen de ceders vandaan had zien komen.

Rechtsonder in beeld liep de timer continu door. Degene die met de banden geknoeid had, was hier duivels goed in en had oog voor detail.

Ryan spoelde de gekopieerde passages nog een paar keer af – de eerste duurde negenenveertig seconden, de tweede eenendertig – en dacht na over de implicaties van zijn ontdekking.

Er zat een dag tussen het tijdstip waarop hij de gestalte had gezien en het moment waarop hij de camerabeelden had bekeken. Iemand moest er in de tussentijd mee geknoeid hebben.

Maar gisteravond was hij hier in allerijl in pyjama en badjas naartoe gekomen om te kijken wie zich toegang tot zijn suite had verschaft om het kettinkje op zijn kussen te leggen. Het kopiëren, plakken en wissen van de desbetreffende beelden moest dan meteen gebeurd zijn nadat de indringer in zijn suite was geweest.

Dit deed vermoeden dat de vrouw met de lelies minstens één handlanger had. Aangenomen dat zij degene was die in de suite was geweest, moest die ander zich al toegang tot het beveiligingssysteem hebben verschaft – waarschijnlijk ergens in huis – om haar opnamen te wissen zo gauw ze uit beeld was verdwenen.

Ze was niet langer een gestoorde einzelgänger. De complottheorie, die hij eerder als onwaarschijnlijk van de hand had gewezen, bleek plotseling te kloppen.

En wat belangrijker was: degenen die Ryan tegenover zich zag, hadden ontzettend veel in hun mars, en het leek erop dat ze steun van derden kregen.

Eindelijk beschikte hij over concreet bewijsmateriaal. Als er geen getuigen konden worden gevonden die gezien hadden dat de vrouw hem had aangevallen, kon hij niet hardmaken dat hij de wond in zijn zij niet bij een ongeluk had opgelopen. Maar knip- en plakwerk van de beveiligingsopnamen konden niet op toeval geschoven worden.

Misschien was het bewijsmateriaal in de ogen van de politie te mager. Maar hij was niet van plan om de politie erbij te halen voordat hij wist wat de samenzweerders dreef. En zelfs dan zou hij de politie er misschien buiten laten.

De vrouw met de stiletto had gezegd dat ze hem dood zou maken, en het leek hem aannemelijk dat het inderdaad haar uiteindelijke doel was om hem te vermoorden. Maar welke motieven daaraan ten grondslag lagen, bleef een raadsel.

De medewerkster van Wilson Mott, Cathy Sienna, had vijf oorzaken van geweld opgesomd: wellust, afgunst, boosheid, gierigheid en wraak. Ze had ze tekortkomingen genoemd, maar het waren natuurlijk ook motieven. Iedereen die moordplannen had, werd door een of meer van dergelijke motieven gedreven.

Net toen Ryan de monitor wilde uitzetten, begon het beeld te flakkeren. In plaats van beelden van beveiligingscamera's in en rond het huis, kwam er een glanzende, wanstaltige vorm in beeld, rood en vlezig, met blauwe aderen, kloppend, als in een ouderwetse sciencefictionfilm over een monsterlijk wezen dat uit een opengebarsten meteoor tevoorschijn komt.

Heel even had Ryan geen idee wat hij op het scherm zag, en toen besefte hij dat het videobeelden van een kloppend menselijk hart waren, in een menselijk lichaam dat was opengesneden.

Zonder dat Ryan de afstandsbediening aanraakte, werd het beeld gesplitst in een paar vierkantjes, die normaal gesproken lieten zien wat de verschillende beveiligingscamera's registreerden, maar die nu dezelfde afschuwelijke videobeelden vertoonden. Even later werden er nog vier camera's ingeschakeld, maar ze lieten allemaal hetzelfde kloppende hart zien, en toen nog vier, en nog vier...

Het waren geen actuele beelden die hij zag; er lag niemand in zijn onmiddellijke omgeving op de operatietafel. Het was een instructiefilm over openhartchirurgie. De handen van de chirurg kwamen in beeld, en toen de camera uitzoomde, verscheen de rest van het operatieteam.

Het beveiligingssysteem schakelde steeds door naar andere beveiligingscamera's, en daarna begon de cyclus opnieuw, steeds sneller, tot de beelden zo snel voorbijschoten dat de actie in de documentaire niet meer te volgen was. De monitor werd zwart.

Uit de kast, waarin alle opnameapparatuur stond, klonk het benauwde kabaal van elektronica die op het punt stond het te begeven. Daarna stilte. Alle lampjes op de ingeschakelde apparaten gingen uit.

Ryan hoefde geen technicus te raadplegen om te weten dat het systeem was gecrasht, dat alle opnamen, die standaard dertig dagen bewaard werden, gewist waren, en dat hij nu geen bewijs meer had dat er met de banden geknoeid was.

42

Terug in zijn suite trok Ryan een laatje van zijn bureau open, bladerde door een aantal hangmappen en haalde er een uit waarin hij de foto van Teresa Reach bewaarde, de foto die hij in de werkkamer van Spencer Barghest had aangetroffen.

Voordat hij van dr. Gupta te horen had gekregen dat hij aan cardiomyopathie leed, nu bijna zestien maanden geleden, verkeerde hij in de stellige overtuiging dat deze foto een aanwijzing bevatte waarmee hij de vreemde gebeurtenissen van toen zou kunnen verklaren.

Uiteindelijk had zijn obsessieve analyse van de foto niets opgeleverd, en hij was tot de conclusie gekomen dat er geen complot tegen hem gaande was, dat hij niet vergiftigd werd, dat er alleen onschuldige toevalligheden hadden plaatsgevonden waaraan hij een mysterieuze, betekenisvolle lading had gegeven omdat hij nogal wantrouwig van aard was en zijn kijk op de dingen door zijn gezondheidsperikelen vertroebeld was.

Misschien was het nu tijd om weer eens naar de foto van Teresa te kijken.

Hij had de computer niet meer die Mott ter beschikking had gesteld om de foto te kunnen uitvergroten. Zonder digitale hulp moest hij zich maar op zijn ogen verlaten.

Toen hij aan het bureau zat, ging de telefoon: zijn privélijn. Op het display werd niet weergegeven wie hem belde.

Toen hij de handset opnam, zei de vrouw met de lelies: 'Bekijk uw bankrekeningen maar eens, dan zult u zien dat u net honderdduizend dollar hebt overgemaakt naar een organisatie voor cardiovasculair onderzoek. Ik denk dat een financiële aderlating pijnlijker voor u is dan een snijwond.'

Hij was niet van plan het spelletje mee te spelen en zei: 'Wat zijn jullie voor types?'

'Er is geen sprake van meerdere personen. Ik ben de enige.'

'Dat is een leugen. U moet wel een organisatie achter u hebben staan. Brede ondersteuning.'

'Wie ik ook ben, u gaat in elk geval dood.'

'Nog niet,' zei hij, en met die woorden verbrak hij de verbinding.

Be2Do. Leven om te handelen. Niet: leven om alles over je heen te laten komen. Grijp het moment. Kom zelf in actie, wacht niet tot iemand je voor is. Pak die golf, surf langs de rand, jaag over het water, grijp die kans, wacht niet af, leef het leven ten volle, leg je niet neer bij een sudderend bestaan. Dat je bestaat, is een ingang, geen uitgang. Zijn of niet zijn is niet de vraag.

Ryan liep door het grote huis, deed in elke kamer het licht aan, schakelde het weer uit als hij naar het volgende vertrek ging, registreerde weinig van de ruimtes die hij betrad maar zag vooral voor zich waar hij vandaan kwam: de kakkerlakken op de grond, de stickies die in de asbak waren uitgedrukt, de posters van Kathmandu en Khartoum, reizen die ze nooit hadden gemaakt omdat al het vakantiegeld plus de huur opging aan de dagelijkse trips van pappa naar exotische oorden in zijn geest, dus soms alleen een uitje naar Vegas met het busje, met mamma en haar vriend, welke vriend er op dat moment ook maar de rol van echte vriend had ingenomen, de vrolijke stemming op de weg erheen, in oostelijke richting, het schelle licht van de onmetelijke woestijn en de opgewekte praatjes over veel geld winnen, goksystemen en kaarten tellen, flessen Dos Equis bier om de kilometers aangenamer te maken, het geflikflooi voor in de auto, terwijl je achterin net doet of je doof bent, of je slaapt, of je dood bent, of je nooit geboren bent. Soms word je 's nachts in je eentje in het busje achtergelaten, op een parkeerplaats bij een casino, waarbij je dan achterin wegkruipt, want als je voorin gaat zitten, waar mensen je kunnen zien, komen er vreemden op het raam kloppen die vleiend tegen je praten – vampiers, denk je – en dan proberen het portier open te krijgen. En het goedkope motel, altijd weer hetzelfde goedkope motel, waar je in het busje blijft wachten terwijl mamma en de vriend van het moment 'even samen' moeten zijn. Een dag of twee later weer in westelijke richting terug, de wanhopige discussie over geld, de verbitterde beschuldigingen over en weer, de tussenstop, waarbij hij haar slaat en zij terugslaat, en je probeert ertussen te komen, maar je bent niet groot en niet sterk, en dan doet hij iets met haar, gewoon in het openbaar, en dan moet je weg, weg over de hete verdorde vlakte, naar huis, lopend, omdat je het niet kunt aanzien, maar je kunt ook niet honderden kilometers blijven doorlopen, dus wanneer ze met het busje naast je komen rijden, stap je weer achterin, en zij zitten voorin nota bene te lachen, alsof er niks gebeurd is, en dan is er nog een lange weg te gaan. De woestijn is op de terugweg erg saai, de Mojave is één grote vieze asbak, mamma en de vriend praten over de volgende keer, dat ze dan wel het grote geld binnen zullen halen, dat ze het systeem zullen verbeteren, zullen oefenen met het tellen van de kaarten; ze praten aan één stuk door, de hele verdere terugweg naar pappa en Kathmandu en Khartoum en de kakkerlakken en de stickies en de volgende vriend van het moment.

Toen Ryan het huis twee keer geïnspecteerd had, ging hij terug naar de suite. Hij nam niet de moeite de deur op slot te doen.

Omdat hij er zeker van was dat er nog vele kwellingen zouden volgen voordat hij weer werd aangevallen, vond hij het niet nodig een mes onder zijn hoofdkussen te leggen.

Dr. Hobb had hem geadviseerd matig met drank te zijn, omdat alcohol een remmende invloed op de opname en effectiviteit van sommige van zijn achtentwintig medicijnen kon hebben. Hij schonk zichzelf een derde glas Opus One in.

Ryan lag in bed het boek van Samantha te lezen en viel in slaap. Hij droomde van de gebeurtenissen die zich in haar roman afspeelden en beleefde de ingrijpende momenten van het verhaal opnieuw.

Het waren vreemde dromen, omdat hij er zelf niet in voorkwam, en bovendien verwachtte hij steeds dat alles zou gaan glinsteren, als een weerspiegeling op water, en zou openbarsten, en dat er uit de diepte van de subtekst iets tevoorschijn zou komen dat hem met een lege, genadeloze blik zou aankijken.

Om 8.14 uur werd hij door dr. Hobb wakker gebeld. De familie had een ingescande foto van hun dochter naar hem toe gemaild, de vrouw wier hart nu in Ryans borstkas klopte.

'Zoals ik verwacht had, wilden ze wel de voornaam maar niet de achternaam van hun dochter prijsgeven,' zei Hobb. 'En nadat ik had uitgelegd dat u het moeilijk had en dat u een spirituele crisis doormaakte, zoals u het zelf verwoordde, wilden ze geen enkele financiële compensatie.'

'Dat is heel... onverwacht,' zei Ryan. 'Ik ben er heel blij mee.'

'Het zijn keurige mensen, meneer Perry, goede, fatsoenlijke mensen. En daarom wil ik dat u plechtig belooft dat u niet in het openbaar over deze arme vrouw zult schrijven of spreken, en dat u de foto en haar naam niet zult gebruiken. Het zijn weliswaar keurige mensen, maar toch zou het me niets verbazen als ze u anders voor de rechter zouden slepen op grond van de aantasting van hun privacy, en eerlijk gezegd zou ik het hun dan niet kwalijk nemen.'

'De foto, haar naam: ik zal ze alleen voor mezelf gebruiken,' verzekerde Ryan hem.

'Ik heb alles ondertussen naar u toe gemaild.'

'En, dokter... Bedankt dat u op mijn verzoek bent ingegaan en zo snel actie hebt ondernomen.'

Ryan ging niet naar zijn werkkamer, een verdieping lager,

maar bleef in de suite en gebruikte de laptop en de kleine printer om het mailtje van de cardioloog te openen en uit te printen.

De hartdonor had een iets ander kapsel, maar verder leek ze als twee druppels water op de vrouw met de stiletto.

Ze heette Lily.

43

Uit haar opgeheven kin, haar vastberaden mond en haar open blik sprak zelfvertrouwen, misschien zelfs een rebelse inslag.

Ryan zat aan het bureau in de alkoof van zijn suite en bekeek de foto van Lily. Hij wist dat dit de tweelingzus van de vrouw moest zijn die hem aangevallen had.

Ik ben de stem van de lelies.

Hij legde de foto van Lily X naast de foto van Teresa Reach. De Euraziatische schoonheid met het zwarte haar, en daarnaast de schoonheid met het goudblonde haar, de eerste in een levendige pose op de foto maar nu niet meer in leven, de tweede al dood toen ze werd gefotografeerd, allebei bij een auto-ongeluk om het leven gekomen en bij allebei werd hersendood geconstateerd; de ene werd door Spencer Barghest over de drempel van de dood geholpen, de andere door dr. Hobb, toen hij haar hart uit haar lichaam verwijderde. En allebei hadden ze een tweelingzus die nog leefde.

Hoe langer Ryan naar de twee foto's keek, hoe minder hij zich op zijn gemak voelde, want er leek voor zijn neus een verschrikkelijke waarheid te liggen die hem steeds maar ontging, en die uiteindelijk, wanneer hij er het minst op verdacht was, met de kracht van een tsunami zou toeslaan.

Al snel nadat Ryan Samantha had ontmoet, had hij veel over eeneiige tweelingen gelezen. Hij kon zich met name herinneren dat degene die alleen achterbleef, als de ander aan de gevolgen van een tragisch ongeval was overleden, niet alleen geplaagd werd door verdriet, maar vaak ook last had van schuldgevoelens.

Hij vroeg zich af of de tweelingzus van Lily achter het stuur van de auto had gezeten toen het ongeluk had plaatsgevonden. Het zou dan tot op zekere hoogte logisch zijn dat ze zich schuldig voelde, en haar verdriet zou bijna niet te dragen zijn.

Hoe langer hij naar de twee foto's keek, hoe sterker het gevoel terugkwam dat hij zestien maanden geleden had gekregen, namelijk dat er op de foto van Teresa een cruciale aanwijzing stond waarmee de mysterieuze voorvallen van toen verklaard konden worden. Dat intuïtieve gevoel kwam nu weer bij hem boven, dat stellige vermoeden dat ze een sleutelpositie innam, niet alleen wat betreft de gebeurtenissen van zestien maanden geleden, maar ook wat betreft alles wat nu gebeurde.

Ryan had de foto van Teresa uitputtend bestudeerd en had uiteindelijk de conclusie getrokken dat er geen enkele verhelderende aanwijzing op de foto te zien was. Als hij dat hele proces nog een keer zou doorlopen, zou dat hoogstwaarschijnlijk niet tot het verlossende eurekamoment leiden.

Maar misschien moest hij zich niet op de foto zelf richten. Misschien was het belangrijker wie de foto genomen had, of waar hij hem gevonden had, of hoe ze precies aan haar eind was gekomen, met welke middelen en onder welke omstandigheden, details die misschien te vinden waren in de schriftelijke verslagen, als die al bestonden, van de zelfmoorden waarbij Barghest assistentie verleend had.

Om 9.45 uur belde Ryan het nummer van Wilson Mott, die zoals altijd blij was hem te horen.

'Ik vlieg vanmiddag naar Las Vegas,' zei Ryan. 'De mensen die me daar vorig jaar geholpen hebben, George Zane en Cathy Sienna, zijn die nu beschikbaar?'

'Jazeker. Maar ze zitten geen van beiden in Nevada. Ze opereren vanuit ons kantoor in Los Angeles.'

'Dan kunnen ze met mij meevliegen,' zei Ryan.

'Ik denk dat het beter is als ze geen gebruik maken van uw Learjet. Onze mensen reizen altijd per eigen vervoer. Bovendien moeten ze een paar uur eerder dan u ter plekke zijn, om dingen te regelen en voorbereidingen te treffen.'

'Ja, misschien is dat beter. Oké. Misschien weet je nog dat ik de vorige keer twee afspraken had.'

'Ik heb het dossier hier voor me liggen,' zei Mott. 'Het ging toen om twee personen, op aparte locaties.'

'Het gaat nu om die man. Daar wil ik weer naartoe,' zei Ryan. 'En er is nogal wat haast bij.'

'We zullen ons best doen,' zei Mott.

Ryan hing op.

Hij stopte de foto's van de twee overleden vrouwen in de bruine envelop.

Vanuit het niets kwam er een beeld bij hem boven: de ziekenhuiskamer waar hij had gelegen, de nacht voor de operatie. De vloer en de muren en de meubels glansden, niet doordat ze waren opgepoetst, maar door het effect dat het slaapmiddel op hem had. Zelfs de schaduwen leken te glimmen. Wally Dunnaman stond bij het raam, met daarbuiten de chroomgele gloed van de nachtelijke stad, en de lucht trilde door het klokkengebeier.

Ryan Perry stond in de warme alkoof van zijn suite, naast het sierlijke amboinahouten bureau, en begon over zijn hele lijf te trillen, eerst een beetje, daarna heftiger. Hij werd overspoeld door angst en vroeg zich af waar hij nu precies bang voor was, maar hij wist het niet, hoewel hij vermoedde dat het antwoord niet lang op zich zou laten wachten.

DEEL DRIE

A dirge for her the doubly dead
in that she died so young.
EDGAR ALLAN POE, 'Lenore'

44

Op deze zondagnamiddag in Las Vegas was de lucht zo grauw als het gezicht van een verlopen gokker die van de baccarattafel opstaat nadat hij zijn laatste cent heeft vergokt.

De hooggelegen Mojave verkeerde in de greep van een koufront. Uit de richting van de kale berghellingen en de verlaten ijzer- en loodmijnen uit een vergeten verleden, langs de afgebrokkelde wanden van pyrietcanyons en veldspaatravijnen, over droge woestijnvlaktes, om de felverlichte casino's heen waaide een vochtige wind, nog niet sterk genoeg om het stof van braakliggende terreinen te blazen of rattennesten uit het weelderige bladerdek van dadelpalmen te schudden, maar tegen de avond zou hij zeker toenemen.

Bij de terminal voor het zakelijk vliegverkeer stond George Zane bij een zwarte Mercedes met twaalf cilinders te wachten. De man zag er minstens zo krachtig uit als de auto.

Toen hij het achterportier voor Ryan openhield, zei hij: 'Goedemiddag, meneer Perry.'

'Fijn om je weer te zien, George. Volgens mij krijgen we slecht weer.'

'Daar doe je niks aan,' meende de forsgebouwde man.

Onderweg zei Ryan: 'Weet je misschien of Barghest vanavond thuisblijft of niet? Kunnen we wel zijn huis in?'

'We gaan er nu rechtstreeks naartoe,' zei Zane. 'Hij zit op een mallotencongres in Reno en komt pas woensdag terug.'

'Mallotencongres?'

'Zo noem ik het. Een groepje slimmeriken die gaan praten over de voordelen van het reduceren van de wereldpopulatie tot vijfhonderd miljoen zielen.'

'Zes miljard mensen minder? Hoe denken ze dat voor elkaar te krijgen?'

'O,' zei Zane, 'ik heb gelezen dat ze een scala aan mogelijkheden hebben verzonnen. Het enige probleem is om dat er bij de rest van de mensheid door te krijgen.'

Op een kruising blies de wind een krant omhoog. De pagina's vouwden zich open en zweefden langzaam in een brede spiraal omhoog, als grote albatrossen die op zoek waren naar verdoemde schepen.

'Moeten we niet een paar uur wachten, tot het donker is?' vroeg Ryan.

'Het is altijd beter om er overdag naartoe te gaan, want dan lijkt het minder verdacht,' zei Zane. 'Rechtdoorzee en onverschrokken is het beste.'

Overdag zag de buurt er nog alledaagser uit dan in het donker: gewone ranchhuizen, met schommels en glijbanen voor het huis, goed onderhouden tuinen, een basketbalring boven de garagedeur, en hier en daar een Amerikaanse vlag.

Het huis van dokter Dood zag er net zo doorsnee uit als de andere huizen in de straat, waardoor Ryan zich begon af te vragen waar de buren zich zoal mee bezighielden.

Toen Zane het garagepad opreed, ging de deur van de garage omhoog. Hij reed naar binnen. Eerder had hij Cathy Sienna afgezet. De vrouw stond al bij de tussendeur naar het huis op hen te wachten.

Toen de garagedeur weer dichtging en ze Ryan met een professionele glimlach en dito handdruk begroette, wist hij weer hoe indringend haar blik was. Ze keek strak uit haar granietgrijze ogen, alsof ze de wereld wilde uitdagen haar ogen aan het knipperen te brengen.

Ze zei: 'Ik wist niet dat u zich de vorige keer zo goed had vermaakt.'

'Het was niet zo leuk als Disneyland, maar het was wel memorabel.'

'Die Barghest,' zei George Zane, 'bezorgt alle andere idioten een slechte naam.'

In de keuken legde Ryan uit dat ze moesten gaan zoeken op plekken in huis waar dokter Dood verslagen over zelfmoorden verstopt zou kunnen hebben. Luiken onder het vloerkleed, dubbele achterwanden in kasten, dat soort dingen.

Ondertussen zou hij de ringmappen met foto's van overleden mensen nog eens doornemen.

Zo te zien had de verzamelaar zijn macabere collectie opgezette lijken in de tussentijd niet uitgebreid, en tot zijn opluchting merkte Ryan dat er in de werkkamer nog steeds geen lijkenkunst aanwezig was. Blijkbaar had Barghest behoefte aan een plek in huis waar hij niet door dode ogen bekeken werd.

Op de boekenplank stond een derde ringmap, naast de twee ringmappen die er zestien maanden geleden ook al hadden gestaan. Ryan pakte hem en bladerde hem vluchtig door, met de mogelijkheid rekening houdend dat hij een bekend gezicht zou aantreffen.

Van de elf foto's die in het nieuwe album stonden, was de oudste een man van in de zeventig. Het jongste lijk was een blonde jongen met fijne gelaatstrekken, niet ouder dan zeven of acht, van wie de blauwe ogen met plakband werden opengehouden.

Een van de ramen rammelde zachtjes, en de aanwakkerende wind zuchtte onder de dakrand. Op zolder fladderde iets, misschien een vogel die daar een nest had gebouwd.

In de afgelopen zestien maanden had Barghest elf keer assistentie verleend bij een zelfmoord. Deze veerman stak de Styx wel heel regelmatig over.

Ryan zette de map terug, pakte de andere twee en liep ermee naar het bureau.

Omdat hij bij binnenkomst meteen naar de boekenplanken was gegaan, zag hij nu pas dat er een boek op het bureau lag dat hem bekend voorkwam. Omgekeerd op het werkblad lag het boek dat Samantha had geschreven.

Ryan keek naar de foto op de achterflap en ging in de bureaustoel zitten. Hij aarzelde voordat hij het boek durfde te pakken.

Toen hij dat uiteindelijk toch deed, sloeg hij het boek voorin open. Hij bekeek het schutblad, en daarna de titelpagina. Tot zijn opluchting stond er geen opdracht of handtekening van de schrijfster in.

Hij bladerde het boek door en merkte dat er hier en daar opmerkingen geplaatst waren, kritische kanttekeningen, waarvan sommige zo vulgair waren dat hij er misselijk van werd. Nadat hij er een paar gelezen had, sloeg hij het boek walgend dicht.

Het was logisch dat Spencer Barghest belangstelling voor het boek had gehad en het had gekocht. Per slot van rekening had hij al minstens zes jaar een relatie met Sams moeder. En hij had in zekere zin geholpen het leven van haar tweelingzus te beëindigen, wat een nobele daad van medemenselijkheid was, of een koelbloedige moord, afhankelijk van hoe je ertegenaan keek.

Wat belangrijk was, was hoe Teresa ertegenaan keek, maar gezien het huidige tekort aan betrouwbare paranormale media, viel er uit die hoek weinig te verwachten.

Ryan legde het boek weg en pakte de eerste ringmap. Zestien maanden geleden hadden deze foto's hem niets gezegd. Hij was benieuwd of dat nog steeds het geval was, of dat hij de eerste keer misschien iets over het hoofd had gezien.

Misschien had hij in het afgelopen jaar zo veel meegemaakt dat hij gevoeliger was geworden voor het lijden van anderen, want hij merkte dat de foto's hem nu meer deden dan eerst. Het waren dan wel portretten van overledenen, maar nu hij ze weer zag, was hij zich er sterker van bewust dat het om mensen ging, en dat hun karakter in hun gezicht besloten lag, ook al leefden ze niet meer.

Het kon zijn dat hij iets had gemist toen hij de map voor de eerste keer doorbladerde, maar ook nu viel hem niets nieuws op. Hij kon de moed niet opbrengen om de foto's een derde keer te bekijken.

De tweede map was het album waar de foto van Teresa in had gezeten, de foto die hem zo had beziggehouden. Hij had ook toen in deze stoel gezeten en was geobsedeerd geraakt door de weerspiegeling in haar ogen – tot Cathy Sienna was binnengekomen en had gezegd dat ze het hier in huis doodeng vond.

Ryan had datzelfde gevoel gehad, en omdat hij ervan uit was gegaan dat er verder niets bijzonders meer te zien was, had hij de map dichtgedaan en die weer op zijn plaats gezet.

Nu merkte hij dat de derde plastic hoes nog steeds leeg was. Misschien had Barghest nog niet gezien dat Teresa's foto ontbrak.

Twaalf pagina's verderop in het album zag hij een foto van iemand die hij kende. Hij deed zijn ogen vol ongeloof dicht.

Als de foto al in deze misselijkmakende verzameling thuishoorde, zou hij in de derde map moeten zitten, de nieuwe, tussen de portretten van de mensen die Barghest na Ryans laatste bezoek 'geholpen' had. Het was gewoon onmogelijk dat de foto bij de gezichten hoorde van degenen over wie Barghest zich jaren geleden had ontfermd.

Zijn hart ging nog wilder tekeer dan toen hij door de zus van Lily werd aangevallen. Hij deed zijn ogen open en zag dat hij de vrouw op de foto inderdaad kende.

Ik blijf bij je. Ik zal over je waken. Alles komt goed.

De gladde donkere huid.

Hou je adem maar niet in, schat.

De smaragdgroene ogen.

Je hoort hem, hè, jongen?

Twaalf bladen achter Teresa, die zes jaar geleden overleden was, zat de foto van Ismay Clemm, een van de twee ok-verpleegkundigen die dr. Gupta geassisteerd hadden bij de myocardiale biopsie.

45

De aanwakkerende wind ging rochelend en gierend tekeer tegen de dakgoten, alsof de woorden in zijn keel bleven steken, en de mirtenboom sloeg gefrustreerd met zijn takken tegen het raam van de werkkamer.

Toen Ryan zestien maanden geleden ook in deze kamer had gezeten, was hij er vast van overtuigd geweest dat hij op het punt stond een ontdekking te doen die licht zou werpen op het beangstigende complot dat tegen hem gesmeed was. Nu kreeg hij datzelfde gevoel.

De eerste keer, toen hij de foto van Teresa had gevonden, dacht hij dat het om een essentieel stukje van de puzzel ging. Omdat hij al bijzonder onder de indruk was van Samantha's knappe gezicht, werd hij meteen gegrepen toen hij haar perfecte evenbeeld zag. Toen hij de zes jaar oude foto van Teresa onder ogen kreeg, slechts enkele uren nadat hij het bed had gedeeld met een vrouw die tot in detail hetzelfde gelaat had, werd hij doordrongen van het feit dat de dood constant deel uitmaakt van het leven, en dat inzicht bracht hem aanvankelijk van zijn stuk. Hij had zich toen helemaal op de foto van Teresa gericht, als de bron waar alle vreemde gebeurtenissen van de laatste tijd op terug te voeren waren.

Maar Teresa Reach kon de puzzel niet oplossen, zelfs niet ten dele. Ze had niets te maken met het netwerk dat onbekenden om Ryan heen leken te wikkelen.

Hij kon haar niet echt een vals spoor noemen, omdat niemand haar foto opzettelijk in de map had gestopt om hem om de tuin te leiden. In zijn gedrevenheid om elke kans te benutten en zo snel mogelijk in actie te komen, had hij overhaast de conclusie getrokken dat haar aanwezigheid in deze fotoverzameling dé ontdekking was waarvoor hij naar Las Vegas was gekomen.

Maar nu, zestien maanden later en twaalf pagina's verder in het fotoboek, had hij iets ontdekt wat hem nog meer van zijn stuk bracht, iets wat een echte sleutel tot de ontrafeling van het mysterie zou kunnen zijn: Ismay Clemm, de verpleegkundige van in de vijftig, die niet alleen bij de myocardiale biopsie aanwezig was geweest, maar die na de operatie ook regelmatig bij hem was komen kijken hoe het ermee stond, toen hij lag bij te komen van de verdoving.

Toen waren de nare, terugkerende dromen begonnen: het zwarte meer, het betoverde kasteel, de stad op de bodem van de zee. Die terugkerende nachtmerries – en het paranoïde gevoel dat ze versterkten, zijn vermoeden dat hij werd vergiftigd of gedrogeerd – hadden ertoe geleid dat hij naar Las Vegas was gegaan, in afwachting van de uitslag van de biopsie.

Hoewel Ryan ervan overtuigd was dat Ismay Clemm een centrale rol in het geheel speelde en dat alles nu duidelijk zou worden, bekeek hij voor de zekerheid ook de rest van de foto's in de map. Hij wilde niet dezelfde fout maken als eerst, toen hij te snel tot de conclusie was gekomen dat Teresa de sleutel tot de deur naar de waarheid vormde.

De overige gezichten kende hij niet. Hij richtte zijn aandacht weer op de verpleegkundige. Natuurlijk niet Ismay. Het evenbeeld van Ismay.

Als deze foto's iets gemeenschappelijks hadden, was het wel dat het allemaal eeneiige tweelingen waren. Samantha en Teresa. Lily en haar gestoorde zus met de stiletto.

Ryan hoorde klopgeluiden, maar die werden veroorzaakt doordat Zane of Sienna elders in huis op een muur tikte, op zoek naar verborgen ruimtes.

Hij had geen idee in welke stad Ismay Clemm woonde. Omdat ze een naam had die niet veel voorkwam, pakte Ryan zijn mobieltje en belde hij een nieuwe telefonische informatiedienst, waarbij de nummers niet per stad maar per netnummer opgezocht konden worden. Ze konden echter geen nummer van Ismay vinden, in de 949- noch in de 714-zone, wat kon betekenen dat ze niet in het telefoonboek stond.

Het was zondagmiddag, vier uur. Het zou niet eenvoudig zijn dr. Gupta te bereiken om hem te vragen of hij het nummer van Ismay Clemm had. Maar doordeweeks was het waarschijnlijk net zo lastig om hem aan de lijn te krijgen.

Een jaar geleden had dr. Gupta de medische gegevens naar Hobb gestuurd, nadat hij erachter was gekomen dat zijn patiënt al meer dan een maand daarvoor een andere cardioloog in de arm had genomen. Gupta had Ryan een briefje gestuurd waarin hij zijn ongenoegen kenbaar maakte over het feit dat hij niet eerder in deze beslissing gekend was. Het was niet aannemelijk dat hij Ryan te woord wilde staan of hem terug zou bellen.

Als gevolg van deze beslissing had Ryan ook een andere internist genomen. Van Forry Stafford was hij overgestapt naar dr. Larry Kleinman, die een privépraktijk had.

Hij overwoog Kleinman te bellen, die op elk uur van de dag, zeven dagen per week te bereiken was, om te vragen of de man bereid was uit te zoeken hoe de ok-verpleegkundige heette die Gupta tijdens zijn biopsie had geassisteerd. Maar toen hij naar de foto van de levenloze tweelingzus van Ismay keek, schoot hem de naam van de andere verpleegkundige te binnen, die broodmagere vrouw. Whippit. Nee. Whipset. Voornaam Kara of Karla.

Van de Whipsets in de 949-zone had er één een voornaam die hem bekend voorkwam. Hij wist onmiddellijk dat hij goed zat: Kyra.

Hij toetste het nummer in, en toen de telefoon drie keer was overgegaan, nam ze op.

Nadat hij zijn naam had gezegd en zich verontschuldigde voor het feit dat hij haar zomaar stoorde, nog wel op een vrije zondag, zei hij: 'Ik had gehoopt dat u misschien weet hoe ik met Ismay Clemm in contact kan komen.'

'Het spijt me. Wie zegt u?'

'De andere verpleegkundige die toen bij de biopsie aanwezig was.'

'Andere verpleegkundige?' vroeg Kyra Whipset.

'Ismay Clemm. Ik moet haar dringend spreken.'

'Ik ken niemand die zo heet.'

'Maar ze was bij de biopsie aanwezig.'

'Ik ben daar toen als enige verpleegkundige bij geweest, meneer Perry.'

'Een zwarte vrouw. Kwam heel prettig over. Opvallende donkergroene ogen.'

'Die ken ik niet.'

'Kan het zijn dat ze er misschien onofficieel bij is geweest?'

'Dan zou ik het me wel herinneren. Bovendien doen we dat nooit.'

'Maar ze was wel degelijk aanwezig,' drong hij aan.

Doordat hij zo zeker van zijn zaak leek te zijn, werd de vrouw aan het twijfelen gebracht. 'Maar wat voor assistentie verleende ze dan? Wat deed ze?'

'Toen het eerste weefselmonster was genomen, zei ze dat ik mijn adem niet in moest houden.'

'Meer niet? Dat is alles wat ze heeft gedaan?'

'Nee. Ze... ze heeft ook mijn pols in de gaten gehouden.'

'Hoe bedoelt u?'

'Nou, ze stond naast de onderzoektafel en hield mijn pols vast, om mijn hartslag te meten.'

Verbijsterd zei ze: 'Maar tijdens de biopsie lag u aan de monitor.'

Hij groef in zijn geheugen, maar kon zich er niets van herinneren.

Kyra Whipset zei: 'Een hartslagmeter met een monitor.

Een machine hield uw hartactiviteit in de gaten, meneer Perry.'

Ryan kon zich de fluorescoop nog wel voor de geest halen, want daarop had hij de trage voortgang van de katheter gevolgd die via een halsader naar zijn hart werd geleid, maar hij had geen enkele herinnering aan een hartslagmeter. Hij kon niet met zekerheid zeggen dat ze het mis had, en er was geen reden om te denken dat ze tegen hem loog. Maar een hartmonitor kon hij zich niet voor de geest halen, wel Ismay Clemm.

'Na afloop moest ik op een bed in de onderzoekkamer gaan liggen, tot het slaapmiddel was uitgewerkt. Ze is een paar keer bij me geweest om te kijken hoe het met me ging. Ze was heel aardig.'

'Ik ben een paar keer bij u wezen kijken, meneer Perry. U lag wat te dommelen.'

Hij keek naar de foto die voor hem lag en zei: 'Maar ik kan me haar levendig voor de geest halen. Ismay Clemm. Ik zie haar gezicht zo voor me.'

'Kunt u die naam spellen?' vroeg Kyra Whipset.

Nadat hij dat gedaan had, las ze ter controle op wat ze had opgeschreven.

'Hoor eens,' zei ze, 'het is misschien mogelijk dat ze tijdens de biopsie even in het lab is geweest. Ik had het zo druk dat me dat niet is opgevallen, maar blijkbaar heeft ze grote indruk op u gemaakt.'

'Ze heeft inderdaad grote indruk op me gemaakt,' gaf hij toe.

'Het kan zijn dat u door de verdoving niet alles even goed hebt meegekregen. Misschien is ze in uw beleving veel langer bij u geweest en denkt u dat ze zich veel meer met u heeft beziggehouden dan in werkelijkheid het geval is geweest.'

Hij trad niet met haar in discussie, maar hij wist zeker dat ze absoluut ongelijk had.

'Kunt u me misschien een nummer geven waarop u bereikbaar bent?' vroeg ze. 'Dan bel ik een paar mensen in het ziekenhuis op om te informeren of er iemand is die haar kent. Misschien kan ik zo een telefoonnummer boven tafel krijgen waarop u haar kunt bereiken.'

'Dat zou ik zeer op prijs stellen. Heel aardig van u dat u dat wilt doen,' zei hij. Hij gaf haar zijn mobiele nummer.

Klop-klop-klop: George Zane en Cathy Sienna onderzochten muren en kasten.

Ryan haalde de foto van Ismay Clemm uit het plastic hoesje en legde die op het bureau.

De loeiende wind deed nu denken aan een scalpel, die alles wegschraapte wat niet was vastgemaakt. Buiten zwiepten de bomen in gele stofwolken in het schrale gele namiddaglicht.

Ryan haalde de foto's van Teresa Reach en Lily X uit de bruine envelop die hij had meegebracht en legde ze naast de foto van de vrouw die op Ismay Clemm leek.

Een gevoel van onrust maakte zich van hem meester, van een intensiteit die hij nooit eerder had meegemaakt.

Deze reis bracht hem van het hartje van het koninkrijk der rede, waar hij zijn hele leven vertoefd had, naar het uiterste grensgebied, waar de lucht ijler was en de werkelijkheid minder goed zichtbaar was. Hij stond op de overgang tussen alles wat hij tot nu toe geweest was en een nieuwe manier van zijn, iets waar hij niet eens over na durfde te denken.

Hij voelde de aandrang om twee foto's in de map terug te stoppen en alleen met de foto van Lily te vertrekken, en wel zo snel mogelijk.

Het probleem was alleen dat hij nergens naartoe kon, behalve naar huis, en daar zou hij op een gegeven moment worden opengesneden, en zijn hart zou uit zijn lijf worden gehaald, deze keer zonder verdoving.

Na een tijdje kreeg de lucht een lichte alkalische geur door de stoffige wind die onophoudelijk bij de ramen kwam kreunen en snuffelen.

Toen Ryans mobieltje uiteindelijk ging, kreeg hij niet Kyra Whipset aan de lijn, maar een vrouw die Wanda June Siedel heette en hem vertelde dat ze namens Kyra Whipset belde.

'Ik heb van haar begrepen dat je iets over Ismay Clemm wilt weten.'

'Dat klopt,' zei Ryan. 'Ze is... heel zorgzaam voor me geweest, op een punt in mijn leven toen ik het heel moeilijk had.'

'Daar herken ik Ismay wel in. Absoluut. Zij en ik zijn acht jaar lang hartsvriendinnen geweest. Ik denk niet dat ik ooit nog zo'n lieverd tegen het lijf zal lopen.'

'Mevrouw Siedel, ik zou graag met Ismay Clemm in contact komen.'

'Je mag me wel Wanda June noemen, jongen. Ik zou zelf ook wel een tijdje met Ismay willen praten, maar het spijt me dat ik het zeggen moet, maar ze is overleden.'

Ryan staarde naar de foto van de verpleegkundige en besloot de belangrijkste vraag eerst nog niet te stellen. In plaats daarvan zei hij: 'Wat is er gebeurd?'

'Om het recht voor zijn raap te zeggen: ze is met de verkeerde man getrouwd. Haar eerste man, Reggie, was een echte lieverd, als je Ismay mocht geloven, en als haar verhalen over hem ook maar een beetje waar zijn, was het een heilige. Maar Reggie kwam te overlijden toen Ismay veertig was. Zeven jaar later hertrouwde ze, met Alvin, en dat was ook de reden waarom ze hiernaartoe is verhuisd en ik haar ontmoet heb. Ze hield van Alvin, ondanks zijn tekortkomingen, maar hij mocht me niet. Toen ze achtenhalf jaar getrouwd waren, viel ze heel toevallig van een trapje achterover en klapte met haar achterhoofd heel toevallig op betontegels.'

Toen Wanda June zweeg, zei Ryan: 'Dat was allemaal heel toevallig?'

'Jongen, begrijp me niet verkeerd. Ik wil niemand beschuldigen, en het is niet mijn bedoeling om de naam van wie dan ook door het slijk te halen. God weet dat ik geen rechercheur ben, en ik heb zelfs nog nooit een aflevering van CSI gezien, terwijl het stikte van de politie toen Ismay is overleden, dus ze zullen wel niet voor niets gezegd hebben dat het een ongeluk was. Het kwam vast door alle ellende en eenzaamheid dat Alvin er net een maand na het overlijden van Ismay met een andere vrouw vandoor ging. Hij werd natuurlijk gek van verdriet en eenzaamheid, gek van de opbrengst van het huis en de uitkering van de levensverzekering. Helemaal door verdriet verscheurd, die arme, eenzame Alvin.'

'Dus die val werd haar fataal, Wanda June?'

'Welnee, jongen, ze hebben haar meteen onder het mes gelegd, en een tijdje had ze last van een zwelling in haar hoofd en wist ze niet meer wie ze was, maar dat is allemaal goed gekomen, en dat kwam door haar ijzersterke wil om door te gaan, en door de Heer. Ze kon zich niets meer herinneren van het toevallige trapje of de toevallige betontegels, maar voor de rest werd ze weer helemaal de oude, op-en-top Ismay. Ze was opgenomen in een revalidatiecentrum, om ervoor te zorgen dat haar verlamde linkerarm weer mee ging doen, en ze was bijna weer helemaal beter, toen ze een zware hartaanval kreeg, heel toevallig, terwijl die arme Alvin nota bene bij haar op bezoek was, samen met een paar maten van hem, dus alleen dat stel en Ismay, met de deur dicht, en dat was net één toevalstreffer te veel voor Ismay. God moge haar ziel hebben en over haar waken.'

'Dat moet een groot verlies voor je zijn geweest, Wanda June. Op de manier waarop je over haar praat, hoor ik dat jullie een goede band hadden.' Hij stelde de belangrijkste vraag: 'Wanneer is Ismay overleden?'

'Afgelopen kerstavond drie jaar geleden. Alvin had net een cadeautje voor haar meegebracht, een prachtige zijden sjaal, die waarschijnlijk zo mooi was dat ze er een hartaanval van kreeg, wat een geruststellende gedachte is, dat zo'n prachtig cadeau haar letterlijk en figuurlijk de das om heeft gedaan, want als ze geen hartaanval had gekregen, zou het helemaal niet toevallig zijn geweest als iemand haar per ongeluk met de sjaal had moeten wurgen.'

Als het waar was wat Wanda June Siedel zei, was Ismay Clemm eenentwintig maanden voor Ryans biopsie overleden, de biopsie waarbij hij haar had ontmoet.

Hij luisterde naar de ziedende gele wind, en de raderen van zijn geest waren tot stilstand gekomen nadat de boel door een ongelofelijk feit was vastgelopen.

Wanda June ging uit zichzelf verder: 'Ismay had Alvin via een christelijke internetsite leren kennen, wat natuurlijk een rare combinatie van woorden is, want het internet wordt bestierd door de duivel. Als Ismay niet op internet was gegaan, zou ze Alvin nooit ontmoet hebben, dan zou ze nog steeds in Denver zitten, bij haar zus, wat betekent dat zij en ik nooit vriendinnen zouden zijn geworden, maar dan zou ze ook niet zo jong zijn overleden, en dat was me liever geweest.'

'Denver,' zei Ryan.

'Daar is ze geboren en getogen, en toen is ze met Reggie getrouwd. Ze is op haar zevenenveertigste naar Newport gekomen, naar Costa Mesa om precies te zijn, omdat Alvin daar namelijk een baan had, en ze is toen in het ziekenhuis gaan werken.'

'En haar zus – leeft die nog?'

'Haar zus, Ismena, die is niet met Alvin getrouwd, die zit niet te e-mailen en zit überhaupt niet op internet, dus die is niet van een ladder gevallen en heeft ook geen zijden sjaaltje ingeslikt of weet ik veel. Met die zus gaat het prima. Dat is al net zo'n lieverd als Ismay.'

Het was of de rede weer in het universum was teruggekeerd. Als er inderdaad een zus bestond, zou er een verklaring kunnen bestaan die was in te passen in de wetmatige wereld van de logica, de wereld waarin Ryan zich thuis voelde.

'Dus je hebt contact met Ismena gehouden,' zei hij.

'Ismena Moon, dat is haar meisjesnaam. Alvin heette Clemm. Ismena en ik schrijven nog steeds met elkaar, en soms bellen we.'

'Woont ze nog steeds in Denver?'

'Ja, hoor. Ze woont in het huis dat van Ismay en Reggie was, ze heeft het van Ismay gekocht toen die met de zogenaamd christelijke Alvin trouwde. Niet dat het aan mij is om iemand op zijn geloof te beoordelen, of er nu wel of geen trap aan te pas komt.'

'Wanda June, wat heeft Kyra Whipset je over mij verteld?'

'Ik heb haar zelf niet gesproken. Ze kende iemand die mij kende, en ze wist dat ik en Ismay bevriend waren geweest. Ze zei dat Ismay indruk op je gemaakt had of zo, en of ik je wilde bellen.'

'Zoals ik net al zei, was Ismay heel zorgzaam voor me toen ik een verschrikkelijke tijd doormaakte. Ik wilde daar graag iets tegenoverstellen. Maar ik wist niet dat ze inmiddels is overleden.'

'Jongen, ik wil je verhaal graag horen, en alles over haar zorgzaamheid, en wat ze voor je betekend heeft. Zet het maar in het gedenkboek dat ik voor haar gemaakt heb.'

'Dat wil ik een andere keer best doen, Wanda June. Dat beloof ik. Maar op dit moment hoopte ik eigenlijk dat je me met haar zus, Ismena, in contact zou kunnen brengen.'

'Ismena mist Ismay zo verschrikkelijk dat ze het vast heel fijn zou vinden om bezoek te krijgen van een beleefde jongeman als jij, iemand die iets goeds over wijlen haar zus te vertellen heeft. Ik zal je haar nummer geven.'

46

Op de terugweg naar het vliegveld zaten George Zane en Cathy Sienna voorin. Ryan zat op zijn gemak achterin en keek naar de foto's van de drie vrouwen: Teresa, Lily en Ismay. Elk van hen was de helft van een eeneiige tweeling geweest, en van elk van hen was de zus nog in leven.

Volgens Samantha werd een goed boek onder meer gekenmerkt door diepte. Dat kon je op verschillende manieren bewerkstelligen, bijvoorbeeld door de goede eigenschappen van de personages te laten contrasteren met hun slechte kanten, door voornemens tegenover werkelijke daden te zetten, door te laten zien hoe iemand gevormd is door zijn achtergrond, door de maniertjes en gewoontes van de hoofdpersonen te beschrijven, tegenstellingen en tegenstrijdigheden aan te geven, alledaagse dingen tegenover extreme handelingen te zetten, verschillende meningen en manieren van praten weer te geven. Diepte kon je bereiken door levendige beelden te creëren, door geuren te beschrijven, waardoor ze als het ware van de bladzijde opstegen, en klanken die in de geest natrilden, en door metaforen en vergelijkingen te gebruiken. Ze kon tientallen manieren opnoemen waarop je een verhaal diepte kon geven, zo veel dat Ryan ze niet allemaal meer voor de geest kon halen.

Door diepte in het verhaal begon je als lezer patronen waar te nemen. Soms waren dat patronen die met de plot te maken hadden en die als rijstroken van een snelweg door het verhaal liepen, met de opvallende gebeurtenissen als een soort vangrail, die ervoor zorgden dat je op de plaats van bestemming aankwam zonder dat je verdwaalde op zijwegen die nergens naartoe leidden. Andere patronen betroffen het thema, dat het verhaal richting en betekenis gaf, deels zoals de regels voor het schrijven van een sonnet er de betekenis aan gaven, deels zoals het bezingen van menselijk leed een blues de moeite waard maakte.

De moeilijkste patronen om te doorgronden, de intrigerendste ook, en meestal de meest onheilspellende, waren de patronen die uit de subtekst voortvloeiden, niet uit het oppervlakkige thema van het boek, maar uit de impliciete betekenis die het verhaal had. Hoe minder je over die patronen nadacht, hoe beter je ze kon begrijpen, want dat waren de patronen die te maken hadden met basale waarheden, die de moderne mens voor een deel uit zijn bewustzijn had verbannen.

Terwijl Ryan de foto's bestudeerde en nadacht over het feit dat hun zussen nog in leven waren, kwam hij tot de conclusie dat dat patroon van tweelingzussen weliswaar de sleutel tot de plot leek te vormen, maar dat het toch meer tot de subtekst behoorde, want hoe meer hij er bewust mee bezig was, hoe minder hij het idee kreeg in de buurt van de openbaring te komen waarnaar hij op zoek was.

De stoplichten die bij kruispunten aan kabels waren opgehangen, werden door de gele wind heen en weer geblazen. Dode bladeren werden van hoge palmbomen gescheurd en dorre struikjes op braakliggende terreinen werden meegevoerd naar drukke straten. De wind rukte aan de auto, loeide tegen de raampjes en voerde met zijn kracht zo'n show op dat een heiden zich wellicht geroepen zou hebben gevoeld om manden vol bloemblaadjes in het rond te strooien, als offer om gespaard te worden voor de ellende die de opstekende storm zou zaaien.

Ryan stopte de foto's in de envelop en zei: 'George, Cathy, ik ben van plan om het vliegtuig naar Denver te nemen. Ik weet niet of het nuttig is om iemand mee te nemen, maar het zou kunnen dat ik toch wat bescherming nodig heb. Ik zou me veel meer op mijn gemak voelen wanneer er iemand mee zou gaan die gerechtigd is met een wapen op zak te lopen.'

'We mogen in Colorado allebei een wapen dragen,' zei Zane, 'en Cathy kan net zo goed met wapens omgaan als ik. Misschien is ze zelfs wel beter dan ik.'

'Als je het maar weet,' zei ze.

Ryan vroeg: 'Zou je met me mee kunnen gaan naar Colorado, Cathy?'

'Ik heb maar één stel schone kleren in mijn tas meegenomen.'

'Meer heb je ook niet nodig. Morgen vliegen we alweer terug naar Californië.'

Het leek Ryan niet waarschijnlijk dat Ismena Moon, een achtenvijftigjarige vrouw die een 'lieverd' was genoemd, een bedreiging voor hem zou blijken te zijn.

Eigenlijk was het hem meer om gezelschap dan om bescherming te doen. Hij had het afgelopen jaar weinig onder de mensen vertoefd, en de eenzaamheid had haar tol geëist.

Met name Denver leek hem gevaarlijk om alleen naartoe te gaan. De vorige keer was hij daar verward aangekomen, zoals ook nu het geval zou zijn, en ook toen hij vertrok, was hij van zijn stuk gebracht, tegen het wanhopige aan.

Bovendien wilde Ryan Cathy iets vragen. Hij had dat al willen doen vanaf het moment dat hij haar 's middags in de garage van Spencer Barghest had zien staan. Het was een vraag die eigenlijk geen uitstel duldde, een vraag van het allerhoogste belang. Alleen wist hij niet hoe die vraag precies luidde. Hij had het gevoel dat de vraag in zijn onderbewuste aanwezig was. Misschien zou het hem in Denver duidelijk worden.

Veertig minuten nadat ze waren opgestegen, toen ze ter hoogte van Utah vlogen, boven de wolken, op weg naar Colorado, verontschuldigde Ryan zich en ging hij naar het toilet.

Hij zakte op zijn knieën en kotste in de wc-pot. Bij de

start was zijn maag van de zenuwen gaan opspelen, en dat was daarna alleen maar erger geworden.

Hij spoelde zijn mond twee keer bij de wastafel en waste zijn handen. Tot zijn ontsteltenis merkte hij dat zijn vingers grauw waren.

Toen hij in de spiegel keek, zag hij dat zijn gezicht lijkbleek was. Alle kleur was uit zijn lippen verdwenen.

Met enige tegenzin keek hij zichzelf aan, en om de een of andere reden moest hij aan Alvin Clemm en de ladder denken, heel toevallig, de betontegels, ook heel toevallig, de zijden sjaal en de stomtoevallige hartaanval.

Toen alle kracht uit zijn benen zakte, ging hij op de wc zitten. Zijn handen trilden. Hij sloeg ze ineen, in de hoop dat het trillen op die manier zou ophouden.

Hij wist niet hoe lang hij daar had gezeten toen hij voor de tweede keer zijn handen ging wassen. Het eerste waar hij zich van bewust werd, was dat hij zijn handen verwoed stond te boenen.

Hij zat weer op de wc toen hij een klopgeluid hoorde, waardoor zijn hart wild begon te bonken, tot hij besefte dat er gewoon iemand op de deur klopte.

'Gaat het goed?' vroeg Cathy.

'Ja, hoor,' zei hij. 'Sorry. Het spijt me.'

'Echt?'

'Een beetje luchtziek,' legde hij uit.

'Kan ik iets voor u doen?'

'Wacht maar een minuutje. Dan ben ik weer helemaal de oude.'

Ze liep weg.

Luchtziek was niet de juiste diagnose. Hij was ziek van angst over wat hem in Denver te wachten stond, in het huis van Ismena Moon, het huis dat ooit van Ismay was geweest.

47

Ze lieten de sterren en de maan voor wat ze waren en daalden door een dicht wolkendek, een witte kolkende massa, naar de aarde. Onder hen verscheen Denver, glinsterend in de nacht.

In het vliegtuig had Ryan Ismena gebeld om te zeggen dat haar zus zo aardig voor hem was geweest dat hij haar nooit zou vergeten, en dat hij graag even zou langskomen om over Ismay te praten, omdat hij toevallig toch in Denver was. Nadat Ismena had gezegd dat dat prima was, had hij een Cadillac Escalade besteld, die al op hen stond te wachten toen ze landden.

Het was op deze januariavond zo guur dat zijn koude handen in vergelijking met de buitenlucht zelfs warm aanvoelden. Hij ademde rookwolkjes uit, flarden waterdamp die even bleven hangen en toen in het niets oplosten.

Zijn maag was tot rust gekomen, maar zijn zenuwen speelden hem nog steeds parten, en nadat ze hun weinige bagage achter in de Escalade hadden gelegd, vroeg hij aan Cathy of zij wilde rijden. Hij ging ook voorin zitten, en terwijl hij Ismena's adres uit een notitieboekje oplas, voerde zij de gegevens in het navigatiesysteem in.

Ze kon goed rijden en zat met zo'n gemak achter het stuur dat het leek of ze er in deze auto al vijftigduizend kilometer op had zitten. Ryan vermoedde dat ze niet alleen goed met wapens en auto's kon omgaan, maar ook met andere machines en gereedschappen, omdat ze liever met dingen dan met mensen te maken had.

Achter het stuur verscheen er onbewust een glimlachje om haar mond. Hoewel ze haar lichaamstaal meestal zorgvuldig onder controle had, vormde haar gezicht op dit moment geen masker maar leek ze heel ontspannen. Zo kende Ryan haar nog niet.

'Moet ik misschien ook weten wie die vrouw is, en waarom we daar naartoe gaan?' vroeg ze.

Hij vertelde haar alleen maar dat Ismay Clemm heel zorgzaam voor hem was geweest toen hij een myocardiale biopsie moest ondergaan, en dat hij er vandaag was achter gekomen dat de verpleegkundige eenentwintig maanden voor de ingreep was overleden.

Ze reageerde niet zoals hij had verwacht. De glimlach verdween niet, en ze hield haar ogen op de weg, alsof hij iets alledaags had gezegd, bijvoorbeeld, gezien de dreigende lucht, dat het zo zou gaan sneeuwen.

'Eenentwintig maanden. Wat denkt u daarvan?' vroeg ze.

'Ismena en Ismay zijn eeneiige tweelingzussen.'

'Denkt u misschien dat Ismena bij de biopsie heeft geassisteerd?'

'Zou kunnen. Lijkt me wel aannemelijk.'

'Maar deed ze zich als Ismay voor? Waarom zou ze dat doen?'

'Dat is een van de dingen die ik graag van haar wil horen.'

'Lijkt me ook.'

Hij verwachtte dat ze nog iets zou zeggen, maar ze reed in stilte verder en zei alleen maar 'goed, mevrouw' wanneer de gecomputeriseerde stem van het navigatiesysteem de juiste richting aangaf.

Cathy had geleerd goed te luisteren naar wat een cliënt over zijn problemen te melden had en niet in te gaan op wat er onbesproken werd gelaten. Maar ze leek zo ongeïnteresseerd dat het bijna onnatuurlijk was.

Toen het navigatiesysteem aangaf dat ze over driehonderd meter links af moest slaan en dan de plaats van bestemming had bereikt, herkende Ryan het parkje met de espen en de kerk.

'Stop maar,' zei hij. 'Ik ken het hier. Als haar huis hier vlakbij is, kunnen we het laatste stukje wel gaan lopen.'

Hun jassen waren niet op de kou berekend, maar het was windstil, zodat het nog meeviel. Met de handen in de zakken liepen ze het park in.

Alle blaadjes waren inmiddels van de espen gevallen. De gladde kale takken staken bleek af tegen de nachtelijke hemel.

Op het gras lag een vers laagje sneeuw, nog niet bezoedeld door kinderlaarzen, en de paadjes van flagstones liepen als donkere grachten door het witte park.

'Ik ben hier al eens eerder geweest,' zei hij tegen Cathy. 'Zestien maanden geleden.'

Ze zweeg naast hem.

'Ik heb toen een heel intense déjà-vu-ervaring gehad. Het was windstil, net als nu, maar de espen leken te fluisteren, zoals altijd wanneer er blaadjes aan zitten. En ik bedacht hoe dol ik altijd op dat geritsel was geweest – tot ik besefte dat ik dat geluid nog nooit eerder had gehoord.'

Een lantaarnpaal bescheen een ijzeren bankje, waar ijspegels aan hingen. Op de flagstones lag een dun laagje ijs.

'Toen ik op dat bankje zat, kreeg ik de stellige indruk dat ik hier in het verleden vaak had gezeten, 's zomers en 's winters, bij zon en regen. En er kwam een sterk gevoel van weemoed in me op. Ik merkte dat ik van deze plek hield. Vreemd, vind je ook niet?'

Tot zijn verbazing antwoordde ze: 'Niet echt.'

Ryan keek van opzij naar haar. Dat merkte ze, maar ze beantwoordde zijn blik niet.

'Hebt u dat gevoel nu ook?' vroeg ze, terwijl ze omhoogkeek naar de espen.

Huiverend keek Ryan om zich heen. 'Nee. Deze keer is het alleen maar een park, meer niet.'

Ze liepen naar de voorkant van de St.-Gemma. Een bronzen lamp in de vorm van een klok bescheen de eikenhouten deuren.

'Nog voor ik die kerkdeur had opengedaan, wist ik hoe

het er vanbinnen uitzag. En toen ik naar binnen ging... kreeg ik het gevoel dat ik hier eerder geweest was en dat het een plek was die me na aan het hart lag.'

'Zullen we naar binnen gaan?'

Ryan wist dat niemand hem zo snel had kunnen opsporen en achterna kon zijn gekomen, maar toch was hij bang dat de vrouw met de lelies en het mes hem binnen stond op te wachten, deze keer zonder de lelies.

'Nee,' zei hij. 'Ik heb dat speciale gevoel nu niet. Het is net als met het park: niets bijzonders.'

Zijn oorlellen begonnen te tintelen, zijn ogen traanden, en de lichte ammoniageur die in de ijskoude lucht hing, brandde in zijn neus.

Achter de kerk lag een grote begraafplaats. Er stond geen hek omheen, en het hoofdpad werd door een paar lantaarnpalen verlicht.

'Hier ben ik de vorige keer niet geweest,' zei hij. 'Zover ben ik nooit gekomen. Toen ik die kerk vanbinnen had gezien, was ik zo... van slag, denk ik, dat ik zo snel mogelijk weer naar het hotel terug wilde. Ik dacht dat ik vergiftigd was.'

Deze opmerking leek Cathy Sienna merkwaardiger te vinden dan al het voorgaande. Aanvankelijk zweeg ze toen ze langs het kerkhof liepen, maar toen vroeg ze: 'Vergiftigd?'

'Vergiftigd, of gedrogeerd met hallucinerende middelen. Het is een lang verhaal.'

'Het mag dan wel een lang verhaal zijn, maar dat vergif of die hallucinerende middelen lijken me verder gezocht dan enige andere verklaring.'

'Wat voor andere verklaring dan?'

Ze haalde haar schouders op. 'Wat voor andere verklaring u ook maar weigerde te accepteren.'

Haar antwoord bracht hem in verwarring, en het kerkhof begon op zijn zenuwen te werken. 'Ze zal hier vast wel begraven liggen,' zei hij.

'Ismay Clemm, bedoelt u?'

'Ja.'

'Wilt u kijken of u haar graf kunt vinden?'

Ryan trok een grimas en keek naar de grafzerken in de sneeuw. 'Nee. Niet nu het zo donker is.'

De eerste zijstraat met huizen die ze tegenkwamen, was maar aan één kant bebouwd. De woningen keken uit op de begraafplaats.

Ismena Moon woonde in het zesde pand, een victoriaans huis met bewerkte kroonlijsten en raamkozijnen. Het licht op de veranda sprong aan toen ze dichterbij kwamen.

Er hing vitrage voor de ramen, en op de deur prijkte een koperen klopper in de vorm van een engeltje dat met beide handen een bloemenkrans vasthield.

Een slanke, knappe vrouw van halverwege de zestig deed open. Ze had grijswit haar, een lichtbruine huidskleur en grote, bruine, heldere ogen. Haar degelijke zwarte schoenen met blokhakken en haar blauwe jurk van synthetische stof, met een hoog gesloten hals en een smal wit kraagje, witte manchetten en geplooide mouwen, deden vermoeden dat ze net naar de vespers of een andere kerkdienst was geweest.

'Goedenavond, mevrouw. Ik ben Ryan Perry, en dit is mijn assistente, Cathy Sienna. We hebben een afspraak met Ismena Moon.'

'Dat ben ik,' zei ze. 'Wat fijn dat jullie er zijn. Kom binnen, kom binnen, anders lopen jullie nog een longontsteking op.'

Ismena en Ismay waren geen eeneiige tweeling geweest, en sowieso geen tweelingzussen.

48

De kamer was geheel in victoriaanse stijl ingericht: bloemetjesbehang, donkerbruine velours gordijnen, opgebonden en versierd met kwastjes, vitrage, een gietijzeren haard, compleet met ketel, een schouw en schoorsteenmantel in zwart en goud marmer, een etagère met uitgestald glaswerk, twee chesterfieldbanken, plantenbakken met varens, beeldjes op sokkels, een bijzettafeltje met een bruin kleedje erover, met daarop weer een gehaakt kleedje, en overal een overweldigende hoeveelheid zorgvuldig gerangschikte porseleinen borstbeelden, porseleinen vogels, diverse bewerkte fotolijstjes in groepjes bij elkaar, en allerlei snuisterijen.

Nadat Ismena Moon koffie had gezet, serveerde ze die in een victoriaanse zilveren koffiekan, en ze presenteerde daar een royale hoeveelheid bijzondere koekjes bij, die ze biscuitjes noemde.

Ryan had eigenlijk verwacht binnen een kwartier een antwoord op zijn vragen te krijgen, maar Ismena zag dit bezoekje meer als een gezellig samenzijn, waarvoor een van haar favoriete gespreksonderwerpen – haar zus Ismay – de aanleiding vormde. Ze was zo'n innemende vrouw, zo charmant, dat Ryan het niet over zijn hart kon krijgen haar teleur te stellen.

Bovendien was zijn theorie van de eeneiige tweeling uit elkaar geknald, als een heteluchtballon die door een torenspits lek is geprikt. Hij had met een vrouw gesproken die al eenentwintig maanden daarvoor overleden was, en daar zocht hij een rationele verklaring voor. Toen hij te horen kreeg dat er nog een derde zus in het spel was, Ismana, hoopte hij even dat zíj de tweelingzus van Ismay was, maar ze bleek de oudste van de drie te zijn en was al vóór Ismay overleden.

'Onze namen lijken ook zo op elkaar dat u natuurlijk dacht

dat we tweelingzussen waren,' zei Ismena. 'Maar het zijn gewoon varianten van Amy, weet u, en dat was een heel populaire naam in de victoriaanse tijd, waar heel wat namen van afgeleid zijn. Amia, Amice, Esmee, en ga zo maar door.'

De familie Moon was gek op alles wat met de victoriaanse tijd te maken had, legde Ismena uit. Het was begonnen met hun grootvader, dr. Willard Moon, die een van de eerste zwarte tandartsen ten westen van de Mississippi was die een hoofdzakelijk blanke praktijk had gehad. Ismay was iets minder fanatiek in het verzamelen van victoriaanse spullen dan Ismena, maar net als iedereen in de familie was ze dol op lezen geweest, en ze las het liefst negentiende-eeuwse schrijvers, en dan met name die uit de victoriaanse tijd.

Ismena wees naar een alkoof vol boekenplanken, waar twee leren fauteuils en leeslampen stonden. 'Wanneer ze in een van die stoelen zat te lezen, was ze dolgelukkig.'

Terwijl Ismena verder praatte, was Ryan naar de boekenverzameling gelopen om te kijken welke titels er zoal stonden. Hij zag onder andere de complete verzameling werken van Dickens en Wilkie Collins.

Hij liep langs de boekenplanken en stapte om een sokkel met een witmarmeren borstbeeld heen.

Ismena zei: 'Dat was een van haar favorieten. Natuurlijk had ze dat ding het liefst boven de deur van de salon opgehangen, net als in dat gedicht, maar mij leek het geen goed idee om zo'n zwaar ding zo hoog op te hangen.'

'Welk gedicht bedoelt u?' vroeg Cathy.

'"The Raven,"' zei Ismena. 'Poe was haar lievelingsschrijver, hoewel ze meer van zijn gedichten dan van zijn verhalen hield.'

Ryan zag de verzamelde werken van Poe staan.

Ismena citeerde uit haar hoofd: '*And the Raven, never flitting, still is sitting, still is sitting / On the pallid bust of Pallas just above my chamber door.*'

Ryan werd gegrepen door het metrum, de dwingende herhaling van woorden, het rijm en de alliteratie, niet omdat hij het gedicht voor het eerst hoorde – want dat was niet zo – en niet omdat het lyrisch en subliem was, maar ook omdat de onmiskenbare stijl van Poe, zijn kenmerkende toon, dezelfde sfeer had als de vreemde gebeurtenissen van de afgelopen zestien maanden.

Toen hij een van de delen van de verzamelde gedichten van Poe pakte, werd hij overvallen door een nog sterker onheilspellend gevoel, toen Cathy, in aansluiting op het citaat van Ismena, declameerde: '*Once upon a midnight dreary, while I pondered, weak and weary, / Over many a quaint and curious volume of forgotten lore...*'

'*... While I nodded, nearly napping, suddenly there came a tapping,*' ging Ismena verrukt verder, '*As of someone gently rapping, rapping at my chamber door.*'

'Ik weet het niet helemaal precies meer,' zei Cathy. 'Misschien iets als: *"'Tis some visitor," I muttered, "tapping at my chamber door / Only this and nothing more."*'

'Maar het was niet zomaar iemand die op bezoek kwam, hè?' zei Ismena. 'Poe zou Poe niet zijn als dat wel zo was.'

Het klopgeluid.

Ismay had van het klopgeluid geweten.

Toen hij lag bij te komen na de biopsie, had ze tegen Ryan gezegd: *Je hoort hem, hè, jongen? Ja, je hoort hem wel.*

Hij snapte niet hoe ze van het geklop kon hebben geweten, maar dat was natuurlijk een vraag van niks, vergeleken met het raadsel hoe ze überhaupt bij hem kon zijn geweest als ze al bijna twee jaar dood was.

Luister er niet naar, jongen.

Hij sloeg het boek op een willekeurige bladzijde open, en zag een gedicht dat als titel 'The City in the Sea' had. De stad in de zee.

'Ismay kende alle gedichten van Poe uit haar hoofd, met uitzondering van "Al Aaraaf". Daar heeft ze nooit de schoonheid van ingezien.'

Ryan liet zijn blik over de eerste regels van 'The City in the Sea' gaan en voelde zich geroepen een passage hardop voor te lezen: '*But light from out the lurid sea / Streams up the turrets silently / Gleams up the pinnacles far and free / Up domes, up spires, up kingly halls / Up fanes, up Babylon-like walls...*'

Waarschijnlijk trilde zijn stem of was zijn angst op een andere manier merkbaar, want Ismena Moon zei: 'Is alles goed, meneer Perry?'

'Ik heb hierover gedroomd,' zei hij. 'Meer dan eens.'

Nadat hij nog een paar regels had gelezen, keek hij op, en hij besefte dat de twee vrouwen wachtten tot hij zich nader zou verklaren.

Hij deed dat echter niet maar zei: 'Mevrouw Moon, hier staan wel vijf of zes verzamelde gedichtenbundels van Poe.'

'Die heeft Ismay gekocht. Steeds wanneer er een nieuwe editie uitkwam, met andere illustraties, kocht ze die.'

'Zou ik een ervan tegen betaling van u mogen overnemen, bij wijze van aandenken aan Ismay?'

'Ik wil er absoluut geen geld voor hebben,' zei ze. 'Kiest u er maar een uit. Maar u hebt me nog steeds niet verteld waarom ze zo'n indruk op u gemaakt heeft.'

Met het boek in de hand liep hij naar Cathy en ging naast haar op de chesterfield zitten om een verhaal af te steken dat een kern van waarheid bevatte. Hij ging een flink eind terug in de tijd, toen Ismay nog niet overleden was, liet elke verwijzing naar een harttransplantatie achterwege maar gaf zichzelf in plaats daarvan een dubbele bypass. Hij vertelde hoe bang hij was geweest om dood te gaan, en dat Ismay op een avond in het ziekenhuis een uur lang met hem had zitten praten, en de volgende avond twee uur lang, en dat ze met hem in contact was gebleven nadat hij uit het ziekenhuis was ontslagen en hem moed inpraatte wanneer er een depressie op de loer lag.

Kennelijk bracht hij het verhaal met verve, want Ismena

was tot tranen toe geroerd. 'Zo was ze inderdaad, helemaal, dat was Ismay ten voeten uit, ze stond altijd voor iedereen klaar.'

Cathy Sienna keek hem met droge ogen van opzij aan.

Ismena trok hoge laarzen en een jas aan en vergezelde Ryan en Cathy naar het kerkhof. Ze liet hun zien waar Ismay begraven lag en richtte haar zaklantaarn op de grafzerk.

Ryan bedacht hoe anders de dingen konden zijn gelopen als hij dit kerkhof en dit graf al bij zijn vorige bezoek aan Denver had gezien, voordat hij geopereerd werd.

49

Toen ze weer in de Escalade zaten, had Ryan geen zin om te praten. Bovendien wist hij ook niet wat hij zou moeten zeggen. Cathy gedroeg zich professioneel en stelde geen vragen.

De lucht weerkaatste het licht van de stad, en de laaghangende wolken waren zwart en chroomgeel gevlekt, alsof de hemel smeulde. Als een regen van as dwarrelden sneeuwvlokken tegen de voorruit.

Haar hotelkamer lag vier verdiepingen lager dan die van hem. Toen ze uit de lift stapte, zei ze, terwijl de liftdeuren dichtgleden: 'Droom lekker.'

Omdat hij alleen maar een kleine tas bij zich had, vond hij het niet nodig om de hulp van een piccolo in te roepen. Toen Cathy hem alleen had gelaten, speelde zijn maag op, en hij had het gevoel dat de lift elk moment in vrije val naar beneden kon storten. Maar in plaats daarvan ging de liftcabine omhoog en bereikte hij veilig zijn kamer.

Denver lag buiten in een spookachtig licht, als de stad die Ryan in zijn droom op de bodem van de zee had zien liggen.

Hij ging aan een bureau zitten en pakte zijn medicijnen, die hij met een flesje bier uit de minibar innam.

Toen hij de laatste twee tabletten en vijf capsules had doorgeslikt, sloeg hij de gedichtenbundel open en bladerde het boek door.

Hij vond een gedicht dat 'The Lake' heette, dat over het woeste meer uit zijn droom ging, heerlijk afgelegen, omgeven door zwarte rotspartijen en hoge naaldbomen.

Toen hij weer bij 'The City in the Sea' kwam, las hij het gedicht twee keer in stilte door, en de laatste vier regels de derde keer hardop: '*And when, amid no earthly moans, / Down, down that town shall settle hence, / Hell, rising from a thousand thrones, / Shall do it reverence.*'

Verderop in het boek herkende hij zijn derde droom in een gedicht dat 'The Haunted Palace' heette, het betoverde paleis.

Hij kon geen enkele logische verklaring bedenken waarom hij Ismay Clemm had gezien, noch waarom zijn dromen gebaseerd leken te zijn op gedichten van haar favoriete schrijver.

Ryan had niet veel op met bijgeloof, al leken de gebeurtenissen erop te wijzen dat er bovennatuurlijke krachten in het spel waren. Het leek hem tamelijk riskant om zich nu in het bijgeloof te storten.

Hij geloofde niet in spoken, maar als Ismay een spook was geweest en hem iets duidelijk had willen maken, had hij niets van haar boodschap begrepen.

Bijna wilde hij het boek wegleggen zonder het helemaal doorgebladerd te hebben, maar toen schoot hem te binnen dat hij de ringmap van Barghest ook had weggelegd toen hij Teresa's foto had gevonden – waardoor hij pas zestien maanden later de foto van Ismay Clemm had ontdekt, twaalf pagina's verderop.

Het op een na laatste gedicht van het boek heette 'The Bells', de klokken, wat hem deed denken aan iets wat Ismay tegen hem had gezegd. In gedachten hoorde hij haar de waarschuwende woorden weer zeggen, zo helder alsof ze bij hem in de kamer was.

Als je de ijzeren klokken hoort luiden, moet je maar bij me komen.

Het gedicht van Poe bestond uit vier delen. Ryan werd tijdens het lezen steeds onrustiger. In het eerste deel werden de vrolijk tingelende belletjes op arrensleeën beschreven die met de kerst te horen waren. Het tweede deel ging over de klokken die bij een trouwerij werden geluid. In het derde deel sloeg de toon van het gedicht om en ging het over klokken bij een brand, en de tragische gebeurtenissen waar ze een voorbode van konden zijn.

Het vierde deel ging over ijzeren klokken die geluid werden door spoken, hoog in de kerktoren, en over de weemoedige dreiging die ervan uitging.

'*For every sound that floats,*' las hij hardop, '*From the rust within their throats / Is a groan.*'

Toen hij de woorden hardop voorlas, verontrustten ze hem nog meer dan toen hij ze in stilte had gelezen. Hij zweeg.

Het bijzondere ritme, het rijm, en de herhalingen in de rest van het gedicht deden hem denken aan de kakofonie en de chaos van het klokkengebeier, waardoor hij in het ziekenhuis wakker was geworden op de avond vóór zijn operatie.

Hij zag en rook en hoorde de kamer weer, Wally die naar buiten keek, omlaag, omlaag, naar de opstijgende golven van geluid. Alles glansde, zelfs schaduwen, en de klokken trilden door tot in zijn botten, in zijn bloed, hij voelde het geluid in zijn bloed, en hij rook de geur van roest, een rode en bittere laag stof, en de ene golf na de andere kwam omhoog, donderend en onheilspellend.

Uiteindelijk legde hij het boek weg.

Hij wist niet goed wat hij hiervan moest denken. Eigenlijk wilde hij niet eens weten wat hij ervan moest denken.

Hij wist dat hij geen oog dicht zou kunnen doen. Niet nu het zo met hem gesteld was.

Toch verlangde hij wanhopig naar de slaap, naar een slaap zonder dromen. Hij vond het afschuwelijk om wakker te liggen.

Ryan deed iets wat dr. Hobb stellig zou hebben afgekeurd, niet alleen bij hem maar bij iedereen die een harttransplantatie had ondergaan: hij plunderde de minibar en bracht zichzelf met een aantal gin-tonics onder zeil.

50

Ryan besloot in het zakenvliegtuig niet meteen naast Cathy Sienna te gaan zitten. Omdat hij met een kater wakker was geworden en had gewacht tot zijn hoofdpijn enigszins was afgezakt en hij een voorzichtig ontbijtje naar binnen kon werken om zijn maag niet te laten schrikken, en hij bovendien geestelijk alles onder controle wilde hebben, vertrokken ze met enige vertraging uit Denver. Hij achtte de kans niet denkbeeldig dat zijn ontbijt terugkwam wanneer ze over de startbaan raceten, opstegen en in een grote bocht in de richting van de Rocky Mountains vlogen, en daarom wilde hij het eerste deel van de reis liever apart zitten.

Toen ze eenmaal veilig in de lucht waren, liep hij naar haar toe en ging tegenover haar in een van de conferentiestoelen zitten. Ze was een tijdschrift aan het lezen, en pas toen ze het stukje uit had waar ze mee bezig was, keek ze op.

'Het is opmerkelijk hoe goed je jezelf onder controle hebt,' zei hij.

'Hoezo? Omdat u tien seconden moest wachten tot ik dit artikel uit had?'

'Nee. Je kunt je op allerlei gebieden goed beheersen. Ik vind het met name indrukwekkend hoe je in staat bent je nieuwsgierigheid te bedwingen.'

'Meneer Perry, elke dag geeft het leven ons meer dan we kunnen doorgronden. Als ik achter alles aan moest hollen waar ik nieuwsgierig naar werd, zou ik geen tijd meer overhebben voor dat deel dat ik wél begrijp.'

De stewardess vroeg of ze iets wilden eten of drinken. Ryan besloot zijn kater met een bloody mary te verjagen, en Cathy bestelde een zwarte koffie.

'Maar goed,' zei ze, toen de stewardess hen alleen gelaten had, 'u zult vanzelf inzien wat wel en niet belangrijk is, als u daar het geduld voor kunt opbrengen.'

'En wat vind jij dan belangrijk, Cathy?'

Ze had haar tijdschrift al die tijd vastgehouden, met een vinger op de bladzijde waar ze was gebleven, alsof ze elk moment verder wilde lezen. Nu legde ze het blad weg.

'U moet het me maar niet kwalijk nemen, maar de dingen die voor mij van het allergrootste belang zijn, ga ik niet zomaar met de eerste de beste onbekende in een vliegtuig zitten bespreken, alleen om de tijd door te komen.'

'Ben ik de eerste de beste onbekende?'

'Niet helemaal,' was het enige wat ze wilde toegeven.

Hij nam haar zonder schroom in zich op: haar weelderige donkere haar, haar hoge wenkbrauwen, haar grote ogen, die diep in de kassen lagen, haar neus met een ontwapenend knikje erin, die sensuele mond, haar trotse kin, die krachtige maar vrouwelijke kaaklijn, en weer terug naar haar granietgrijze ogen, die hem het gevoel gaven dat ze hem als een plak filodeeg op een koud stenen aanrecht kon uitrollen. Ze was aantrekkelijk, maar had niet die lichamelijke perfectie van Samantha, en toch straalde ze iets uit waardoor ze op een dieper niveau zo sterk op Sam leek dat ze haar tweelingzus had kunnen zijn. Waarschijnlijk kwam het daardoor dat hij zich bij haar zo op zijn gemak voelde.

'Een jaar geleden heb ik een nieuw hart gekregen,' zei hij.

Ze wachtte tot hij verder zou gaan.

'Ik ben blij dat ik nog leef. Ik ben er dankbaar voor. Maar...'

Hij aarzelde zo lang voordat hij weer iets zei, dat de stewardess hun ondertussen een bloody mary en een koffie gebracht had.

Toen hij zijn cocktail pakte, merkte hij dat hij er geen trek meer in had. Hij zette het glas in een houder in de armleuning van zijn stoel.

Terwijl Cathy van haar koffie nipte, zei Ryan: 'Het hart dat ik heb gekregen, was van een jonge vrouw, die bij een ongeluk een fatale hoofdwond had opgelopen.'

Cathy wist dat Ismay – of iemand die zich als haar had voorgedaan – voor de operatie bij hem was geweest, en ook wist ze dat hij een of meerdere keren over de verpleegkundige had gedroomd. Ryan merkte dat ze probeerde dat in overeenstemming te brengen met wat ze wel kon raden of wat ze al eerder had gehoord, maar toch stelde ze geen enkele vraag.

'Ze heette Lily,' ging hij verder. 'Ze blijkt een zus gehad te hebben, ze waren een eeneiige tweeling.'

'U was er heilig van overtuigd dat Ismay ook een tweelingzus had.'

'Ik dacht dat eeneiige tweelingen een thema vormden, en ik wilde weten wat dat te betekenen had. Maar misschien zijn tweelingen alleen maar een motief.'

Zijn gegoochel met woorden bracht haar duidelijk in verwarring, maar ze zei er niets van.

'Maar goed,' zei hij, 'die zus van Lily – ik denk dat zij achter het stuur zat toen dat ongeluk gebeurd is.'

'Daar zouden we snel genoeg achter kunnen komen. Maar waarom is dat zo belangrijk?'

'Ik denk dat ze verteerd wordt door schuldgevoelens, dat die als een loden last op haar drukken, en dat ze daarom teruggrijpt op iets wat in de psychologie met de term "overdracht" wordt aangeduid.'

'Ze projecteert haar schuldgevoelens op u.'

'Precies. Omdat ik Lily's hart heb gekregen, geeft die zus mij er de schuld van dat Lily niet meer leeft.'

'Vormt ze een gevaar?'

'Ja.'

'Dit lijkt me geen zaak waarbij alleen uw veiligheid in het geding is. Ik zou de politie erbij halen als ik u was.'

'Dat doe ik liever niet.'

Haar grijze ogen leken nu dezelfde tint te hebben als de wolkenlaag vol sneeuw onder hen, en hij kon niets opmaken uit haar blik, net zomin als hij het land onder het wolkendek kon zien.

Toen ze bleef zwijgen, zei hij: 'Je vraagt je natuurlijk af waarom ik dat liever niet doe. Eigenlijk weet ik dat zelf niet eens.'

Hij keek door het raampje naar buiten.

Uiteindelijk zei hij: 'Ik denk dat het komt omdat ik me wel een beetje in haar kan verplaatsen, in hoe ze zich voelt.'

En nadat ze een tijdje in stilte tussen de verblindende zon en de winterse bewolking hadden gevlogen, zei hij: 'Ik moet je bekennen dat ik er totaal geen weet van had dat er zo veel emoties bij kwamen kijken, om te leven met het hart van een ander. Het is een godsgeschenk, maar... het zorgt ook voor een afschuwelijke druk.'

Toen hij naar buiten had zitten kijken, had ze haar blik de hele tijd op hem gericht gehouden. Nu hij zich weer naar haar toe draaide, vroeg ze: 'Waarom voelt u zo'n druk?'

'Het ís gewoon zo. Het is net alsof... je verplicht bent niet alleen je eigen leven te leiden maar ook het leven van degene die je haar hart heeft geschonken.'

Cathy zweeg zo lang, starend naar haar koffiebeker, dat

Ryan dacht dat ze het tijdschrift weer zou pakken wanneer ze haar koffie ophad.

Hij zei: 'Toen we elkaar voor het eerst tegenkwamen, in Las Vegas, zestien maanden geleden, zei je dat ik achtervolgd werd door mijn eigen dood, en dat ik zat te wachten tot de bijl viel maar niet wist wie me wilde vermoorden, weet je nog?'

'Dat weet ik nog, ja.'

'Weet je ook nog dat je het toen over de wortels van het geweld hebt gehad?'

'Natuurlijk.'

'Wellust, afgunst, boosheid, gierigheid en wraak. Het woordenboek definieert gierigheid als een onverzadigbare hang naar bezit.'

Ze dronk het laatste restje van haar koffie op, zette de beker weg, liet het tijdschrift liggen en keek hem recht in de ogen.

Ryan zei: 'Denk je dat gierigheid ook een hang kan zijn naar iets anders dan geld?'

'Gierigheid is verwant aan hebzucht. Er zijn verschillende dingen die mensen willen hebben, niet alleen geld.'

De stewardess kwam vragen of Cathy een tweede kopje koffie wilde en of Ryan zijn bloody mary niet lekker vond. Ze haalde de koffiebeker en het glas weg.

Cathy Sienna verbrak als eerste de stilte. 'Meneer Perry, ik moet u een afschuwelijke vraag stellen. Zonder poespas, recht op de man af. Wilt u dood?'

'Waarom zou ik dood willen?'

'Is dat zo?'

'Welnee. Natuurlijk niet. Ik ben nog maar vijfendertig.'

'Dus u wilt niet dood?'

'Ik ben hartstikke bang voor de dood.'

'Dan zult u bepaalde stappen moeten nemen, en u weet welke. Maar u moet niet alleen naar de politie gaan, u moet nog veel meer doen. Ik denk dat u... de heroïsche daad moet verrichten.'

'Wat bedoel je?'

Ze gaf geen antwoord maar draaide haar hoofd opzij en keek door het raampje naar de wolkenmassa. De wereld die aan het zicht onttrokken bleef, werd nu bedekt met de sneeuw die uit de witte vlakte naar beneden dwarrelde.

In het licht op deze hoogte leek haar huid haast doorschijnend, en toen Cathy haar vingers op het raampje legde, kwam bij Ryan de vreemde gedachte op dat ze haar hand met gemak door het glas kon steken als ze dat wilde, en dat ze dan net zo weinig weerstand zou ondervinden als bij een dun stuk gaas of zelfs bij de waterspiegel van een vijver.

Hij herhaalde zijn vraag niet, want hij merkte dat ze zich in zichzelf terugtrok, en dat ze niet gewoon zweeg maar dat ze over een cruciale kwestie nadacht.

Toen ze zich weer tot hem richtte, zei ze: 'Misschien hebt u geen tijd voor de heroïsche daad. Want dat heeft alleen nut als er een toekomst voor u in het verschiet ligt die u zinvol kunt invullen.'

Door haar indringende blik en de ernstige toon waarop ze sprak, merkte hij dat ze ervan overtuigd was dat ze in heldere bewoordingen tot hem sprak en dat het wel duidelijk was wat ze zei.

Ryan was weliswaar in verwarring gebracht, maar vroeg niet onmiddellijk of ze haar woorden wilde verduidelijken, omdat hij dacht aan wat ze eerder had gezegd – dat je geduld moet uitoefenen voordat je dingen kunt begrijpen – en hij vermoedde dat ze op elke vraag die hij zou stellen een soortgelijk antwoord zou geven.

'Wat u moet doen,' vervolgde ze, 'is uzelf als slachtoffer aanbieden.' Misschien zag ze dat haar opmerking hem totaal overviel, want ze verklaarde zich snel nader. 'U moet lijden voor het heil van anderen, meneer Perry. U moet uzelf de rest van uw leven als slachtoffer opwerpen, als u daar tenminste het lef en het doorzettingsvermogen voor hebt.'

Als hij de opdracht had gekregen in eigen woorden na te

vertellen wat ze hem zojuist verteld had, zou hij er weinig van hebben gebakken. Toch wist hij diep vanbinnen, in een uithoek van zijn hart, dat ze een waarheid had verkondigd en dat hij pas in de loop der tijd volledig zou begrijpen wat ze bedoelde, eerder niet.

Zonder verder nog iets te zeggen nam hij weer in dezelfde stoel plaats waar hij aan het begin van de reis ook in had gezeten. De rest van de vlucht bleven ze apart zitten.

Toen ze boven Arizona vlogen, bedacht Ryan dat hij niet per se naar huis hoefde te gaan, waar de zus van Lily hem ongetwijfeld op stond te wachten. Hij kon elke reisbestemming kiezen die hij maar wilde: Rome, Parijs, Tokio. Hij kon de rest van zijn leven blijven vluchten, voorzien van alle comfort, zonder dat hij bang hoefde te zijn dat zijn geld op zou raken.

Toch besloot hij naar zuidelijk Californië te gaan, waar de lucht bewolkt was en de zee wild.

Voordat Cathy op het vliegveld naar de limo liep die Ryan had geregeld en waarmee ze naar Los Angeles terug zou gaan, kwam ze naar hem toe en zei: 'U kon zich nog herinneren wat ik over de wortels van het geweld had gezegd. Weet u ook nog dat ik de hartwortel heb genoemd, die altijd de ultieme, werkelijke motivatie vormt?'

'De hartgrondige afkeer van de waarheid,' zei hij. 'En de hang naar chaos die eruit voortvloeit.'

Tot zijn verbazing zette ze haar koffertje neer en omhelsde hem, niet op de manier waarop vrouwen afscheid nemen van mannen, maar met een heftigheid die meer dan genegenheid verried. Ze fluisterde iets in zijn oor, pakte haar koffertje en liep naar de gereedstaande auto.

Onderweg in zijn eigen limo overwoog Ryan om toch ergens anders naartoe te gaan, bijvoorbeeld naar San Francisco. Daar zou hij een nieuwe auto kunnen kopen en zelf gaan rijden. Eerst naar Portland, en dan in oostelijke richting naar Boise, Salt Lake, Albuquerque en Amarillo. Overal kon hij dan een of twee dagen blijven, een eeuwigdurende roadtrip.

Zijn mobieltje ging.

Hij keek op het display. Het was zijn vader die belde.

Toen Ryan opnam, zei de oude man: 'Wat is er in godsnaam aan de hand, jongen?'

'Pap?'

'Hoe diep zit je in de stront? Tot je nek? Of nog dieper? En duw je mij er meteen ook maar met mijn neus in? Wat is dit allemaal?'

'Pap, kalm aan nou. Rustig. Wat is er aan de hand?'

'Ene Violet, dát is er aan de hand, hier en nu, dus of je als de bliksem hiernaartoe wilt komen.'

Even dacht Ryan dat hij zijn vader niet goed verstaan had, maar toen de woorden tot hem doordrongen, herhaalde hij de naam: 'Violet?'

'Wat moet je toch met zo'n gestoorde vrouw, jongen? Ben je zelf wel goed bij je hoofd? Haal haar hier weg. Haal haar hier onmiddellijk weg.'

Lily en Violet, zussen bij leven, zussen tot in de dood.

51

Bijna negen jaar geleden had Ryan voor zijn vader en moeder – Jimmy en Janice – elk een huis gekocht en geregeld dat ze elke maand een toelage kregen. Gezien de onverschilligheid waarmee ze hem hadden opgevoed, en de keren dat die onverschilligheid in waanzin en wreedheid omsloeg, vond hij niet dat hij hun iets schuldig was. Maar hij was beroemd, althans in de zakenwereld, en de media zouden hem maar al te graag als een boeman afschilderen, wat onvermijdelijk was als bleek dat zijn ouders bijna niet rond konden komen. Bovendien putte hij er een zekere genoegdoening uit om hen nu beter te behandelen dan andersom het geval was geweest.

Omdat Janice en Jimmy gescheiden waren toen Ryan negentien was, gaf hij zijn moeder een huis met uitzicht op de heuvels van Laguna Beach, en zijn vader een huis dat wat dichterbij lag, op loopafstand van het strand van Corona del Mar. Janice hield van glitter en glamour en een kast van een huis, maar zijn vader wilde liever een gezellige bungalow die 'een eigenwijze visie' uitstraalde.

Er was niets eigenwijs aan Corona del Mar, dat bij Newport Beach hoorde. Ryan kocht voor hem een buitengewoon charmante bungalow op een perceel van tweehonderd vierkante meter en wist zeker dat Jimmy zelf wel die eigenwijze visie zou meenemen.

Ryan wist niet goed welke situatie hij kon verwachten, en daarom gaf hij zijn chauffeur de opdracht de limo een straatje verderop te parkeren, zodat hij het laatste stukje kon lopen.

Bij elke stap die hij zette, overwoog hij terug te gaan en Wilson Mott de opdracht te geven onmiddellijk een paar gewapende bodyguards te sturen.

De Verenigde Staten waren een van de weinige plaatsen in de wereld waar een vermogend man zich veilig over straat kon begeven zonder bodyguards. Omdat Ryan een normaal leven wilde leiden, waarbij zijn vrijheid zo veel mogelijk gewaarborgd was, riep hij de hulp van Motts gewapende begeleiding alleen in wanneer dat absoluut noodzakelijk was.

In dit geval deed hij er misschien verstandig aan om assistentie te vragen, maar zijn intuïtie zei hem dat hij in z'n eentje naar binnen moest gaan. Door zijn intuïtie en doordat de waarheid pas laat tot hem was doorgedrongen, wist hij dat door zijn handelingen zijn vele toekomstperspectieven beperkt waren tot dit ene aneurysma in de voortgang van de tijd, en dat het lot óf hier met hem zou afrekenen óf hem nog een kans zou schenken. Hij moest zichzelf zien te redden.

Hij deed een wit hek in een witte schutting open en liep onder een poortje door dat begroeid was met bougainville, die ondanks de winter vol bloedrode bloemen hing. Een klinkerpaadje liep naar een veranda, met zijschotten waar ranken met trompetbloemen tegenaan groeiden.

Een hoveniersbedrijf onderhield de tuin. Als Jimmy ervoor moest zorgen, zou het gras binnen de kortste keren verdord zijn, en de rest zou vervallen tot een jungle die alleen nog maar geschikt was als decor voor de *Little Shop of Horrors*.

De voordeur stond op een kier. Hij belde niet aan maar duwde de deur verder open en stapte naar binnen.

Hij kwam hier bijna nooit, dus was de stap terug in de tijd altijd verrassend, maar ook altijd deprimerend. De rest van de wereld had het tijdperk van Aquarius grotendeels achter zich gelaten, maar hier was alles nog zoals in 1968. De psychedelische posters, de Grateful Dead-parafernalia, Sly and the Family Stone, Hendrix en Joplin, Jefferson Airplane, de in het donker oplichtende vredestekens, een poster van voorzitter Mao, bamboe rolgordijnen en gebatikte gordijnen. En natuurlijk ontbrak de waterpijp niet.

Jimmy zat op de bank. Violet, de zus van Lily, stond over hem heen gebogen, met een pistool met geluiddemper in haar hand.

Toen Jimmy Ryan in het oog kreeg, zei hij: 'Shit, man, waar bleef je nou? Wat een toestand hier. Ik weet niet wat je allemaal hebt uitgevreten, maar zorg jij maar dat het allemaal weer ongedaan wordt gemaakt, want dat wijf hier is een onversneden lijpo.'

Jimmy was drieënzestig, en hoewel hij een kale kruin had, was het haar op zijn achterhoofd zo lang dat hij er een staartje in had gebonden. Hij droeg dezelfde hoofdband als Ron 'Pigpen' McKernan van de Grateful Dead, had een David

Crosby-achtige snor, en een kralenketting die naar zijn zeggen van Grace Slick geweest was. Alleen zijn ogen waren niet op popsterren geënt. Ze leken op brandgaten waar na het blussen van de vlammen water en as in achtergebleven waren, ogen vol kinderlijke berekening en verlangen en stille wanhoop, rusteloze ogen waarvan Ryan de aanblik alleen kon verdragen wanneer zijn vader stoned was en alle angst en wrok tijdelijk in een chemische roes waren gesmoord.

'Bamping,' zei Violet.

Ryan hoorde iets bewegen, draaide zich om en zag een man die via de hal de woonkamer binnenkwam. Hij had een Aziatisch uiterlijk, was ongeveer van Ryans postuur en had een pistool in de hand.

Met een knikje naar Jimmy zei ze tegen Bamping: 'Neem hem mee naar de slaapkamer en hou hem in bedwang tot ik dit heb afgehandeld.'

'Ik wil niet weer naar de slaapkamer,' zei Jimmy. 'Ik wil niet met hem mee.'

Violet zette het uiteinde van de geluiddemper tegen Jimmy's voorhoofd.

'Pap,' zei Ryan. 'Doe wat ze zeggen.'

'Ze kunnen de pot op,' zei Jimmy. 'Fascistische klootzakken zijn het.'

'Ze kan je zo een kogel door je kop jagen, pap. Wat die vent met je doet, kan toch nooit zo erg zijn?'

Jimmy liet zijn tong langs zijn lippen en de rand van zijn hangsnor gaan en kwam wankel overeind. Hij was een menselijk wrak, vel over been. Er zat geen enkele vorm in het zitvlak van zijn spijkerbroek, hij had gewoon geen kont meer, en zijn onderarmen leken net zo dun als zijn ellebogen.

'Ze zit me te pesten,' zei Jimmy tegen Ryan. 'Die trut wil niet dat ik een stickie neem. Zeg daar eens wat van.'

'Ik bepaal hier de regels niet, pap.'

'Het is toch jouw huis?'

'Pap, ga nou maar met Bamping mee.'

'Met wát mee?'
'Met Bamping. Zo heet hij. Ga nou maar.'
'Bamping? Dat is toch geen naam voor een vent.'
'Hou hier nou mee op, pap.'
'Toen je je bedrijf verkocht, heb je toen ook meteen je ballen van de hand gedaan?'
'Ja, pap, toen heb ik mijn ballen ook verkocht. Ga nou maar.'
'Wat klote is dit, zeg. Ontzettend klote.'
'Het is in elk geval geen flowerpower-droom,' zei Ryan.
'Wat mag dat nou weer betekenen?'
'Niks.'
'Het betekent wel iets. Slimbo.'
Uiteindelijk liep Jimmy met Bamping door de hal naar de slaapkamer. Een deur ging dicht.
'Trek uw jasje uit,' zei Violet. 'Heel voorzichtig.'
'Ik ben niet gewapend.'
'Heel voorzichtig.'
Hij deed zijn jasje uit en legde het over de bank, waar ze het desgewenst kon inspecteren. Op haar bevel trok hij ook zijn shirt uit en legde dat naast zijn jasje. Daarna draaide hij zich om zijn as, met uitgestoken armen, als de vleugels van een vogel.
Toen ze zag dat hij inderdaad niet gewapend was, wees ze naar een relaxfauteuil en zei: 'Ga daar zitten.'
Ryan nam plaats en zei: 'Grappig.'
'Moet u lachen?'
'Zover zou ik niet willen gaan. Maar het is grappig te zien dat deze stoel zowel bij de helden van de vooroorlogse generatie als bij de losers van de daaropvolgende generatie zo populair is.'
Hij ging niet languit liggen maar zat rechtop en boog zich iets voorover.
'Waar bent u geweest?' vroeg ze.
'Denver.'

Ze bleef op afstand en wilde niet zo dicht bij hem komen als bij Jimmy. 'Was u op de vlucht geslagen?'

'Ik heb het overwogen,' gaf hij toe.

'Ik had niet verwacht dat u hiernaartoe zou komen.'

'Als ik dat niet gedaan had, zou u hem hebben vermoord.'

'Dat klopt.'

'En misschien doet u dat alsnog wel.'

'Zou kunnen,' zei ze. 'U ga ik in elk geval wel vermoorden.'

'Misschien ben ik niet in mijn eentje.'

'U bent hier per limousine gekomen, en die staat een eindje verderop. Er is alleen een chauffeur, en die zit in de auto te wachten, luistert naar foute muziek en leest een vies blaadje.'

Hoewel Ryan nog steeds bang was, daalde er tegelijkertijd een merkwaardige rust op hem neer. Hij wilde niet meer van die dagen meemaken zoals in de afgelopen zestien maanden. Hij was ternauwernood aan de dood ontsnapt, maar was Samantha daarbij kwijtgeraakt, had geen doel meer in zijn leven en kon nergens meer van genieten. Vroeger geloofde hij dat het zin had om een toekomst op te bouwen, maar dat geloof was danig aan het wankelen gebracht. Hij was op een keerpunt in zijn leven aangekomen. Als hij nu niet koos voor een betere toekomst, kon hij het net zo goed opgeven.

'Als u toch van plan bent me te vermoorden,' zei hij, 'zou ik de reden dan misschien mogen weten?'

52

De bamboe rolgordijnen waren helemaal neergelaten en hielden het grijze licht van de bewolkte dag tegen. De woonkamer en de achter een rond poortje gelegen eetkamer werden verlicht door twee gedimde schemerlampen, een lavalamp met constant veranderende vormen, drie kaarsen die in potjes van gekleurd glas op de schoorsteenmantel stonden, en twee lichtjes die in glazen kommen op geurolie dreven.

Er waren veel schaduwen in de kamer, die elk scherp randje afvlakten en platte vlakken van een omfloerst laagje voorzagen. Door het flakkerende kaarslicht leek het plafond te golven.

De vrouw bleef geen moment staan en bewoog zich constant door de schaars verlichte kamer vol maskerende schaduwen, glinsterende duisternis en schemerige hoekjes. Ze leek zich sloom voort te bewegen, maar Ryan wist wel beter: ze bezat de beheerste rusteloosheid en de levensgevaarlijke kracht van een tijger.

'Wie zijn dat?' vroeg ze, met haar pistool wijzend op een poster.

'Country Joe and the Fish,' zei Ryan.

'Ik zie helemaal geen vis.'

'Zo heet die band. Die hebben de wereld veranderd.'

'Hoe hebben ze dat dan gedaan?'

'Weet ik veel. Mijn vader zei dat altijd.'

Lamplicht viel op haar gezicht, dat daardoor op een grimmig kabukimasker leek.

'Waar stinkt het hier zo naar?' vroeg ze.

'Geurkaarsen, aromatische olie.'

'Ik bedoel die andere geur.'

'Waarschijnlijk ruikt u de wiet.'

'Hasj?'

'Ja. Die geur trekt overal in. Daarom steekt hij altijd geurkaarsen aan, om die stank te maskeren.'

'Waarom rookt hij wiet?'

'Weet ik niet. Omdat hij dat altijd al heeft gedaan.'

'Is hij verslaafd?'

'Ze zeggen dat het niet verslavend is.'

'Van hasj word je toch relaxed?'

'Ik zou het niet weten, want ik gebruik zelf niet. Maar dat zeggen ze wel, ja.'

'Ik vind hem niet zo relaxed,' zei ze.

'Nee, dat is hij nooit geweest.'

Ze droeg een zwarte broek, een zwarte trui en een zwart jasje, en bewoog zich als een schim door de schemerige kamer. Vooral haar handen en gezicht bleven in het halfdonker zichtbaar, en haar huid had een gouden glans, ongeacht of er nu lamplicht of kaarslicht op viel.

Ryan wachtte een kans af om op haar af te rennen en haar het wapen afhandig te maken. Steeds zwaaide ze het pistool alle kanten op, en ze leek afgeleid door de nostalgische spullen waarmee Jimmy zijn huis had volgepropt.

Maar hij vermoedde dat een deel van haar verstrooidheid gespeeld was en dat ze hem onmiddellijk zou neerknallen als hij een verkeerde beweging maakte.

Ze wees naar een andere poster en vroeg: 'En dat?'

'Ook een band. The Grateful Dead. Die hebben de wereld veranderd.'

'Hoe hebben ze dat dan gedaan?'

'Weet ik veel. Misschien kunt u dat beter aan mijn vader vragen.'

'Ik weet waar uw moeder woont, maar ik heb haar nog niet ontmoet.'

'U zult nog raar staan te kijken,' zei Ryan.

'Lijkt ze op hem?'

'Ja en nee. Bij haar draait het om alcohol en mannen, vooral mannen die van alcohol houden.'

'Ik zit erover te denken jullie alle drie te vermoorden.'

Ryan zweeg.

Bij een andere poster zei ze: 'Wie zijn dit?'

'De Doors, met Jim Morrison.'

'Hebben die de wereld veranderd?'

'Dat wordt wel beweerd, ja.'

Toen Violet achter hem langs liep en buiten zijn gezichtsveld kwam, draaide hij zijn hoofd en keerde zich om in zijn stoel om haar met zijn blik te kunnen volgen.

'Kijk voor u,' zei ze. Ze richtte haar pistool op de brug van zijn neus.

Hij deed wat hem gezegd was.

'Als u zich nog een keer naar me omdraait, schiet ik u dood. Die mensen die op die posters staan... waar zijn die nu?'

'Ik weet het niet. Er zijn er heel wat van overleden.'

'Dus zij zijn door de wereld veranderd,' zei ze.

Ze had zo'n lichte tred dat hij haar nauwelijks hoorde lopen. Waarschijnlijk had ze iets gepakt om het beter te kunnen bekijken, want hij hoorde een tik op de tafel toen ze het terugzette.

In de aanhoudende stilte zocht hij koortsachtig naar een vraag of opmerking om het initiatief in handen te krijgen.

Vlak achter zijn oor, zo dichtbij dat hij ervan schrok, zei ze: 'Ik heb uw vader verteld hoe ik heet. Weet u hoe mijn zus heet?'

Het verschil in intonatie tussen de bevestigende en de vragende zin was het verschil tussen een opmerking zonder emotionele lading en de ogenschijnlijk onschuldige strikvraag van een rechercheur. Haar laatste zes woorden vormden een gebottelde beschuldiging, en door een verkeerd antwoord kon de kurk er afvliegen en zou haar woede vrijkomen.

Na een lichte aarzeling, waarbij hij besefte dat die gevaarlijk kon zijn, zei hij: 'Ja. Ze heette Lily.'

'Hoe bent u daarachter gekomen? Hebt u dat afgeleid uit mijn bloemen, of door iets wat ik zei?'

'Nee. Ik heb de familie ernaar gevraagd, en ook of ik een foto van haar mocht hebben, en zo heb ik ontdekt dat jullie een eeneiige tweeling zijn.'

'Heeft de familie u een foto gegeven?'

'Ja.'

'Maar ík ben de familie.'
'Nou, dan denk ik dat ik die foto van uw ouders gekregen heb.'
'Leugenaar,' zei ze.
Ze gaf hem een dreun tegen de zijkant van zijn hoofd, misschien met het handvat van het pistool, want zijn oor begon te bloeden.
Toen hij uit de fauteuil omhoog wilde komen, kreeg hij een klap op zijn hoofd, zo snel volgend op de eerste dat de pijn in zijn oor nog maar net tot hem was doorgedrongen.
Een tinteling van pijn beschreef de natuurlijke schedelnaden tussen het frontale bot van zijn schedel en de twee pariëtale delen. Achter zijn ogen, die hij van pijn had dichtgeknepen, zag hij koperkleurige vonken die knetterend de kronkellijnen van die naden tegen de duisternis beschreven.
In een panische, afwerende beweging legde hij zijn handen op zijn hoofd, waardoor zijn vingers bij de derde klap verbrijzeld werden. Hij schreeuwde het uit, of dacht dat althans, maar de vierde dreun legde hem hoe dan ook het zwijgen op. Hij raakte buiten westen.

53

Hij kwam langzaam maar zeker weer bij kennis en kon het licht steeds beter verdragen. Toen hij voor het eerst uit de vergetelheid herrees, vond hij dat de olielampen een ondraaglijk fel licht verspreidden. Hun vlammetjes waren zo scherp dat hij het gevoel had dat zijn ogen bij elke flakkering verschroeiden. Hij wist niet waar hij was of van wie de lampen waren, en zijn hoofd deed zo'n pijn dat hij niet op de woorden kon komen om te vragen of de lampen misschien gedoofd konden worden. Hij zonk terug in een gevoelloze staat, kwam weer bij kennis, zonk weer terug, en zo begon hij langzaam aan het licht te wennen en kwamen zijn herinneringen weer terug.

Toen hij wist wie en waar hij was en in welke omstandigheden hij verkeerde, hief hij zijn kin van zijn borst en richtte hij zijn blik op Violet, die in een fauteuil tegenover hem zat, aan de salontafel.

'Weet u hoe u heet?' vroeg ze.

Hij kon haar met zijn linkeroor duidelijk horen, maar met rechts was het net of er water in zijn gehoorgang zat. Misschien zat het verwonde oor vol bloed en was hij helemaal niet doof.

'Weet u hoe u heet?' vroeg ze nog eens.

Zijn antwoord bleef krakend in zijn keel steken. Hij probeerde wat speeksel te produceren, slikte dat door en zei met trillende stem: 'Ja.'

'Hoe heet u dan?'

'Ryan Perry.'

Hij vermoedde dat ze iemand met een pistool op het hoofd kon slaan zonder dat het slachtoffer een hersenschudding kreeg, maar dat ze haar zelfbeheersing bij hem was verloren en nu bang was dat ze minder lol aan hem zou beleven dan ze oorspronkelijk van plan was.

'Welke datum is het?'

Hij dacht even na, herinnerde het zich ineens en zei haar welke dag het was.

Zijn hoofd deed zeer, van oor tot oor en van voor tot achter. Een aspirientje zou hier niet helpen. Hij had niet alleen pijn maar ook last van heftige paroxismes, steeds terugkomende golven die vanaf de rechterkant van zijn hoofd naar achteren trokken, gevolgd door korte, felle steken, zes en acht en tien per keer, die een lijn op zijn gezicht leken te tatoeëren, van zijn rechterslaap dwars over zijn oog naar de brug van zijn neus.

Toen hij zijn linkerhand van de armleuning haalde om die naar zijn hoofd te brengen, zoog hij de lucht sissend tussen zijn opeengeklemde kaken door, omdat hij het gevoel kreeg dat zijn knokkels vol glasscherven zaten.

Zijn wijsvinger stond in een onnatuurlijke hoek gebogen, en zijn pink leek geheel verbrijzeld te zijn. Er viel een druppel bloed van zijn hand, die glanzend op de leren stoel bleef liggen.

Het gezicht van Violet bleef voor de helft in zachte schaduwen verborgen, en de andere helft glom in het schijnsel van de lampen. Ze keek hem met haar grijsgroene ogen doordringend aan.

'Ik vraag het nog één keer: van wie hebt u die foto van Lily?'

'Van de familie, neem ik aan. Ik ben er via mijn chirurg aan gekomen.'

'Dr. Hobb.'

'Inderdaad.'

'Wanneer hebt u die foto gekregen?'

'Gistermorgen.'

'Op zondag?'

'Ja. En ik zag dat ze uw tweelingzus was.'

'En toen bent u meteen maar naar Denver gevlucht.'

'Eerst naar Las Vegas. En daarna door naar Denver.'

'Waarom naar Denver?'

Hij snapte het hele gedoe rond Ismay Clemm zelf niet, laat staan dat hij het aan een ander kon uitleggen. Hij zei: 'Je hebt me toen op die parkeerplaats gestoken. Je bent mijn huis binnengeslopen, en hoe je dat gedaan hebt, en hoe je weer weg bent gegaan, weet ik niet, omdat je alle sporen hebt uitgewist. Je hebt met de videobanden van de beveiligingscamera's geknoeid, hebt veiligheidssloten open gekregen...'

'Met elektromagneten gaat dat heel makkelijk. Of dacht u dat ik kon toveren?'

'Ik vond het wel beangstigend. Ik wilde ergens naartoe waar u me niet kon vinden, ergens waar ik kon nadenken.'

'En wat voor ideeën hebt u in Denver opgedaan?'

Hij schudde zijn hoofd. Dat had hij beter niet kunnen doen. Een klotsende pijn stroomde door zijn schedel.

Toen de pijnaanval was afgezakt, zei hij: 'Ik kan het niet onder woorden brengen. U zou het toch niet begrijpen.'

'Doet u toch maar een poging.'

'U zou het toch niet begrijpen.'

Ryan overwoog de salontafel te gebruiken om de rollen om te keren. Als hij ervoor kon zorgen dat de twee glazen potten omvielen en braken, zou de brandende olie misschien niet alleen op de vloer en de meubels maar ook op Violet terechtkomen.

Ze zei: 'Ik had niet verwacht dat u hiernaartoe zou komen.'

'Ja. Dat hebt u al gezegd.'

'Ik dacht dat u geen vinger zou uitsteken om het leven van uw vader te redden.'

'Dat was ook niet de enige reden waarom ik gekomen ben.'

'Wat voor reden had u dan nog meer?'

Hij zweeg. Hij hoefde niet op alles antwoord te geven. Ze zou hem uiteindelijk toch doodmaken, of hij nu wel of niet op al haar vragen reageerde.

Violet zei: 'Wilt u niet weten wie ik ben – behalve de zus van Lily?'

'Ik neem aan dat u niet in het onderwijs zit.'

'Wat bedoelt u daar nou mee?'

'Dat u niet voor de klas staat, net als zij.'

'Lily stond helemaal niet voor de klas.'

De relaxstoel stond een eindje van de salontafel af, zodat er ruimte genoeg was om het voetenbankje helemaal uit te klappen, zag Ryan tot zijn spijt. Als de tafel dichterbij had gestaan, zou hij een trap tegen de tafel kunnen geven, in de hoop dat de lampen op de grond kapot zouden vallen.

'Lily werkte in een naaiatelier.'

'Waarom zouden ze liegen over wat voor werk ze deed?' vroeg hij.

Violet ging niet op zijn vraag in maar zei: 'Ik ben een veiligheidsagent. Ik werk voor de regering. Maar geen FBI of CIA. Heel wat anders, meneer Perry. U zult nog nooit van mijn organisatie hebben gehoord, en dat zal ook nooit gebeuren.'

'Geheime politie.'

'Ja. Zo ongeveer. U hebt het hart van iemand afgepakt, die een zus had die dat ongedaan kan maken. Dat had u dus beter niet kunnen doen.'

'Ik heb helemaal niets van wie dan ook afgepakt. U voelt wat u voelt, en daar kan ik inkomen. Echt waar. Maar ik stond op de transplantatielijst, en zij stond op de donorlijst, en ik heb haar hart gekregen. Anders was iemand anders er gelukkig mee geworden.'

'Die lijst waar u op stond... was die van het United Network for Organ Sharing?'

'Ja. Precies.'

'Hoe lang hebt u op een hart moeten wachten, meneer Perry?'

Als ze haar pistool niet meer op hem richtte, of als ze opstond, of als haar aandacht op de een of andere manier verslapte, zou hij de tafel misschien in een flits omver kunnen gooien, zodat de lampen kapot zouden vallen, en in de daaropvolgende brand en chaos zou hij misschien aan haar kogels kunnen ontkomen. Hij zag het voor zich, wist dat het een Hollywoodachtig scenario was met flink wat stuntwerk, maar misschien zou het lukken, heel misschien, omdat het leven soms op een film leek. Hij moest het spelletje meespelen, moest haar aan de praat houden en hopen dat zich een kans zou voordoen.

'Dr. Gupta zei dat ik nog een jaar te leven had. Hooguit. Maar voor hetzelfde geld zou ik binnen een halfjaar komen te overlijden, of nog eerder. Bijna vier maanden lang kwam er geen hart vrij dat voor mij geschikt was.'

'Sommigen moeten wel een jaar of twee wachten,' zei ze. 'Heel wat mensen krijgen nooit een nieuw hart. U wel. En dat binnen een maand.'

'Nee. Vier. Vier maanden.'

'Eén maand nadat u zich bij dr. Hobb had laten inschrijven.'

'Dat komt omdat dr. Hobb een chirurg is met buitengewone capaciteiten, een uitstekende internationale reputatie heeft opgebouwd en in verschillende landen praktijk houdt. Hij kan er zelfs voor zorgen dat zijn patiënten op de lijst van het *International* Network for Organ Sharing worden geplaatst.'

Ze sperde haar grijsgroene ogen open, alsof hij haar iets had verteld wat ze nog niet wist, informatie die haar kijk op de zaak veranderde. 'Het *International* Network for Organ Sharing.' Ze knikte nadenkend, alsof ze zijn opmerking goed tot zich door wilde laten dringen. Toen kneep ze haar ogen samen. 'Zo'n lijst bestaat helemaal niet, meneer Perry.'

'Natuurlijk wel. Ik stond er zelf op. Uw zus ook. Nadat ze verongelukt was, hebben ze meteen contact met dr. Hobb opgenomen.'

Ze kwam uit haar stoel overeind, maar omdat ze hem onder schot hield, durfde hij geen poging te doen om de salontafel omver te trappen.

'Wat voor ongeluk bedoelt u?' vroeg ze.

'Dat auto-ongeluk. Haar fatale hoofdwond.'

Op een vlakke, gelijkmatige toon, alsof ze in trance was, zei Violet: 'Lily heeft een auto-ongeluk gehad.'

Er lag een harde, kille, lege blik in haar ogen. Langzaam liep de tengere vrouw als een roofdier om de salontafel heen.

'Zulke dingen gebeuren nu eenmaal,' zei Ryan. 'Zonder reden. Daar kan niemand iets aan doen.'

'Zonder reden,' zei ze vlak. 'Niemand kan daar iets aan doen.'

'Als u toen toevallig...'

'Als ik toen wát toevallig?' vroeg ze, terwijl ze bij de open haard bleef staan.

'Als u toen toevallig achter het stuur zat, hoeft u zich nog niet meteen iets te verwijten.'

'U denkt dat ik achter het stuur zat.'

Alles wat hij zei, kon verkeerd worden opgevat, maar als hij zweeg, zou ze misschien eerder geneigd zijn hem neer te schieten.

'Ik weet het niet. Ik dacht alleen dat dat misschien verklaarde... waarom u zulke heftige gevoelens hebt. En waarom we hier met z'n tweeën verzeild zijn geraakt.'

Als het waar was dat je in de ogen van de ander kon zien wat die persoon van plan was, zag hij dat hij ten dode was opgeschreven. Haar starende blik sneed als porseleinscherven door hem heen, en in haar ogen brandde haar verzengende woede.

'Ik zat niet achter het stuur, meneer Perry, omdat er helemaal geen ongeluk heeft plaatsgevonden. Geen botsing, geen hoofdwond, geen internationale lijst. Lily leefde, was kerngezond, is eerst uitgekozen en daarna pas om het leven gebracht, zodat u haar hart kon krijgen.'

54

Toen hij zijn hoofd schudde, werd de pijn in zijn hoofd alleen maar erger. Hij hoorde vanbinnen een dreunend geluid, alsof iemand constant aan de laagste snaar van een contrabas zat te plukken, en een spervuur van venijnige pijnscheuten schoot door zijn hoofd. Toch bleef hij met zijn hoofd schudden, om te ontkrachten wat Violet had gezegd.

'Wanneer bent u voor die transplantatie naar Shanghai gevlogen, meneer Perry? En waarom helemaal naar Shanghai?'

'Daar is ze verongelukt. Ze lag aan de beademing, was hersendood, maar ze hebben haar in leven gehouden tot ik samen met dr. Hobb en diens medewerkers was gearriveerd.'

'Weet u wat Falun Gong is, meneer Perry?'

Hij schudde zijn hoofd. Hij wist het niet. Aan haar stem te horen zou hij het wel moeten weten.

'Falun Gong is een spirituele beweging die gebaseerd is op meditatie en bepaalde oefeningen.'

'Nooit van gehoord. Is dat erg?'

'Falun Gong is in 1992 opgericht en werd in 1999 verboden, nadat tienduizend aanhangers van deze beweging in stilte protesteerden tegen het feit dat de overheid een groot aantal mensen in de stad Tianjin hadden laten oppakken en mishandelen.'

Toen hij zijn hoofd schudde, verhevigde dat de pijn niet alleen maar werden zijn gedachten ook op een hoop gegooid, zoals wanneer de keurig op elkaar gestapelde levensmiddelen in de schappen van een supermarkt bij een aardbeving omvallen en het een onoverzichtelijke bende wordt. Toch bleef hij met zijn hoofd schudden, alsof hij niet wilde dat de pijn ophield of dat hij weer helder kon nadenken.

'Spiritualiteit wordt niet getolereerd. De helft van de mensen die in mijn land in werkkampen opgesloten zitten, behoort tot de Falun Gong,' ging ze verder. 'Ze worden geslagen en gemarteld en moeten werken tot ze er dood bij neervallen.'

Aan de richting waaruit haar stem kwam, hoorde Ryan dat Violet om de relaxstoel heen gelopen was en nu achter hem stond. Hij keek op, en hoewel zijn gezichtsvermogen in golven van pijn aangetast werd, kon hij genoeg zien om te weten dat ze zich inderdaad niet in zijn blikveld bevond.

‘Naar voren kijken,’ commandeerde ze. ‘Niet omkijken.’

Ryan verwachtte niet dat ze van achteren een kogel door zijn hoofd zou jagen. Eerst zou ze hem nog meer willen laten lijden, en wanneer de tijd was gekomen om er een punt achter te zetten, zou ze hem dwingen in de loop van haar pistool te kijken terwijl ze de trekker overhaalde.

‘Lily zat bij de Falun Gong. Ze was een lief, dromerig meisje. Mijn tweelingzus, al leek ze totaal niet op me. Mijn geest is duisterder, en mijn hart ook.’

Alsof ze wist waaraan hij zat te denken, zette ze de loop van het pistool tegen zijn achterhoofd, waardoor hij gedwongen werd zijn hoofd stil te houden.

‘O, mijn god, niet doen. Dit is een vergissing.’

Het was of het ronde uiteinde van de loop een derde oog in zijn achterhoofd drukte, want toen hij de ogen sloot waarmee hij ter wereld gekomen was, kon hij in de loop kijken, tot de kogel aan toe.

‘Lily werkte in een naaiatelier, voor niet meer dan het minimumloon. Ze ging op zoek naar iets wat haar leven zou opfleuren en haar bestaan zin zou geven. Falun Gong.’

Het bloed dat op zijn gezicht zat, op zijn handen en op de stoel, verspreidde een lichte geur. Misschien was hij de enige die het rook. Hij werd misselijk.

Ze zei: ‘Ze hebben Lily twee jaar geleden opgepakt. Ik ben een jaar lang bezig geweest om haar vrij te krijgen, via indirecte wegen, in het geheim.’

De duisternis begon als een schip te schommelen. Hij deed zijn ogen open en richtte zijn blik op de fauteuil waarin zij kortgeleden nog had gezeten. Door zich daarop te concentreren, probeerde hij de opkomende misselijkheid te onderdrukken.

‘Werkkampen, mishandeling, martelingen, verkrachtingen: niet iedereen van de Falun Gong die wordt opgepakt, krijgt hiermee te maken. Sommigen van hen worden goed behandeld, zodat ze gezond blijven en hun organen later voor transplantatiedoeleinden kunnen worden gebruikt.'

Een snik ontsnapte aan zijn lippen, en hij deed zijn uiterste best zijn emoties onder controle te krijgen, want hij voelde aan dat zijn tranen geen greintje medelijden maar alleen minachting bij haar zouden opwekken, waardoor ze eerder geneigd zou zijn hem te vermoorden. Hij maakte nog de meeste kans als hij zichzelf wist te beheersen, zich terughoudend opstelde en haar op verstandelijke gronden wist te overtuigen.

'Ik heb nog nooit van Falun Gong gehoord,' zei hij stellig. 'Nog nooit.'

'In Shanghai staat een ziekenhuis waar ze twee dingen doen. Ten eerste bepaalde... experimenten. Ten tweede voeren ze daar transplantaties uit ten bate van hooggeplaatste regeringsfunctionarissen die met gezondheidsproblemen kampen, en ten bate van rijke buitenlanders die het kunnen betalen.'

Tot zijn verbazing verscheen de vrouw weer aan de linkerkant in zijn blikveld. Ze had de loop van het pistool zo hard tegen zijn hoofd gedrukt dat hij die nog voelde, ook al had ze het pistool allang weer weggehaald.

'Drie dagen voordat u werd geopereerd, kwam ik erachter dat Lily van het werkkamp naar dat ziekenhuis was overgebracht.'

Ze hield het pistool met beide handen vast, anderhalve meter van hem af. Ze richtte op zijn keel, maar rekende er ongetwijfeld op dat het wapen iets omhoog zou gaan als ze de trekker overhaalde, zodat de kogel zijn tanden zou versplinteren en de achterkant van zijn hoofd zou wegblazen.

'De nieren van mijn lieve tweelingzus gingen naar twee kameraden, haar lever naar een derde persoon, haar hoornvliezen naar nummer vier, en haar hart ging naar een of andere vermogende internetbaron, een van de honderd populairste vrijgezellen.'

Hij kreeg een nieuwe ervaring; hij merkte dat angst zo

overdonderend kon zijn dat er geen ruimte was voor welk ander gevoel dan ook, dat hij alleen maar aan de dood kon denken, dat hij geen greintje hoop meer koesterde, dat hij zijn afschuwelijke verwondingen niet meer voelde, alleen nog de angst, die bezit had genomen van elke vezel van zijn lijf.

'Ik wist het niet,' kreunde hij, maar hij dacht nauwelijks na bij wat hij zei, als bij een gebed of litanie, iets wat hij al tienduizend keer had gepreveld en wat nu, omdat hij geen enkele gedachte kon formuleren, het enige was wat hij kon uitbrengen.

'U wist het wel degelijk,' zei ze op stellige toon.

'Ik wist het echt niet.' Weer die litanie. 'Ik wist het echt niet. Ik wist het echt niet. Als ik ervan had geweten, zou ik het nooit gedaan hebben.'

'Dr. Hobb brengt daar patiënten van over de hele wereld naartoe. Door de jaren heen zijn er honderdzestig patiënten van hem binnen een maand of nog sneller aan een nieuw hart geholpen. Dr. Hobb weet het wel degelijk.'

'Dat zou kunnen, ik kan niet namens hem spreken, dus ik kan niets ter verdediging aanvoeren. Maar ik wist er niets vanaf.'

'Naar verluidt zijn er zoveel mensen op deze manier aan hun eind gekomen dat er op de plek waar ze begraven liggen, rode bamboe groeit. Een compleet bos van rode bamboe.'

'Ik wist er niets vanaf.'

Ze liet haar pistool zakken, en uit de geluiddemper kwam slechts een zacht en verrassend natuurlijk geluid toen ze hem in zijn linkervoet schoot.

55

De angst drukte de pijn van de schotwond niet weg, althans niet helemaal, en ook had het geen stelpend effect op het bloed dat eruit stroomde. Toch had hij erger verwacht. Het was geen rauwe, alles verzengende pijn waar hij compleet door verteerd werd, maar toch deed het dermate zeer dat hij niet meer helder kon denken, en hij begon onmiddellijk over zijn hele lijf te zweten, terwijl zijn maag en ingewanden koud leken te worden en er sidderingen door hem heen gingen, waardoor hij begon te klappertanden.

Hij begon niet te schreeuwen, eenvoudigweg omdat hij daar geen lucht genoeg voor had, maar de vrouw zei: 'Als je gaat gillen, zal ik je zonder pardon tot zwijgen brengen, en dat maakt de zaak er voor jou alleen maar erger op.'

De geluiden die hij produceerde, waren soms zacht en gesmoord, soms iel en trillend en deerniswekkend, maar nooit zo hard dat ze buiten te horen waren.

Hij zakte niet in elkaar op de grond maar bleef half ineengedoken op de comfortabele relaxstoel zitten. Met zijn rechterhand hield hij de zachte schoen vast die zijn doorboorde voet omsloot, en hij merkte dat hij iets minder pijn had als hij licht op zijn schoen drukte.

'Toen Lily me was ontvallen, wilde ik maar één ding: u opsporen.'

Weer liep Violet door de kamer, met die merkwaardige ingehouden rusteloosheid, als een zwarte vogel die door een openstaande deur naar binnen is gevlogen, een gevleugelde boodschapper die geen genade kent en die een plek zoekt om een nest te bouwen.

'Het kostte me tien maanden om China uit te komen. We zijn met z'n drieën tijdens een missie gevlucht. Toen kostte het nog twee maanden hiernaartoe te komen, uw gangen na te gaan en een plan te ontwikkelen.'

Ondanks de felle pijn die hij voelde, merkte hij dat zijn geest overspoeld dreigde te raken door een duistere vloed, die over de zeewering sloeg die hij had opgetrokken, en onder zijn doodsangst kwam een nog intensere angst opzetten, waarvan hij het bestaan niet eens had vermoed.

'Hobb wist ervan,' zei ze terwijl ze door de kamer om hem heen cirkelde.

Het enige wat Ryan kon uitbrengen, was: 'Mij heeft hij er nooit iets over verteld.'

'Natuurlijk zei hij niet: "Laten we naar Shanghai gaan om een kerngezond meisje voor je open te snijden."'

'Als hij er nooit over sprak, hoe kon ik dat dan weten?' voerde hij ter verdediging aan, al klonk het hem zelf ook zwak in de oren. 'Hoe kon ik dat dan weten?'

'Door wat hij impliciet zei.'

Hij wist niet wat hij hierop moest zeggen.

Ze liet zich niet vermurwen en zei: 'En door wat u zelf had kunnen bedenken.'

De duistere vloed die op zijn zeewering inbeukte, was het getij van de waarheid.

Ze zei: 'Door de impliciete betekenis van een *internationale* lijst van donors, door de impliciete betekenis van slechts een maand wachttijd, door de impliciete betekenis van de astronomische kosten, door de impliciete betekenis van een spoedvlucht naar Shanghai, door de impliciete betekenis van honderden knipogen en blikken die u moeten zijn toegeworpen.'

Huiverend bracht hij het woord over zijn lippen: 'Subtekst.'

Daden hadden gevolgen. Daar was hij altijd al van overtuigd geweest, zowel in de werksfeer als in zijn privéleven.

De nieuwe, verwoestende angst werd steeds heviger, een angst waar hij nooit eerder last van had gehad in de vijfendertig jaar dat hij op aarde rondstapte. Het was de angst dat zijn daden ook gevolgen hadden die over de dood heen reikten.

Haar woede had plaatsgemaakt voor een kalme vastberadenheid om gerechtigheid te doen plaatsvinden. De vrouw liep naar hem toe, met een ernstig, streng gezicht.

'Ik ben opgeleid om voor Amerikaanse door te kunnen gaan. Het was de bedoeling dat ik hier ooit naartoe zou komen om een geheime cel te vormen.'

Haar stem leek doordrongen van een diepe berusting, en in haar groene ogen lag een dromerige blik.

'Ik had mijn eigen geheime plannetje. Ik wilde hier met Lily naartoe gaan, zodat we allebei een nieuwe identiteit aan konden nemen en echte Amerikanen konden worden. Nu is dit land geen optie meer voor mij. En China ook niet. Ik kan nergens meer naartoe.'

Ze keek hem langs de loop van het pistool aan.

Verdikt bloed stroomde langzaam uit de schotwond in Ryans schoen, zijn gebroken linkerhand verkrampte tot een klauw, hij had zo'n heftige hoofdpijn dat het net was of zijn schedel bij elkaar gehouden werd door strak omwonden prikkeldraad, maar de tranen in zijn ogen waren niet het gevolg van de pijn, maar van het inzicht dat hij moedwillig blind was geweest toen hij zich aan de zorg van dr. Hobb had toevertrouwd. Eigenlijk was hij zijn hele leven blind geweest.

Als een soort biecht, niet zozeer tegen Violet als wel tegen zichzelf, zei hij: 'Die avond zei Samantha me dat ik voorzichtig moest zijn. "Vooral jij," zei ze. "Vanwege je karakter moet je extra goed oppassen."'

Violet vroeg: 'Die schrijfster?'

'Ze zei dat ik het maar moest laten gebeuren, dat ik niet moest proberen het te hanteren, maar dat ik het moest accepteren, dat ik het gewoon moest laten gebeuren.'

Weer zakte zijn pijn weg, net als eerder, doordat het werd verdrongen door de hevige angst, die alle andere gevoelens overstemde.

'Mijn god, ze wist waar ik toe in staat was. Zij zag het,

en ik niet. Zij zag het, terwijl ik er blind voor was. En toch hield ze van me.'

Ook zijn angst werd deze keer weggedrukt en maakte plaats voor slechts één gevoel, die alle andere emoties, zijn verstand en zijn lichamelijke sensaties overstemde, een gevoel dat nieuw voor hem was en tegelijkertijd zo bekend: schaamte.

Pas toen besefte Ryan Perry dat er iets in hem kapot was gegaan.

Een van de wortels van het geweld was gierigheid. Hebzucht.

Hij zei: 'Door mijn blinde hebzucht leeft uw zus niet meer.'

'Hebzucht? U bent een van de rijkste mensen ter wereld.'

'Hebzucht naar het leven.'

Hij had zijn zinnen op haar hart gezet, elk willekeurig hart, als het maar gezond was, en hij had zichzelf wat wijsgemaakt, was blind geweest voor zijn eigen beweegredenen.

Violet keek hem langs de loop van het pistool aan.

Nu, te laat, besefte hij dat hem zestien maanden eerder, in het begin van zijn crisis, een bijzondere genade was geschonken, een kans Samantha te laten zien dat hij het inzicht bezat waar het haar om te doen was, voordat ze op zijn huwelijksaanzoek wilde ingaan: het besef dat het leven en de wereld een subtekst bevatten, een impliciete betekenis, en dat daar bepaalde consequenties aan vastzitten. Ismay Clemm, die ten prooi was gevallen aan de hebzucht van haar echtgenoot en aan de obsessie die Spencer Barghest voor de dood had, had een langere weg afgelegd dan van Denver naar Californië, en had hem willen waarschuwen en hem de goede kant op willen sturen. Met koortsachtige dromen had Ismay hem drie versies van de hel voorgeschoteld, maar hij had er alleen maar drie onoplosbare raadsels in gezien.

'Nog negen kogels over,' zei de stem van de lelies. 'Acht om u te laten lijden, en de laatste om het af te maken.'

Ismay had over de grens van de dood heen gereikt om hem de waarheid te laten inzien. Ryan wist nu dat hij die waarheid binnenstebuiten had gekeerd, dat hij die waarheid had verwrongen en vervormd tot een schijnbeeld. Hij had er niet met verwondering maar met wantrouwen op gereageerd. Hij vermoedde een duister complot waar hij genade had kunnen zien. Hij had al redenerend wilde theorieën verzonnen, vol louche gifmengers die hallucinerende middelen in zijn eten deden, samenzwerende bedienden, een hele wereld die het op mysterieuze wijze op hem had gemunt. In feite was er al die tijd slechts sprake van één vijand: hij had een complot tegen zichzelf gesmeed om de werkelijkheid van een meervoudig gelaagde wereld en de eeuwigheid niet onder ogen te hoeven zien.

Hij keek Violet aan en zei: 'De hartwortel van geweld is de hartgrondige afkeer van de waarheid.'

De tweelingzus van wijlen Lily schoot een kogel in zijn lijf, linksboven, net onder zijn schouderblad.

Hij was nog in de kamer aanwezig, maar niet voor de volle honderd procent. Voor een deel was hij uitgetreden en voelde hij de pijn niet. Zijn lichaam was zo zwak dat de pijnprikkels niet langer aan hem door werden gegeven. Deze keer koesterde hij niet de illusie dat iemand hem stiekem drugs had toegediend.

'Ismay gaf me nog... een laatste kans. De klokken.'

Hij keek Violet aan omdat hij vond dat ze er recht op had om te zien dat hij langzaam weggleed uit dit leven.

'Klokken?' zei ze.

'Maanden voordat ik geopereerd werd. Ismay zei dat als ik de klokken hoorde, dat ik dan bij haar moest komen. Dat heb ik niet gedaan.'

'Ismay. Wie is dat?'

Omdat hij de kracht noch de helderheid van geest bezat om dat uit te leggen, zei hij alleen maar: 'Mijn beschermer.'

'Ik heb de klokken geluid,' zei Violet.

Dat snapte hij niet.

'In het verleden hebben ze niet alle kerken gesloopt. Sommige lieten ze staan, alleen maar om er evenementen in te kunnen organiseren die hun oorspronkelijke doel bespottelijk maakten.'

'IJzeren klokken.'

'De dag waarop Lily doodging, heb ik haar een bericht gestuurd. Ik schreef dat ik in de geest bij haar wilde zijn. Ten teken daarvan zou ik de klokken luiden.'

Het dreigende, aanhoudende klokgelui kwam bij Ryan boven, en daarmee ook het afschuwelijke gevoel dat hij een ernstige fout had begaan, een fout waar de klokken hem voor waarschuwden.

'Ik schreef haar dat ik de klokken zou luiden, ten teken dat er gerechtigheid zou geschieden,' ging Violet verder. 'Ik schreef dat ze voor altijd in mijn hart voort zou leven. Als ze de klokken hoorde, moest ze daar maar aan denken.'

Hoewel Ryan bang was voor de dood, dacht hij niet dat hij nog meer van het leven aan zou kunnen. Hij verzekerde haar: 'Het is goed zo. Dit is gerechtigheid.'

Toen ze tegen hem had staan praten, had ze het pistool laten zakken. Nu richtte ze het wapen weer op hem.

Hij zei: 'Zorg dat er gerechtigheid gedaan wordt.'

Ze schoot een kogel in zijn lijf, deze keer onder zijn rechterschouderblad.

Zijn lijf schokte toen de kogel insloeg, en de stank van zijn eigen bloed kwam hem voor als het heerlijke aroma van een offer. Hij zag schaduwen door de kamer gaan, schaduwen die op hem afkwamen.

Iets meer dan een uur geleden had Cathy Sienna op het vliegveld, voordat ze in de limo was gestapt die haar naar Los Angeles zou brengen, Ryan innig omhelsd en vijf woorden in zijn oor gefluisterd die niemand ooit eerder tegen hem gezegd had. Nu zei hij dezelfde woorden tegen iemand anders, voor het eerst in zijn leven, blij dat hij ze nederig en oprecht kon uitspreken: 'Ik zal voor u bidden.'

Omdat hij al met één voet buiten de tijd stond, was Ryan niet meer in staat het wegtikken van seconden in te schatten, maar het kwam hem voor dat Violet hem een volle minuut aankeek voordat ze haar pistool weer gebruikte. Hij schraapte net de moed bijeen om haar te vertellen dat het goed was wat ze deed, toen ze zich omdraaide en op een van de posters schoot.

Er waren nog zes kogels in het pistool over, waarmee ze op overleden beroemdheden schoot, op Voorzitter Mao, en op de lavalamp, die met een knal uit elkaar spatte.

Ze verliet de kamer zonder Ryan nog een blik waardig te keuren en liet hem stervend achter.

56

Ryan maakte absoluut geen aanstalten om van zijn stoel overeind te komen, misschien omdat hij te veel bloed had verloren of omdat hij geen wil tot leven meer had. Hij kroop in elkaar, als een hond die probeert te gaan slapen, en trok zijn benen op. Zijn hoofd rustte op een van de armleuningen.

Toen de lavalamp uit elkaar was gespat, was een van de twee schemerlampen omgevallen en door de rondvliegende scherven kapotgegaan. De kamer werd nu grotendeels verlicht door kaarsen en de twee op geurolie drijvende pitten. De schade in de kamer viel erg mee, en toch leek het of er een allesvernietigende brand had gewoed.

Ryan had geen idee hoe lang Violet al weg was, toen een ineengedoken figuur de kamer binnenholde, op bezorgde toon voor zich uit mompelde en soms boos vloekte. De gestalte boog zich over hem heen, raakte hem aan, schudde hem heen en weer, en stonk zurig uit zijn mond, als een trol die smerige dingen had gegeten. Vervolgens liep de figuur naar een hoge hemelsblauwe kast waar sterren en manen op geschilderd waren.

Toen de gestalte zich over hem heen had gebogen, had Ryan niet de kracht gehad om zijn blik te richten, maar nu zag hij dat het zijn vader was.

De kast met de sterren en manen bestond uit laatjes met daarboven twee deurtjes. Jimmy trok een van de laden open en kieperde de inhoud op de grond.

'Pap.'

'Ja, ja, ik weet het. Ja, ja.'

'Bel het alarmnummer.'

Met de la in de hand dribbelde hij terug naar Ryan. De vlammetjes van de olielamp werden in zijn ogen weerspiegeld, waardoor die op lantaarntjes leken.

'Straks vinden die smerissen mijn voorraadje nog.'

Hij haalde de dubbele bodem uit de la, gooide die op de grond en haalde een tien centimeter hoog metalen geldkistje tevoorschijn, van het type waar kleine bedrijfjes hun kasgeld in opborgen.

'Ik ben geraakt.'

Jimmy maakte het kistje open en zei: 'Momentje, momentje.' Hij haalde er plastic zakjes met hasj en wiet uit. 'Eerst moet ik dit door de plee spoelen, dan bel ik daarna wel een ambulance.'

'Bel nou eerst.'

'Een chaos is het, een complete chaos. Ik moet dit spul door de plee spoelen.'

'Pap. Alsjeblieft. Bel nou.'

Jimmy schuifelde weg in het flakkerende schijnsel, binnensmonds mompelend – 'door de plee, door de plee' – en leek daarbij nog het meest op een soort Repelsteeltje, alleen dan wat dementer.

Toen Ryan uit de stoel probeerde op te staan, verloor hij het bewustzijn.

Het geluid van naderende sirenes bracht hem weer bij kennis.

Jimmy stond over de relaxstoel gebogen en hield een doekje tegen Ryans hoofd.

'Wat doe je?'

'Ik probeer het bloeden te stelpen.'

Het vochtige doekje rook naar afwaswater, maar Ryan bezat niet de kracht zich te verweren. Hij zei vanachter het doekje: 'Pap, luister.'

'Ze zijn er bijna.'

'Ze hadden maskers op.'

'Wie?'

'Die inbrekers hadden maskers op.'

'Mooi niet.'

'We hebben geen gezichten gezien.'

'Ik wel, hoor.'

Ryan kreeg de punt van het doekje in zijn mond en spoog het uit. 'Ze waren... op het verkeerde adres.'

'Stil nou maar. Spaar je krachten.'

'Ze moesten bij Curtis nog wat zijn.'

'Mooi niet. Die woont hier niet.'

'Ze hebben mij neergeschoten voor ze wisten hoe het zat.'

Toen de sirenes zwegen, zei Jimmy: 'Ze zijn er.'

Ryan vermande zich en griste het doekje voor zijn gezicht weg. 'Luister nou. We moeten wat verzinnen.'

Verbouwereerd zei zijn vader: 'Meen je dat?'

Ryan wilde Violet en haar twee handlangers niet verraden. En hij wilde ook niet dat zijn vader dat deed.

'We zitten in de stront, pap. We moeten wat verzinnen.'

'Maskers, verkeerde adres, Curtis nogwat,' zei Jimmy.

'Lukt dat?'

'Smerissen voor de gek houden? Ik heb mijn hele leven niks anders gedaan.'

Een ogenblik later kwam het ambulancepersoneel de kamer binnen.

Net nog had Ryan verlangd naar de dood, en nu merkte hij tot zijn verbazing, toen de verpleegkundigen zich over hem ontfermden, hoezeer hij aan het leven hing.

57

Drie jaar en vijf maanden na Samantha's debuut kwam haar derde roman uit. Lexington, in Kentucky, vormde het niet voor de hand liggende eindpunt van de eenentwintig steden tellende pr-tour. Ze had haar uitgever gevraagd na Atlanta door te mogen gaan naar Lexington, zodat ze in de buurt van St.-Christopher's Ranch was en een smoesje had om hem op te bellen.

Ze dacht dat hij zich dan minder bezwaard zou voelen dan wanneer ze speciaal voor hem deze reis maakte, en dat hij wat meer ontspannen zou reageren wanneer hij dacht dat ze toch toevallig in de buurt was. Twee weken daarvoor, toen ze hem had opgebeld, leek hij blij verrast van haar te horen, en hij had haar toen uitgenodigd, zonder dat ze daarop aangestuurd had.

Die ochtend huurde ze een auto en reed ze door het land van de *Bluegrass*. Ze meed de snelwegen zo veel mogelijk, had geen haast, genoot van het landschap, kilometerslange zwarte hekken, witte hekken en muurtjes van kalksteen, waarachter prachtige volbloedpaarden in grazige weiden stonden.

St.-Christopher's Ranch bestreek dertig hectare land. Net als de gehele regio zagen de weiden er zeer vruchtbaar uit, en de paarden waren prachtig, al waren het geen volbloeds.

De eigenlijke boerderij stond een flink stuk van de weg af, aan het eind van een oprijlaan, waar aan weerskanten oude eiken stonden.

Het reusachtige maar prachtig vormgegeven landhuis, witgeverfd met zwarte accenten, was aan alle kanten omgeven door een grote veranda en werd tegen de felle junizon beschermd door de grootste wilgenbomen die Sam ooit gezien had.

De veranda was te bereiken via een glooiende helling of via een trap. Sam koos de brede trap.

Op deze spectaculaire veranda stonden schommelstoelen en grote rotan stoelen met kussens erin. In een daarvan zat een vlasblonde, sproetige jongen van ongeveer dertien, zongebruind en op blote voeten. Hij droeg een korte broek van spijkerstof en een T-shirt met DOGS ROCK erop. Hij was een boek aan het lezen, en omdat hij geen armen had, sloeg hij de bladzijden met zijn tenen om.

'Hallo,' zei hij, toen hij van zijn boek opkeek. 'Hebben ze u wel eens verteld dat u er best mag wezen?'

'Dat hebben ze wel eens gezegd, ja,' zei ze.

'Hoe heet u?'

'Sam.'

'Met zo'n naam moet je haast wel knap zijn. Als ik tien jaar ouder was, zou ik meteen werk van u maken.'

'Hebben ze je wel eens verteld dat je een ontzettende flirt bent?'

'Dat hebben ze wel eens gezegd, ja,' zei hij grijnzend.

Ze deed de hordeur open, zoals haar door de telefoon was verteld, en betrad een hal met een prachtige oude walnoten vloer. Hier hing een ontspannen, informele sfeer, en alle deuren van de kantoren stonden open.

Ze trof pastoor Timothy in zijn werkkamer aan, achter zijn bureau, precies zoals haar telefonisch verteld was. De lange man had brede schouders en een door zon en wind verweerd gezicht. Hij zou zo voor een boerenknecht of een ervaren veedrijver door kunnen gaan als hij niet een monnikspij had gedragen.

'Omdat de honden vandaag gewassen worden, heeft Binny het vanmorgen nogal druk, en omdat hij niet wist wanneer u precies zou komen, heeft hij gevraagd of ik u naar hem toe zou willen brengen.'

'Binny,' zei ze.

'O, dat weet u natuurlijk niet, maar zo noemen we hem hier. Omdat hij een nogal bekende naam heeft en liever niet op de voorgrond wil treden, noemen we hem altijd Binny, uit privacyoverwegingen.'

Een van de figuren in haar eerste roman heette ook Binny.

Pastoor Tim liep voor haar uit door het hoofdgebouw naar wat hij het park noemde, wat leek op het centrale plein van een campus, dat door gebouwen wordt ingesloten. Drie andere panden, die in dezelfde stijl als het oorspronkelijke landhuis waren opgetrokken maar van recentere datum waren, omzoomden dit bestrate plein, waar een groepje eiken voor schaduw zorgde.

Het park zinderde van de festiviteiten. Kinderen in rolstoelen zaten aan lage tafels en waren met diverse handvaardigheidsprojecten bezig. Een aantal kinderen die wel konden lopen, hadden karatepakken aan en kregen les in zelfverdediging. Er werd voorgelezen, kinderen zaten op kussens te luisteren naar een non die levendig de verbazing en schrik van een konijn naspeelde en haar woorden met zwierige gebaren kracht bijzette. En overal waren honden, die lui in het gras lagen of met elkaar stoeiden, golden retrievers en labradors, speels en goed verzorgd en vrolijk.

'De broeders wonen in het aangebouwde deel van het hoofdgebouw,' vertelde pastoor Timothy, terwijl Sam met hem meeliep in de schaduw van de eikenbomen, 'en de zusters zitten in het klooster, een eindje verderop. Die drie andere gebouwen zijn slaapzalen, maar we moeten een vierde laten bouwen. We scheiden de kinderen niet naar de aard van hun handicap, dus de kinderen met het syndroom van Down wonen bij de verlamde kinderen, zodat ze leren elkaar op hun specifieke sterke punten te waarderen.'

St.-Christopher's was een opvangtehuis voor weeskinderen en kinderen die in de steek gelaten waren en bijzondere verzorging nodig hadden. Soms werden jongere kinderen door gezinnen geadopteerd, maar de kinderen die ouder dan zes waren en niet zo gemakkelijk te plaatsen waren, konden op de boerderij blijven wonen tot ze volwassen waren.

De broeders hadden zich onder andere gespecialiseerd in het fokken van showhonden. Hoewel dit een winstgevende bezigheid was, waren de honden die niet verkocht werden net zo belangrijk als de honden die prijzen wonnen of verkocht werden, want die bleven op de boerderij wonen, niet alleen als speelkameraadjes voor de kinderen maar ook om afgericht te worden zodat de kinderen leerden met anderen om te gaan en hun zelfvertrouwen te vergroten.

Achter het park leidden kronkelpaadjes naar stallen cn oefenweiden, langs nog meer omheinde weilanden naar het klooster, en naar de bijgebouwen. In een daarvan was een dierenartspraktijk annex trimsalon gevestigd.

Pastoor Tim leidde Sam naar het gebouw waar de honden werden gewassen, deed de deur open en zei: 'Ik zal jullie verder niet lastigvallen. U zult Binny vast wel herkennen, want het is precies zoals de kinderen altijd zeggen: als hij er nog een flapoor bij had, zou hij niet meer van de honden te onderscheiden zijn.'

In de grote ruimte waren badkuipen gebouwd, trimtafels en installaties waarin honden na het wassen konden drogen. In een van die drooginstallaties zat een golden retriever, die met een droevige blik naar buiten keek, alsof hij gevangenzat. Ryan, die geholpen werd door een ongeveer vijftienjarige jongen met het syndroom van Down, wreef de oren van een zwarte, gewassen en opgedroogde labrador in met adstringerende zalf.

Ryan had nog niet gemerkt dat Samantha was binnengekomen en zei tegen de jongen: 'Pak zijn halsband maar, Rudy, en breng hem maar naar zuster Josephine.'

Rudy zei dat hij dat zou doen en glimlachte toen hij Sam zag. Ryan wist wat het betekende als de jongen dat deed en draaide zich om.

Hij droeg rubberlaarzen en een rubberschort, met daaronder een kakibroek en een groen tricot shirt. Blijkbaar maakte het hem niets uit hoe hij erbij liep. Dat was Sam niet van hem gewend. Toch zag hij er buitengewoon goed uit.

Omdat ze erg onzeker was hoe haar bezoekje zou vallen, was ze blij en ontroerd toen hij bij haar aanblik helemaal begon te stralen.

'Daar ben je dan,' zei hij. 'Mijn god, daar ben je dan.'

Ze kreeg tranen in haar ogen toen ze zag hoe hij naar haar keek, en toen Ryan dat merkte, stelde hij Rudy aan haar voor, en ook Ham, de labrador die naar zuster Josephine gebracht moest worden.

'Onze Rudy,' zei Ryan, 'wordt later een fantastische hondenverzorger.' De jongen sloeg zijn ogen bedeesd neer. 'Hij kan alles al heel goed, behalve dan het uitdrukken van hun anaalzakken.'

'Bwlah,' zei de jongen.

Toen Rudy met Ham vertrok, zei Ryan: 'Ik zal deze spullen even uittrekken en me opfrissen. We kunnen zo lunchen. Ik heb alles al voor elkaar. Die lunch, bedoel ik.' Hij schudde zijn hoofd. 'Dus je bent echt gekomen. Niet weggaan, hoor. Wil jij Tinker uit de droger halen, want die is nu wel klaar. Tinker is van mij. Ze gaat samen met ons lunchen.'

De retriever was blij dat iemand haar uit haar gevangenschap verloste en was extra blij toen ze achter haar oren en onder haar kin werd gekrabd.

Ryan deed zijn schort af, hing het op, trok zijn laarzen uit, deed sportschoenen aan, en boende zijn handen en onderarmen bij een van de lange, diepe badkuipen.

'Wat een prachtbeest,' zei Sam.

'Tinker is fantastisch. Ze snapt alleen niet waarom ze met mij opgescheept zit en niet met een van de kinderen, want die willen wel de hele dag met haar spelen.'

'Ze is vast erg op je gesteld.'

'Ja, nou, dat komt waarschijnlijk omdat ik degene ben van wie ze koekjes krijgt.'

Ryan pakte haar hand, zo vanzelfsprekend dat het leek of ze nooit uit elkaar waren gegaan, en Tinker liep voor hen uit naar buiten, om het gebouw heen, een buitentrap op naar een veranda op de eerste verdieping.

Zijn appartement was kleiner dan de flat die ze in Balboa Peninsula had gehad. De woonkamer met open keuken was buitengewoon krap, en ook de slaapkamer was erg klein.

De lunch bestond uit koude kip, kaas, aardappelsalade – 'mijn aardappelsalade is echt verschrikkelijk lekker' – tomaten en komkommer. Ryan en Samantha dekten samen de tafel op de veranda.

In tegenstelling tot de veranda die ze in Balboa had gehad, had deze geen wijdvertakte peperboom, maar wel was hij overdekt, met uitzicht op een honkbalveld en daarachter omheinde weilanden.

'Hoe loopt je boek?' vroeg hij.

'Nog beter dan de vorige.'

'Fantastisch. Ik had het al voorspeld. Ja toch? Jij bent helemaal geen eendagsvlieg.'

Ze praatten over het boekenvak, over het boek waar ze nu aan werkte, en over St.-Christopher's. Ze merkte dat hij daar kennelijk dagenlang over kon vertellen, want hij kwam met het ene innemende verhaal na het andere.

Ze was bij hem langsgegaan om te kijken of hij gezond en gelukkig was, want dat was erg belangrijk voor haar. Wanneer iemand zijn gehele vermogen had weggeschonken, iets waar hij nog heel wat moeite voor had moeten doen, was het niet ondenkbaar dat hij misschien in de romantische veronderstelling verkeerde dat al zijn problemen dan ook voorbij zouden zijn en dat hij achteraf merkte dat het leven er alleen maar moeilijker op wordt als je geen torenhoge bankrekening hebt om op terug te vallen. Maar hij zag er gelukkiger uit dan ze had durven hopen, en ze wist dat hij zich voor haar niet groothield, want hij was nog steeds net zo'n open boek voor haar als eerst.

'Al mijn dagen, weken en jaren zijn zo vol, Sam. Er zijn altijd wel honden die gewassen moeten worden, stallen die een verfje kunnen gebruiken, gras dat gemaaid moet worden, en er zijn altijd kinderen die denken dat ik de enige ben die hun problemen kan oplossen omdat ik een hangoor heb, als een hond. Ik ben dol op deze kinderen, Sam. God, ze zijn geweldig. Met al hun beperkingen doen ze zo hun best, en je zult ze nooit horen klagen.'

Met plastische chirurgie zou zijn oor hersteld kunnen worden, maar om redenen waarnaar ze alleen maar kon gissen, had hij ervoor gekozen daarvan af te zien. Hetzelfde gold voor de littekens op zijn hoofd: plukjes haar, met daaromheen een vollere haardos, en plekken waar geen haar meer zat. Door een zenuwbeschadiging trok hij een beetje met zijn linkervoet. Hij liep niet echt mank; hij bewoog zich met zijn gebruikelijke flair voort en had zich eraan aangepast alsof hij ermee geboren was. Hij bleef de knapste man die ze ooit had gezien, en nu bezat hij zelfs een zachtmoedige uitstraling die hij destijds niet had gehad, iets wat niets met zijn uiterlijk te maken had.

Ze praatten de hele middag door. Samantha was niet van plan hem te vragen wat er destijds gebeurd was en waarom hij zijn leven zo radicaal had omgegooid, maar hij begon er zelf over, en voor het eerst hoorde ze alles wat hij destijds voor haar verborgen had gehouden: Ismay Clemm, de dromen, het paranoïde idee dat iedereen tegen hem samenzweerde, ook haar moeder, en zelfs Samantha. Hij vertelde hoe blind hij was geweest, welke fouten hij had gemaakt, en hij deed dat met zo'n gemak en vanuit zo'n nederige houding, zelfs met een weemoedig soort milde humor, dat ze zijn relaas ademloos aanhoorde, niet zozeer om wat er gebeurd was, maar vooral omdat ze merkte dat hij door die gebeurtenissen ingrijpend was veranderd.

Ze trok geen van de bovennatuurlijke verschijnselen die hij beschreef in twijfel, want hoewel ze zelf nog nooit een geestverschijning had meegemaakt, was ze er altijd van uitgegaan dat de wereld uit oneindig veel lagen bestond, en dat alle mensen met al hun onvolmaaktheden in aanleg heiligen waren. En meestal, zoals Ryan nu ook ervaren had, kwam genade niet tot je in de vorm van een geest, zoals die van Ismay, maar in de vorm van doodgewone mensen, mensen zoals Cathy Sienna, die had geweten dat ze Ryan over de wortels van alle geweld moest vertellen, ook als hij daar pas te laat rekening mee zou houden, dezelfde Cathy die hem later, in het vliegtuig op de terugreis naar Denver, had verteld dat hij zijn lijden en prestaties in dienst van anderen moest stellen, en dat was precies hoe hij nu leefde, niet met de verwachting dat hij de ultieme genade zou ontvangen, maar wel in de hoop dat anderen die misschien wel ten deel zou vallen.

Ooit was ze verliefd op hem geweest, en nog steeds hield ze van hem, maar nu anders. Emotioneel en intellectueel en spiritueel was alles nog hetzelfde, maar lichamelijk niet meer. Door alles wat hij had moeten doorstaan, had hij geleerd de waarheid te omarmen, en nu zag ze dat hij door zijn liefde voor de waarheid inzicht in haar had gekregen, inzicht waarvan hij voorheen verstoken was gebleven, inzicht dat zo diep ging dat hij misschien de enige ter wereld was die haar werkelijk begreep. Tijdens deze verbijsterende middag was haar liefde voor hem gegroeid, en ze vroeg zich af of ze in haar leven ooit nog iets dergelijks zou ervaren.

Aan het eind van de middag wisten ze allebei dat het tijd was afscheid te nemen en kwamen ze tegelijk overeind. Ryan en Sam liepen samen met Tinker terug over het terrein, langs de stallen en de oefenweiden, over het plein naar haar auto, die ze voor het hoofdgebouw had neergezet.

Terwijl ze naar haar auto liepen, zei hij: 'Ik wil nog iets zeggen, Sam, en ik weet al dat je daarover in discussie zult gaan, maar ik wil je op voorhand vragen om een beetje rekening met me te houden. Geen discussie. Geen commentaar. Gewoon luisteren. Per slot van rekening vind ik je boeken prachtig, dus daar zou je me toch wel wat krediet voor moeten gunnen. Als schrijver moet je je fans toch tevreden houden?'

Doordat hij op zó'n uitdrukkelijk luchtige toon sprak, wist ze dat hij iets wilde zeggen wat belangrijker was dan al het andere dat ze die middag hadden besproken. Met haar stilzwijgen stemde ze met zijn verzoek in.

Hij pakte haar hand weer, en na een paar passen zei hij: 'Toen ik op mijn leven terugkeek, kon ik eerst maar niet inzien waarom iemand als ik zo belangrijk voor het universum was dat Ismay Clemm op mijn pad gezonden werd, en waarom me al die voortekens werden voorgehouden, waardoor ik had kunnen voorkomen dat ik nu iemand ben die leeft met het hart van een meisje wier dood ik op mijn geweten heb. Waarom werden míj al die kansen geboden, terwijl ik er zo overduidelijk niets mee kon en de voortekens niet eens als zodanig herkende? En op een dag, nog niet eens zo lang geleden, wist ik het. Toen ik jouw derde roman las, wist ik het. Het kwam door jou, Sam. Dat ik al die kansen heb gekregen, komt door jou.'

'Ryan...'

'Je zou niet met me in discussie gaan. Kijk, zo zit het. Jij bent een fantastische vrouw, meer dan dat, je bent de genade in eigen persoon. En wat jij met je leven doet, is belangrijk. Het is van cruciaal belang dat je gelukkig bent, want dan kun je zo veel anderen de weg wijzen, via je boeken. Wees gelukkig, Sam. Zoek iemand om samen mee verder te gaan.

Trouw met hem, krijg kinderen. Wat zul je een fantastische moeder zijn. Krijg kinderen, Sam, omarm het leven en schrijf nog meer briljante boeken. Want als mijn tijd gekomen is en mij enige genade is gegund, komt dat niet omdat ik alles heb weggegeven, en ook niet omdat ik hier tussen monniken ben gaan zitten, terwijl ik zelf geen monnik ben en er ook nooit een zal worden. Nee, als er zoiets als een uiteindelijke verlossing voor me bestaat, komt dat omdat onze wegen elkaar hebben gekruist zonder dat je daar littekens aan overgehouden hebt, en omdat ik altijd geprobeerd heb je in je waarde te laten. En ik wil geen commentaar horen.'

Ze waren bij haar auto aangekomen, en Samantha wist niet of ze nu in staat was om te rijden of iets uit te brengen. Maar ze wist wat hij van haar wilde, wat hij nodig had. Diep vanbinnen vond ze de kracht om niet met hem in discussie te treden over wat hij net had gezegd. Ze keek hem glimlachend aan en wilde iets zeggen waarmee hun samenzijn op een luchtige manier kon worden afgesloten.

'Je hebt me nooit verteld... bij welke film van William Holden je toen wakker bent geworden, die film waarvan je dacht dat er een boodschap voor je in verborgen lag.'

Toen hij glimlachte en daarna een lachje liet horen, wist ze dat ze de juiste toon had getroffen.

'God heeft vast een goed gevoel voor humor, Sam. De kans is groot dat Hij zich zo sterk aan me ergerde dat Hij geprobeerd heeft me een teken te sturen dat bijna net zo opvallend was als een brandende struik. Waar de film over ging, deed er niet toe. Het was de titel die me aan het denken had moeten zetten, als ik de hint tenminste had opgepikt en de moeite had genomen om het na te kijken.' Hij zweeg even voor het dramatische effect. '*Satan Never Sleeps*.'

Ze kon een lachje niet onderdrukken, hoewel de situatie ook iets wrangs had.

Hij omhelsde haar, en zij omhelsde hem, en zij zoende hem op zijn wang, en hij zoende haar op haar voorhoofd.

Toen ze wegreed en in het achteruitkijkspiegeltje zag dat hij haar op de oprijlaan nakeek, kon ze het niet opbrengen om daarna nog een keer in het spiegeltje te kijken.

Ze reed de landweg op, en toen de berm breed genoeg was, zette ze de auto aan de kant van de weg neer.

Een open weiland liep glooiend omhoog naar een drietal eiken. Ze wandelde naar de bomen en ging tegen de grootste eik zitten, waar ze vanaf de weg niet te zien was.

Ze huilde een hele tijd, niet zozeer om hem en al helemaal niet om haarzelf, maar om het wezen van de dingen en om hoe de wereld zou kunnen zijn, maar niet is.

Na een tijdje merkte ze dat ze helemaal opging in het gekwetter van de vogels, in de wind die hoog in de eikenbomen suisde, en in de heldere zonnestralen die in hun zuivere vorm tussen de takken door vielen en het gras vonden en dat liefkoosden.

Ze kwam overeind en liep terug naar de auto. Ze wilde naar huis. Er moest weer een boek geschreven worden. En een leven worden opgebouwd.

Bibliotheek Slotermeer
Plein '40 - '45 nr. 1
1064 SW Amsterdam
Tel.: 020 - 613.10.67